JN117070

THE ANSWER

デーヴィッド・アイク David Icke

高橋清隆訳

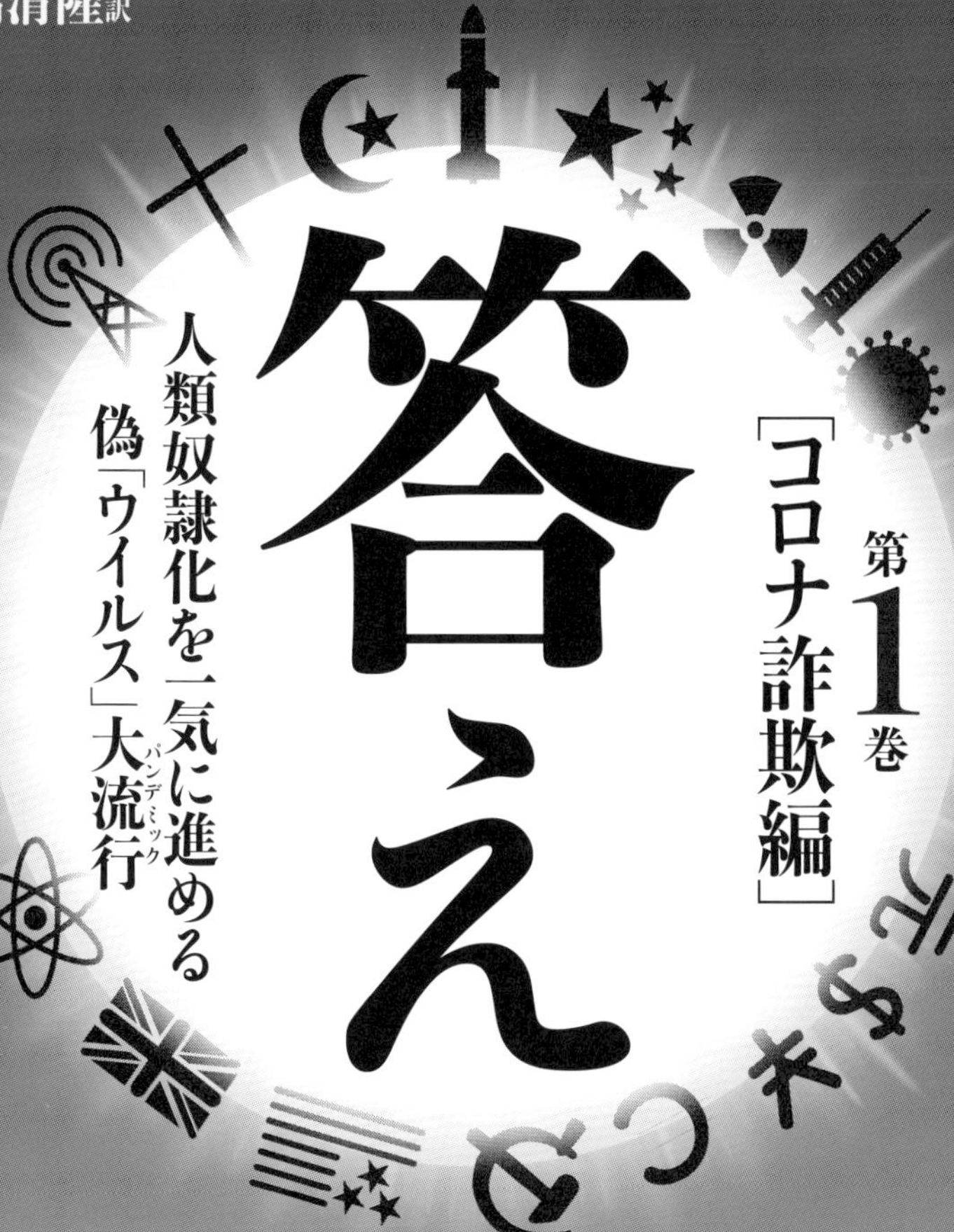

第1巻

［コロナ詐欺編］

答え

人類奴隷化を一気に進める

偽「ウイルス」大流行(パンデミック)

再三、正しいと証明された男――デーヴィッド・アイク［著］
高橋清隆［訳］

答え

THE ANSWER

DAVID ICKE

THE MAN WHO HAS BEEN PROVED RIGHT AGAIN AND AGAIN

THE ANSWER WILL CHANGE YOUR EVERY PERCEPTION OF LIFE AND THE WORLD AND SET YOU FREE OF THE ILLUSIONS THAT CONTROL HUMAN SOCIETY.

THERE IS NOTHING MORE VITAL FOR OUR COLLECTIVE FREEDOM THAN HUMANITY BECOMING AWARE OF WHAT IS IN THIS BOOK.

★本書は、人生や世界についてのあなたの知覚を変えるだろう。そして、人間社会を操っている幻想から、あなたを解き放つ。
★われわれ共通の自由にとって、人類が本書の内容に気付くより重要なことはない。

献辞

存在する、存在した、存在する可能性のある全てへ

人生の意味とは？
意味など必要ない。
ただ、楽しむだけ。

デーヴィッド・アイク

★以下は、単にルーミーとして知られる、13世紀ペルシャの神秘主義者、ジャラール・アル＝ディーン・ムハンマド・ルーミーからの引用。彼の言葉は、新しいものなどなく、忘れられているだけであることに気付かせる。

世界はあなたの外側にはない。自身の内面を見詰めよ。あなたが求めるものは全て、すでにある。

あなたは大海の一滴ではない。

あなたは一滴の中にある海原全体である。

小さく振る舞うのはやめよ。あなたは恍惚（こうこつ）と動く全世界だ。

扉は大きく開いているのに、なぜ監獄にとどまるのか？

声を上げるのではなく、言葉を育（はぐく）め。花を成長させるのは、雷でなく、雨である。

良い成績でない者を道連れにせよ。金持ちになりたいとも思わず、失うことも恐れない者を。自身の性格にさえ、全く興味がない者を。彼は自由だ。

そして、私アイクが真剣に言えることは……

快適なものから逃げよ。安全でいることを忘れよ。命を脅かされる所で生きよ。名声を捨てよ。悪名高くあれ。私は十分長く、慎重に計画しようとしてきた。今から私は発狂する。

私は30年間「狂人（マッド）」だった。やってごらん。素晴らしいから。

★『不思議の国のアリス』より

『不思議の国のアリス』のチェシャ猫

俺は狂っていいない。

俺の現実が君のとは違うだけ。

信じているものや、着ている服、言う内容でみんなはあなたを狂人だと思う。でも、そんなことはどうでもいい。

アリス「私は気が狂ったの？」

狂った帽子屋「残念ながら、そうみたいだ。でも、言っておくが、最高の人々は大抵、そういうものさ」

★『フー・アイ・ワズ・ボーン・トゥ・ビー』(作詞オードラ・メイ/歌スーザン・ボイル)より

答え　は分からない　かもしれないけど

ついに　言えるわ　私は自由になった　と

そして　もし　数々の迷いが　ここに導いたなら

大いなる私を　今　生きている　と

カバーデザイン　重原　隆
校正　広瀬泉
編集協力　守屋汎
本文仮名書体　蒼穹仮名（キャップス）

Originally published in the UK by Ickonic Enterprises Limited
Japanese translation published by arrangement with Ickonic Enterprises Limited
through The English Agency (Japan) Ltd.

訳者まえがき

本書は、英国人著述家のデーヴィッド・アイクが2020年8月に発表した"THE ANSWER"の邦訳である。640ページを超える大判のペーパーバックで、現実世界と五感の関係から、教育とメディアの役割、地球温暖化やトランスジェンダー、AI技術などの背景までを論じている。日本語の単行本にすると、4冊にどうにか収まる大作だ。

読者が手に取られているのはその最初の分冊で、「新型コロナウイルス」(COVID-19)を主題にした第15、16章と序章、あとがきを収めたものである。現在、この「ウイルス」の広がりを理由に、国民の生活と経済に壊滅的な打撃が加えられている事態を看過できず、本来終盤にあるこの部分を先行して日本の同胞に問うことにした。

アイクというと、すぐに「陰謀論者」とか「爬虫類人(はちゅうるいじん)の男だろう」などの冷ややかな言葉が返ることも多い。しかし、そのような評価は、きちんと著作を読んでない証(あか)しに映る。確かにロックフェラー家やロスチャイルド家に言及しているが、調査に基づく事実を並べ、それらを洞察によって組み立て、全体像を浮かび上がらせる作業を繰り返している。自らを「ドットコネクター(点と点をつなぐ人)」と称するゆえんだ。

そもそも、「陰謀論者」は本文にもあるように、真相究明を阻むためのＣＩＡの宣伝用語である。爬虫類人説は、人間が知覚できる周波数について考察した部分をご覧になれば、荒唐無稽（こうとうむけい）な主張でないと分かるだろう。龍やカッパの伝説は、各地にある。

アイクが殺されていないことを根拠に、彼の背景を疑う人もいる。これに関し、次のように語っている。

「なぜボディガードを付けないのかと質問されることがある。しかし、もし付けたら、私は誰かにやられるかもしれないというメッセージを発信することになる。そのメッセージは恐怖を含んだ周波数であり、それに応じた現実を引き寄せることになる」

われわれが経験する現実の仕組みを考えさせる。

アイクの一番の魅力は、邪悪な勢力が世界を牛耳（ぎゅうじ）っているさまを描くだけでなく、その解決策も提示してくれることだ。人間の内面と外部世界が関係していることに、その鍵がある。この点に関しては他巻で詳しく説明されている。ここでは「愛」という言葉を挙げるにとどめる。あとは本文に当たっていただきたい。

新型コロナ対策禍（コロナ禍ではない）も手伝って、何でもオンライン化・デジタル化が進んでいる。全ては検閲・弾圧のためだ。わが国では「デジタル庁」も設置されようとしている中、そうした動きへの異議申し立てを紙（アナログ）ですることに痛快さを感じる。

本書を邦訳する必要を感じたのは、２０２０年の新型コロナ騒動勃発だ。当時はまだ、「感染者」の水増しや、同ウイルスの存在自体が証明されていないことなど知らなかったが、単純に割合からしておかしいと思っていた。インフルエンザでは毎年、日本国内だけで１０００万人が感染し、１万人が亡くなる。交通事故でも３０００人超死ぬのに、緊急事態宣言や自粛要請など出されなかったし、車も禁止されなかった。

そのころ、アイクが英ロンドンの独立系ネット放送局、『ロンドンリアル』に出演した動画が一部で話題を呼んでいた。新型コロナ騒動が計画されたものであると指摘したのである。２回目の出演となった4月6日は生配信終了直後、ユーチューブが動画を削除。フェイスブックやヴィメオ（Vimeo）なども続いた。さらにユーチューブは、それまでの同番組の全ての動画を削除した。

司会のブライアン・ローズは「言論の自由を守る闘い」を掲げ、一歩も引かないことを宣言。「ロンドンリアル軍」（#LondonRealArmy）を創設し、自社のプラットホームからダウンロードした小分けの動画を拡散する運動を世界に呼び掛ける。次のアイクインタビューを「人類の行方を左右する史上最大の生討論番組なるかもしれない」と意欲を見せた。

３回目となる5月4日の番組は１００万人以上が視聴し、インターネット生配信史上最大の放送となった。私は目立たないブログを開設しているが、両方の回の概要を日本語で紹介したところ、5万回を超える自分史上最大のアクセスを頂いた。コロナ騒動を不審に思っている人が日本でも多いことを実感する。

ロンドンでの集会後、市民に歓迎されるＤ・アイク（2020年８月29日、K.A氏提供）。

とはいえ、外に出れば、全員がマスクを着けている。マスク警察まで現れ、「我こそ、人に迷惑を掛けない善良な市民」を競っているように見える。何も自分で調べようとしないくせに。２０２１年になると、新型コロナウイルス特措法と感染症法、検疫法が改正され、営業時間の短縮要請に従わない飲食店や、入院を拒否した者への罰則が設けられた。まさにアイクの言う「独裁主義」の到来である。

２０２０年８月には、欧州で大規模な反都市封鎖（ロックダウン）デモが開かれた。同月２日、ドイツ・ベルリンでは１３０万人、同29日、英国・ロンドンでは３万５０００人が気勢を上げた。トラファルガー広場で開かれた後者の集会には、アイクも参加し、「自由を！　自由を！」と叫び、この集会での一番の盛り上がりとなったと、現地在住者から聞いた。

わが国でも、新型コロナ対策を疑問視する立場からの講演会や抗議デモが催されるようになったが、最大でもまだ１０００人台である。「ウイルス」の危険性を疑う立場から対策に異議を唱える国会議員やジャーナリストは１人もいない。本書でも紹介されている「合成ＤＮＡワクチン」の接種がいよいよ始まった。体内で自己複製をし、心身を乗っ取ってしまう悪魔的な代物である。本書をご覧になって、多くの日本人が目覚めてほしい。

本書の本文は２０２０年４月末頃までに書かれたが、いよいよ明らかになる現下のコロナ詐欺を的確に指摘している。アイクの慧眼（けいがん）にあらためて驚かされる。とはいえ、１年近くたった更新情報を補足しておく。

２０２０年12月から、世界各国で新型コロナワクチンの接種が順次始まった。有害事象（副反応疑い）として、米国では２０２１年４月５日時点でワクチン接種後に２７９４人が死亡、５万６８６９人が負傷。欧州連合では同年４月10日時点で、６６６２人死亡、29万９０６５人負傷。英国では同年４月15日時点で、８４７人死亡、62万６０８７人負傷――が公表されている。

アイクは同年４月５日、自身のホームページで「ワクチンの副反応と死亡は、ほんの氷山の一角」と題する動画を配信した。この中で彼が強調したのは、妊婦の流産である。「このワクチン計画は、合成人間を造ることと、人間の生殖に攻撃を加えることである」と切り出し、英国でワクチン接種後に流産した女性の数が同年１月24日からの７週間で４８３％増加していると指摘した。

英国には医師や薬剤師、看護師、患者、企業などからの副反応報告を受け付ける「イエローカード制度」があり、英国医薬品庁（ＭＨＲＡ）の公表数字によれば、６人だった流産が35人に増えた。

さらにアイクが動画を上げたその日、この数字は61人に急増している。

「これは実態の10％程度にすぎないだろう。医療従事者から何度も聞いたし、病院とのやり取りから、災難がはるかに甚大なのを知っている」

英国政府は新型コロナｍＲＮＡ（メッセンジャー・アール・エヌ・エー）ワクチンの使用について２０２０年12月、次の助言を行っている。

「出産可能年齢の女性の場合、予防接種前の妊娠は避けるべきである。出産可能年齢の女性は、２回目の投与後少なくとも2カ月間は妊娠を避けるように助言されるべきである」

ところが現在は次の文言に変更されている。

「動物実験は、妊娠、胚／胎児の発達、分娩（ぶんべん）または出生後の発達に関して直接的または間接的な有害な影響を示すものではない。妊娠中の新型コロナｍＲＮＡワクチンの投与は、潜在的な利益が母親および胎児の潜在的リスクを上回る場合にのみ考慮されるべきである」

アイクは、男性も下半身の感覚が麻痺（まひ）する例があると補足する。

「答えは、殺すため。集めたデータをワクチン開発に反映させている。マット・ハンコック（英保健相）は人間に少しの感情移入も持たない」とカルトの手先を一刀両断した。

公表数字は実態の「10％」とのアイクの見解を紹介したが、米国疾病予防管理センター（ＣＤＣ）と米国食品医薬品局（ＦＤＡ）によって共同管理される「ワクチンの有害性事象報告システム（略称：ＶＡＥＲＳ）」が２００７年12月1日から２０１０年9月30日まで行った調査によれば、

「ワクチンの有害事象の1％未満が報告されている」。https://digital.ahrq.gov/sites/default/files/docs/publication/r18hs017045-lazarus-final-report-2011.pdf

つまり、実際のワクチン被害は公式発表数字の100倍というわけだ。Dr. Ariyana Love（@AriyanaLove_）と名乗る海外の医師と思われる人が米国での2021年1月1日～2月12日の新型コロナワクチンによる死亡者数を100倍し、全米国人が打った場合を想定すると、959万4000人が死ぬとの試算をツイートしたところ、アカウントがすぐ削除された。

英国医薬品庁（MHRA）が定期的に発表する同国内のワクチン副作用報告を毎回分析しているウェブニュース『日々の暴露』（THE DAILY EXPOSE）も、このVAERSの報告を援用している。流産の報告が「10％」なのは、まだ見ぬわが子を失った悪夢から、報告せざるを得ない悲嘆の胸中が反映しているのかもしれない。犠牲の大半は、虚弱な高齢者に集中すると思われる。アイクは「70歳以上が標的にされている」と述べ、高齢者に難解な公的書類が急増していることや、ちょっとした健康上の問題や視力の低下を口実に自動車免許を取り上げている政策との連動を指摘した。

同年4月16日の配信動画では、英国国民保健サービス（NHS）の病院で働く熟練看護師の内部告発を紹介した。彼女は現場での体験から「ワクチン接種を「大量虐殺」と表現。「ほとんどの医師は注射の中に何が入っているか知らず、巨大製薬カルテルに牛耳られた医学部の教えを盲信している。テレビのプロパガンダに洗脳された一般大衆と同じ」と嘆く。労働組合に訴えても支援を拒否されたという。アイクは「組合はカルトの実現目標（アジェンダ）に忠実だから」と同情した。

続いて、ワクチン接種による生理不順が不妊を招いているとの米国からの報告を紹介。ワクチン内の合成物質と人体との融合により、「ニューヒューマン（新人間）」が造られようとしていると警告した。

同年4月2日配信の動画「『ワクチン』で人口削減」では、元ファイザー副社長、マイケル・イエードン博士の暴露インタビューに言及。博士がワクチン接種を「大規模な人口削減のために使われる可能性がある」と指摘したことについて、「彼が言っていないことは、これがカルトの実現目標であること」と釘を刺している。

同年4月30日配信の動画「人間アンテナ——ワクチンの周波数を放送する」では、このメカニズムを説明した。われわれが知覚する現実の基盤は周波数。DNAは情報伝達の送受信機、つまりアンテナだが、mRNAワクチンはこれを変容させるという。

アイクは、キャリー・マディの見解を引用。20年間ワクチンを研究してきて、この最新技術に関する会議にも積極的に参加する女性内科医である。彼女の動画はどれもプラットフォームから消える。

それによれば、少なくともファイザーとモデルナのワクチンは、免疫系（システム）を抑制して細胞に侵入する。彼女はこれを「トロイの木馬」と呼ぶ。体に入った合成物質が細胞をだましてアンテナになるからだ。Wi-Fiを通じて作動し、ナノボットやハイドロゲルなど他の合成物質とともに、5Gや周りの全ての「スマート（奴隷化）」装置に反応する。出血や呼吸、思考、感情など全てのデータを蓄積するだけでなく、心身にさまざまな影響を及ぼす。

変異株については、どのような見解を持つか。結論から言うと、「新型コロナウイルス」は分離も同定もされていない以上、変異株もでっち上げにすぎないというのがアイクの見解のようだ。

マスコミ報道によれば、変異株は２０２０年12月14日、英国内で見つかった。他に南アフリカやインド、ブラジルなどの型がある。日本国内では同年12月下旬に発見されたと、厚生労働省は説明している。

アイクは自身のホームページで、代替（オルタナティブ）メディアを中心とした記事やテレビニュースを毎日のように紹介している。そこには、独自のミーム（画像にキャプションを入れたもの）と見出しが添えられている。

２０２１年3月5日、「新たな『新型コロナ変異株』が英国で16人に感染――存在が証明されていないものの『変異体』にどうして感染できようか」との見出しで、息子のガレス・アイク氏の報告を掲載した。医療従事者がパソコンと向き合う画像に、「これはコンピューターで創作した最初の『ウイルス』……そして、これがコンピューターで創作したお探しの変異株」と皮肉を添えている。

同年3月11日、「サーズ変異株、スパイクタンパク質などは全て、一つの大脂肪仮説に基づく」との見出しで、『自由新聞』（The Freedom Articles）の編集者、マキア・フリーマンの記事を紹介している。コロナウイルスのイメージ画像には、次の文言が添えられている。

『新型コロナ』ウイルスは存在しない。私はその春〔訳注：2020年春〕から言ってきた。従って、政府がそうでないと証明しない限り、全ては詐欺である」

フリーマンは、優秀な記者でもあり、新型コロナ騒動についても、早くから矛盾に切り込む鋭い記事を書いてきた。

今回の記事では、「緊急事態も大流行（パンデミック）も存在しないことに気付く人が増えるにつれ、新型コロナの仕掛け人はサーズの変異株を発明することによってさらなるうそを宣伝し、それらを使って火に油を注ぎ、偽大流行を継続している」と、主流派の見解を一蹴（いっしゅう）した。

各変異株の型を挙げ、「これらの話は全て、新たなSARS-CoV-2が存在するという基本的な仮定に依存している。存在しないウイルスの変異株を持つことはできない……同様に、存在しないウイルスの正確な伝統的ワクチン（ファイザーやモデルナの遺伝子組み換え仕掛けのワクチンではなく）を作製することはできない」と強調し、アンドリュー・カウフマン医師やジュディ・ミコビッツ博士らの研究を傍証として示している。

同年3月31日は、世界28カ国の77人の疫学者のうち、約66%が新型コロナウイルス株は1年以内に変異すると考えているとのRT（旧ロシア・トゥデイ）の記事を載せた。これは、民衆のためのワクチン同盟（People's Vaccine Alliance、PVA）の調査による。

見出しには、「疫学者は、『新型コロナウイルス』の変異が既存のワクチンを1年以内に無効にする可能性を恐れている——ああ、それなら、人体をさらに変容させるより多くの合成ワクチンを作ればいい」との嫌みを掲げる。新型コロナワクチンの画像には、「狂気の定義：ゲイツワクチンを接種すること」の白文字が躍った。

同年4月14日には、「変異株が急速に広がる場合は、封鎖解除を撤回する必要があるかもしれない」との『イブニングニュース』の記事を紹介している。アイクは見出しに、「奴隷状態を維持するために、彼らはうそをついている。われわれが止めない限り、それは止まらない」の文言を加えた。

さらに真っ白な画像を載せ、「新コロウイルス　だが、私にははっきりと見えない」と添えている。

本書はトランプ米大統領在任中に書かれた。前著『今知っておくべき重大なはかりごと』（ヒカルランド）で彼を「インチキ話の調達人」と形容し、「泥池から水を抜くのではなく、泥池を広げている」と揶揄（やゆ）した。本書でも、カルトの政治役者として描かれている。では、バイデン氏についてどう評価しているのか。

同年3月29日配信の動画「米国境の悲劇は長期的に計画された」は、メキシコ国境からの不法移民対応を主題にした。バイデン政権は、新型コロナ対策として国境を閉じる一方、南側国境のみ開く。保護者のいない子供を人道的対応として受け入れ、約１１００万人いるとされる不法移民に市民権獲得の道を開く移民法改正に取り組む。

アイクは、「これは危機ではなく、計画された悲劇にすぎない。ウォーク(Woke)花盛りのバイデンの政策変更は、カルトが要求するもの。ウォーカー(変に目覚めた人)の要求するものが実質的にカルトの要求するものと同じなのは、カルトがウォーカーの精神性をつくったから。彼らの要求の一つが国境を開けること。まさに新しい狂気の一形態」と看破した。

ちなみにウォークとは、「目覚める」を意味する“wake”の過去・過去分詞形。最近では社会的不公正／人種差別／性差別などの問題に目覚めていることをいう。ウォーカーは、「目覚めた人」「政治的に覚醒した人」といった意味合いで使われる。

開いた国境を目掛けて移民は増え、コロナ「対策」で経済が疲弊した中米諸国からの移民はさらに拡大している。「すでに米国には大量の失業者がいるが、数少ない職を奪い合うという深刻な形で表れる」とアイクは警告する。ジョージ・ソロスによる資金援助の下、「欧州同様に、米国の人口構成を変えようとしている」。

「全ては、米国を滅ぼすために綿密に計算された。最強の権力を中国に与えて。コロナは西洋諸国と米国の経済を破壊するためであり、欧米で見られる大規模移民は、西側の文化を大胆に変更するため」と重ねた。アイクによれば、進行中の反白人主義や反キリスト教の動きは、西側の文化基盤を葬(ほうむ)るためだという。

私は11年前にアイクの著作に出会い、そのほとんどを愛読してきた。1億人超が読者対象になる上、アイクを最初に日本に紹介した故太田龍先生の仕事の末端に連なる重みを感じる。われわれの存亡を左右する情報を共有することで、この重みを喜びに変えたい。

30年前、「頭がおかしい（マッド）」と英国中で笑いものにされた男の正常さをご確認いただきたい。その不屈の正常さは、連鎖すると確信する。

２０２１年４月吉日　高橋清隆

答え　第1巻［コロナ詐欺編］目次

第15章　彼らはどのようにして偽の「大流行(パンデミック)」をやりおおせたのか？

第16章　ビル・ゲイツはなぜサイコパスか

［編集部注記］本書、日本語版は、現状を考慮して、原書の第15章・第16章・あとがきを第1巻として編集しました。

序章

自分が誰か分かったとき、人は自由になれる

——ラルフ・エリソン

私は30年に及ぶ調査と多くの国々での体験から、世界で**本当に**起きていることとその理由を暴露するつもりだ。これらは私の見方であり、あなたのものではない。しかし、「新型コロナウイルス（COVID-19）」に続いて警察国家が世界中に押し付けられていることは、もはや否定できなくなっている。

国際社会が私の予言したイメージで非常に素早く変容するにつれ、私が数十年間にわたり起こすために計画されたと述べてきたことが起きていることは、さらに一層明白になっている。創られた「新型コロナウイルス」ヒステリーと独裁的な全国的都市封鎖（ロックダウン）の間ほど、もろもろの出来事がその方向へと目まぐるしく動いたことはない。そこでは、世界中で数十億人が実際に、または事実上の自宅軟禁（ハウスアレスト）に置かれている。

本書の85％はこれら厳格な強制が――うそに基づき――展開される前に書かれた。後で付け加えた終盤の数章〔訳注：第15、16章、あとがき〕は、その「ウイルス」の本質となぜそれが起こされたかの双方について詳細に暴露する。それまでは、「新型コロナ」の説明と経済的な最後の大破壊を通じた人類規模の悲劇についての言及は抑制しておく。もちろん、それまであちらこちらでその「ウイルス」について簡単に触れるつもりだが、皆さんには残りの部分とこの「ウイルス」大空爆の前に説明する情報を読んでほしい。それにより、その**「ウイルス」詐欺の首謀者と理由**がいよいよはっきりし、状況をつかめるだろうから。

私の人生で、**「新型コロナ」幻想**の舞台ほど、世界支配についての自分の見地の正しさを証明したものはない。強調すると――**本文のあちこちにあるその「ウイルス」に関する記述を見る際は、それらが「ウイルス」ヒステリーと都市封鎖が始まる前に書かれたことに注意してほしい。**

人類に計画されていると私が30年間書いてきたことが、今はっきりと起きているのは、本当にただの偶然だろうか。そうでなければ、**人類全体を奴隷化する計画的な実現目標**（アジェンダ）**が存在する**最も明瞭な根拠であり、確証ではないか。後ほど喧（やかま）しく言うが、本書を読み終えるまでに、つながれた点と線により、証拠の前では「偶然」理論は到底信用できないことにあなたも同意されると信じている。私が述べていることが進行中であることをはっきりと説明するつもりだ。しかし、私は証拠それ自体に語ってもらうことで、その意味するものをあなた自身が判断してほしい。そう述べて、さあ始めよう。

私は30年間、オーウェル的な世界規模の専制で人類を完全支配する――最終的に（われわれが早く目覚めなければ、もうすぐに）、人工知能（ＡＩ）が人間精神に取って代わるようＡＩを人間の脳に接続することよって――陰謀を暴いてきた。そんなばかな？　それはたった今、われわれの目の前で着々と起きている。

「人間」の思考と感情は過去のものとなり、われわれの知覚はＡＩとＡＩを制御する者たちによって直接命令されるだろう。人々が「**陰謀論**」と声高に叫んでも無駄である。これは１９６０年代、ケネディ暗殺に関するばかげた公式説明に疑問を唱える人たちの信用を傷付けるよう、ＣＩＡ（米国中央情報局）によって広く拡散された用語である（図１）。

図１：政府がわれわれにうそをついていることに気付いた人たちに対する CIA の宣伝用語を、主流派メディアは数十年たってもまだ使っている。

以下は「陰謀」という言葉の定義である。

・2人以上によって秘密裏に策定された、悪意ある、不法な、裏切りの、あるいは不正の計画。

・秘密の、不正の、あるいは邪悪な目的のための人々の結合。

・犯罪または詐欺、その他の不法行為を行うための2人以上による合意。

・一定の結果をもたらすための、行動または結束上の合意。

それを基礎に、世界は社会のあらゆるレベルで陰謀の海にどっぷり溺(おぼ)れている。しかし、主流派メディアにとって、実際には全ての主流にとって陰謀は存在せず、そのように言う人は誰でも、「陰謀論」を触れ回る変人となる。そう、「新型コロナ」詐欺をめぐる厳格で独裁的な押し付けを見てみても。

私が1990年から暴いてきたものは、多数の無関係な陰謀(ただし、それらは先ほどの定義でのみ存在する)ではない。私は人間社会を同じ卑劣な結末に追いやる多様な顔を持つ一つの陰謀を発見してきた。私が明らかにしてきたものは「理論」ではない。AIが人間の生命を引き継ぎ、自由が失われるにつれ日ごとに露(あら)わになる、明白な現実である。

「悪魔の遊び場」シリコンバレー〔訳注:巨大IT企業〕の狂人ども(クレージーズ)は今、私が長い間警告してきたことが実際、起こすために計画されたものであると知らせようとしている。AIが取って代わり、もはや隠すことができなくなれば、彼らはそうせざるを得ないからである。その宣伝文句(キャッチコピー)は、AIとつながったおかげで人間が「神」になる新時代(ニューエイジ)の幕開けである。しかし、実は「新人間(ニューヒューマン)」はポストヒューマン（脱人間）であり、もはや少しも「人間」ではない。

グーグル重役のレイ・カーツワイルのような内部者（インサイダー）によれば、これは真面目（まじめ）に進行中で、人間の脳がＡＩの「クラウド」に接続される時期について、２０３０年と示してさえいる。彼は次のように述べている。

> われわれの思考……は生物的思考と非生物的思考のハイブリッドになるだろう……。人類は自らの限界を拡張し、「クラウドの中で考える」……われわれは自分たちの脳内にクラウドへの入り口を造るだろう。われわれは徐々に融合し、自身を高めていくだろう……私見では、それが人類であることの本質である。われわれは自らの限界を超える。
>
> 科学技術がわれわれの能力に比べて特段に優れてくるにつれ、初め小さかった比率つまり人間は、さらにずっとずっとずっと小さくなり、全く取るに足らなくなる。

これは人間の意識がＡＩに吸収される意味で私が「**同化**」と呼んできたもので、真にＡＩの背後にあるものだ。私はシリコンバレーの中間業者のことを言っているのではない。技術企業の億万長者たちでさえ、この策謀者ではない。彼らは大金持ちではあるが、忠実な小間使いにすぎない。

今日起きていることは、われわれが「時間」の幻想として知覚する数千年にわたる物語の最終段階である。われわれの現実感覚は、統制のための世界的階層制度（ピラミッドシステム）を創った非人間の権力によってははるか昔に浸透させられた。その代理人と工作員（エージェント）は**完全な奴隷化への道のりで、**人間の知覚を何世紀にもわたって操ってきた（図2）。

因果関係において、知覚を制御すれば、個人的にも集団的にも体験を制御できる。このことは詳しく説明するつもりだ。この計画は、底辺層が従わざるを得なくなるような権力の不断の集中を必要としてきた。その方向に至る各段階では人々に対し、ますます少数の人間がますます大きな支配権を握る。部族は国になり、国は中央から制御の利く欧州共同体（ＥＵ）や貿易圏のような超国家になってきている。決定はますます世界規模の企業や、国連や世界保健機関（ＷＨＯ）、世界貿易機関（ＷＴＯ）のような機関を通じてなされている。

人々は長い間、この陰謀（それが陰謀と気付いていないが）を「グローバル化」と呼んできた。これは何か。人間生活のあらゆる側面にわたる世界規模の権力集中――まさに私が数十年間暴いてきた計画――である。

人々が出来事と現実に対する知覚を形づくる情報の流れは今、シリコンバレーが一元管理している。グーグルやフェイスブック、ツイッター、アマゾンその他全て（同じ権力によって物陰から操られている）による病的興奮状態にあるシリコンバレーの検閲は、あなたが見聞きするもの全てを指示し、それを通じてあなたの全ての知覚を操るのが狙いだ。ＡＩとあなたの脳が接続されれば、その必要すらなくなる。そうなれば、あなたの知覚は直接（ダイレクト）に伝達されるだろう。

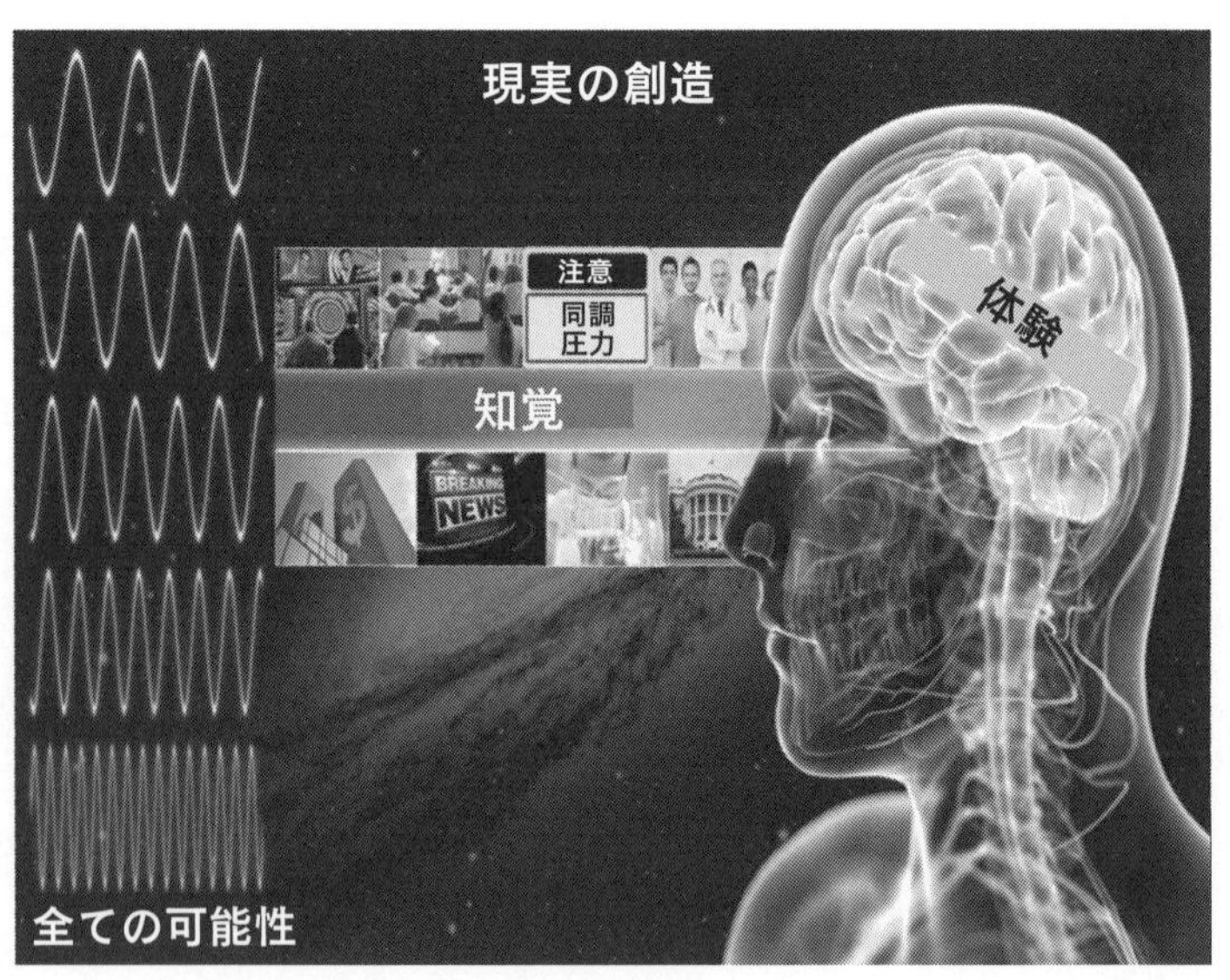

図２：可能性が見えないよう人間の知覚がどのように操作されているか。情報を支配すれば、知覚を支配できる。（ガレス・アイク画）

これは見るからに人間の姿形をした工作員や実行者を用いて非人間が人間社会に侵入してきた目標であり続けている。われわれが公の場で見る科学技術の最先端は、別の現実の技術的知識よりはるかに劣っている。そこでは、今日「スマート（高性能）」と呼ばれているものが石を打ち合わせ、洞窟（どうくつ）で暮らすのを歴史が記録していたころあたりに思われている。

人間支配を日々深めている「新しい発明」の絶え間ない流れは、人類が自らの技術的監獄を建設し、運営できる知的発達の段階に到達するのを待ち続けてきた。これが今日、われわれのいる場所である。世界監獄に必要な機械装置と通信システムは、地下基地や秘密計画から出て大衆の意識に上るまで演じきられる。そして、つじつま合わせの作り話や役者が、それが全てどこから来たかという真相を隠す。科学技術の流れに継ぎ目がないのは、このためだ。操縦者は次の段階が「発明される」のを待っているから、「継ぎ目」も大きな遅れもない。科学技術の制約は何十年も考え抜かれ、克服されるから、ずれもない。ほぼ週ごとに技術的なＡＩの次の段階が明らかにされ、その歩速は一層速くなっている。

人類は自らの科学技術の刑務所を建設し運営するため、知覚を操作され、知的能力（「利口さ」）を発達させてきた。一方、英知は発達せず、これがわれわれのしていることであると気付けない。私は数十年間述べている。英知のない利口さは、この世で最も破壊的な力である。だから、それが偶然でなく、計画されてきたことの証明だ。利口さはあまりに頻繁（ひんぱん）に英知と混同される。利口さは情報について知るが、英知はその意味することを知り、その結果を見通す。核兵器を作るのは利口だが、賢明ではない。

私は古代と近代の陰謀や、物陰から画策する非人間の権力、人間の目には映らない現実を、非常に詳細に暴いてきた。この情報を見つけることができるのは、……『**世界覚醒原論――真実は人を自由にする**』（成甲書房、2011年）、『**大いなる秘密〈上・下〉**』（三交社、2000年）、『**龍であり蛇であるわれらが神々〈上・下〉**』（徳間書店、2007年）、『**タイムループからの物語**』（未邦訳）、『**恐怖の世界大陰謀〈上・下〉**』（三交社、2009年）、『**知覚の欺き**』（未邦訳）、『**人類よ起ち上がれ！　ムーンマトリックス〈全10巻〉**』（ヒカルランド、2009年）、『**幻の自己**』（未邦訳）、『**今知っておくべき重大なはかりごと〈全4巻〉**』（ヒカルランド、2019～2020年）、『**引き金**』（未邦訳）など。

私がここで焦点を合わせるのは、人間の知覚が支配体制の命じた道を進むようどのように操られてきたか、そしてこの知識地点（ナーリッジポイント）からわれわれを自由にする**答え**までの道筋だ。その答えは、われわれが本当は何者であるか、そしてわれわれが信じるよう命じられ、圧力をかけられてきた偽の自己認識から逃れることに関わる。われわれが誰で、どこにいるか、そしてその二つがどう相互作用しているかを知ることは、人間が自由になる全ての土台である。われわれがそのような情報や認識に気付かないよう、あらゆる手が尽くされてきたのは、このためである。

どのようにそれは行われるか

私の著作を初めて読む人々には、圧倒的に隠れた階級構造について、手短だが重要な背景を説明しておく必要がある。その階級構造が非人間の権力を代理し、それらのために、人間社会の方向を誘導している。この構造と機能の仕方に気付かなければ、世界の出来事の流れは絶対に理解できない。

私は長い間、クモとクモの巣の概念を使ってきた。クモは非人間の権力で、五感が知覚する非常に狭い周波数帯を超えて人間を操っている。人々は自分たちが観察している「空間」に見るべきものが存在すれば、全てを見ることができると思っている。しかし、それは不可能だ。人々は自分の周りと内側に存在するほんの一部しか見ていない。

電磁スペクトル（電波やマイクロ波、赤外線、紫外線、X線、ガンマ線を含む）は、さまざまな形のエネルギーや現実として宇宙に存在するものの０・００５％にすぎない。もう少し多いと言う科学者もいるが、それほど多くはない。

重要なのは、電磁スペクトルがその周波数帯を超えて存在するものの一部であり、人間は電磁スペクトルのほぼ全体さえ、見ることができない。人間の視覚――われわれが目に見える現実または「世界」として知覚する全てのもの――は可視光線として知られる０・００５％の極小の範囲に限られる（図3、4）。
われわれの視覚はごくわずかな範囲の周波数帯に限られており、それは主流派科学が現在測定できる、または測定できると考えている条件の下（もと）にすぎない（図5）。

実のところ、われわれが「見る」ものは、可視光線の壁や光の速度という架空の限界を超えて存在する無限の現実と比べれば、はるかに狭量である。あなたがテレビを見たりラジオを聴いたりすれば、自分で選んだチャンネルや放送局が放送するものだけを知覚する。ほかの全てのチャンネルや放送局が同じ部屋の中に存在するが、あなたはチャンネルや周波数を変えるまでそれらに気付かない。

非人間の権力が実在するのに、われわれに見えないのはなぜかと聞く人があるが、これが理由だ。それは人間の可視現実の帯域の外の周波数領域から操っている。あなたがテレビ局「A」に合わせているときテレビ局「B」または「C」「D」は存在しながらそれらを見ることができないのと同じ原理だ。チャンネルを替え、「A」放送局から転じれば、他の局の一つにつながる。あなたが切り替えても、「A」放送局はなくならない。もはやその波長か出力につながっていないから、見えないだけである。

私はたった今、「死ぬ」（というより人間は死なない。肉体だけが死ぬ）ときに何が起きるかを説明した。われわれの意識は「チャンネル」を替える、すなわち注意点を移す。これが全ての死——

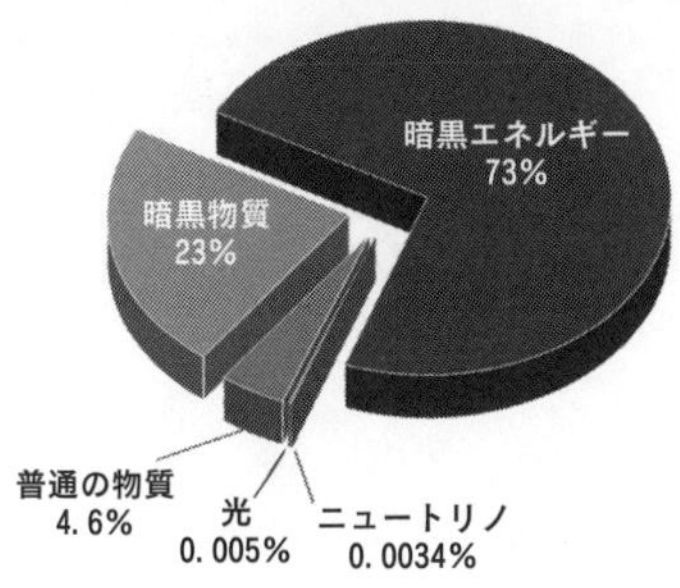

図３：「光」または電磁スペクトルと呼ばれる、ほとんど微小の周波数帯。科学者たちは、私が「暗黒」と主張する目に見えないものは、彼らの現実の説明では誤りと主張する。「暗黒」は、人間の視覚を超えているにすぎないと考えるべきだ。

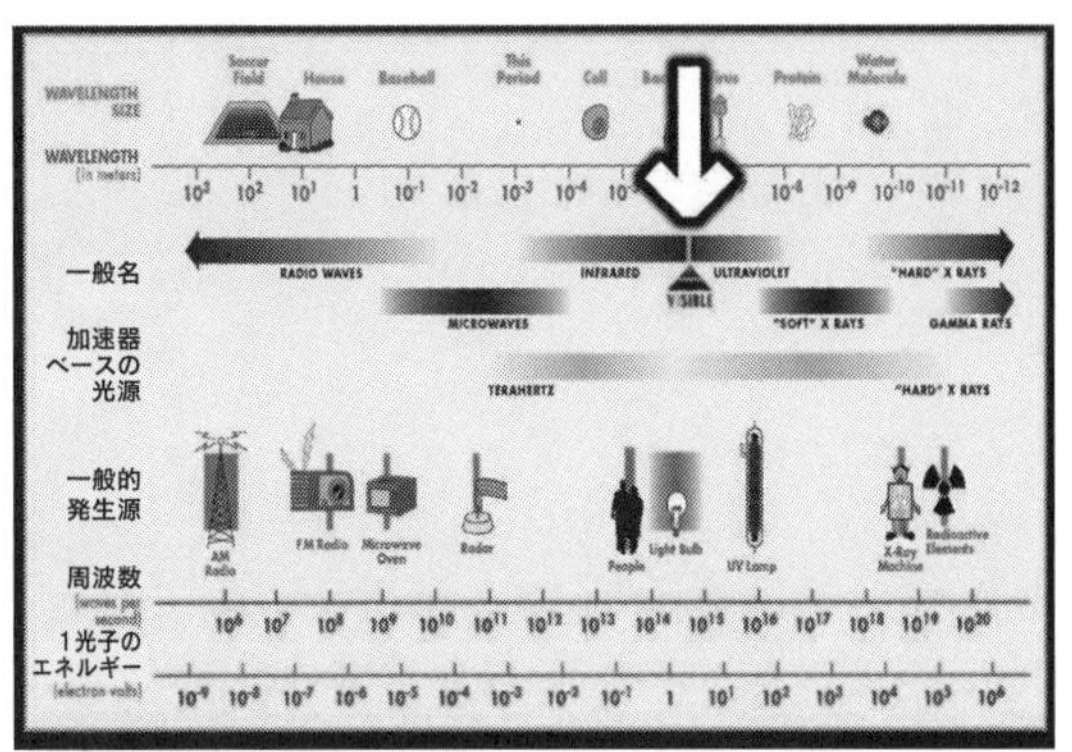

図４：可視光線、つまりわれわれが「見る」ことのできる唯一の現実は、0.005% の範囲である。人間の五感は、無限存在のうちの１つの「テレビチャンネル」に気付いているにすぎない。

図５：われわれの「世界」は、無限の現実の中の１つの周波数帯。

ある現実から別の現実への**注意**の移動——である。人間を支配する非人間の存在は、人間の視覚周波数帯に入って、それから退出することによって、われわれの現実を出入りできるが、この支配の源泉は、われわれから隠されている。

生命体や飛行物が「どこからともなく現れ」、それから瞬く間に「消える」のを見たことがあると主張する人々は多い。それらは現れても消えてもいない。それらは人間の視覚周波数帯に入り、去る。可視光線に入って来て、去って行くので、今見えたものが、次は見えないだけである。しかし、観察者にとっては、それらがどこからともなく現れ、どこかへ消えた。

あなたがテレビをあるチャンネルに合わせたら、そのチャンネルはどうなるか。チャンネルをそこから変えたら、そのチャンネルはどうなるか。そのチャンネルすなわち現実は「どこからともなく現れ」、それから「どこかへ消える」ように見える。実際、それらはどこにも行っていないのに。われわれはそれらに接続したり、接続を断ったりしているだけである。

クモ

私が「クモの巣」と呼ぶものは、隠れたクモが目に見える出来事を指示できるようにする、相互につながった秘密結社の構造である（図6）。

クモに近いクモの巣の中の糸は、最も排他的な秘密結社で、それらの入会者は詳細なクモの実現目標やどこに行く計画なのかを知っている。クモと直接または悪魔的儀式を通じて意思疎通すれば、中心部に近い糸にいる入会者は、科学技術が目に見える世界に登場する前に技術的に可能な方法を知ることができるし、技術的知識が公式に発表されるずっと以前に、その知識を譲ってもらえる。

クモの巣の中心に近いこの神聖な場所に行くか、数十年間の所業を通じて見通せば、われわれは「未来」として看取するもの（科学技術の関与も含め）を予言できる。なぜなら、この意味での「未来」は、紡がれたクモの実現目標にすぎないからだ。もし、世界規模の計画が存在し、その計画を止めるため何も邪魔しなければ、それは起こるだろう。そして、その計画を暴くことは将来を予言することになる。この理由から、数十年にわたる私の著書は出来事の予言――「大流行（パンデミック）」の予言を含め――において、非常に正確であることが証明されてきた。

私がしてきたことの本質は、計画された人類の完全管理という結末を人々が介入して止められるよう、十分な数の人々に警告することである。オルダス・ハクスリー（1932年発表『すばらしい新世界』）やジョージ・オーウェル（1948年発表『1984年』）のような有名な「未来を予見する」作家たちは、非常に正確だったことが証明された。というのは、どんな手を使おうとも、彼らはクモの実現目標を見抜くことができ、それらを書いている時代には存在しなかった科学技術その他の可能性を予言することができたからである。

クモの巣の中でクモや中心に近い神聖な場所の入会者たちから外側に移ると、われわれは活動を知らないが名前を知っている秘密結社に出会う。これらにはテンプル騎士団やマルタ騎士団、オプス・デイ、イエズス修道会、フリーメーソンその他多数が含まれる。十分深く進むと、それらは互いに連結した命令構造を持つ。それらメンバーの大半は自分たちが連動している本質や、統制する中心部が追求している実現目標に気付いていないだろう。それぞれの異なる水準、つまり「階層」は、自分たちの上層の人たちが知っていることから区画化されている（図7）。

人間社会も同じように編成されており、どんな組織でも大多数には、頂点の少数者が知っていて押し付けようとしていることを知らせないでいる。彼らは、存在さえ知らない実現目標の手先であり、歩兵である。情報機関（それ自体、秘密結社として構成されている）はこの区画化、すなわち「関係者以外極秘」手法を伝統的に守ってきた。

クモの巣には隠されたものと見えるものとが交わる場所がある。ここに私が「先端」組織と呼ぶものが構え、**王立国際問題研究所**（1920年、ロンドンで創設）や**外交問題評議会**（1921年、米国）、**ビルダーバーグ会議**（1954年、米国・欧州・世界）、**ローマクラブ**（1968年、欧州・米国・世界）、**三極委員会**（1972年、米国・欧州・日本）が含まれる。これらとその他の組織は、19世紀末、ロスチャイルド家とその表看板の召使い、セシル・ローズによってロンドンに創設された秘密結社、**円卓会議**に応える（図8）。

「先端」という語義は、これら組織の役割、つまり「二つの異なる状態間の移行点」を完璧（かんぺき）に表している。この場合、二つの状態は、それら組織が導管役を演じるものの間での隠されたものと見えるものである。関係する多くの使い走りやカモは区画化のため全く知らないが、先端組織は世界を

図６：中央の隠れた「クモ」がその実現目標を人間社会に課すことを可能にする秘密結社や、準秘密および公然の組織の区画化されたクモの巣。（ニール・ヘイグ画）

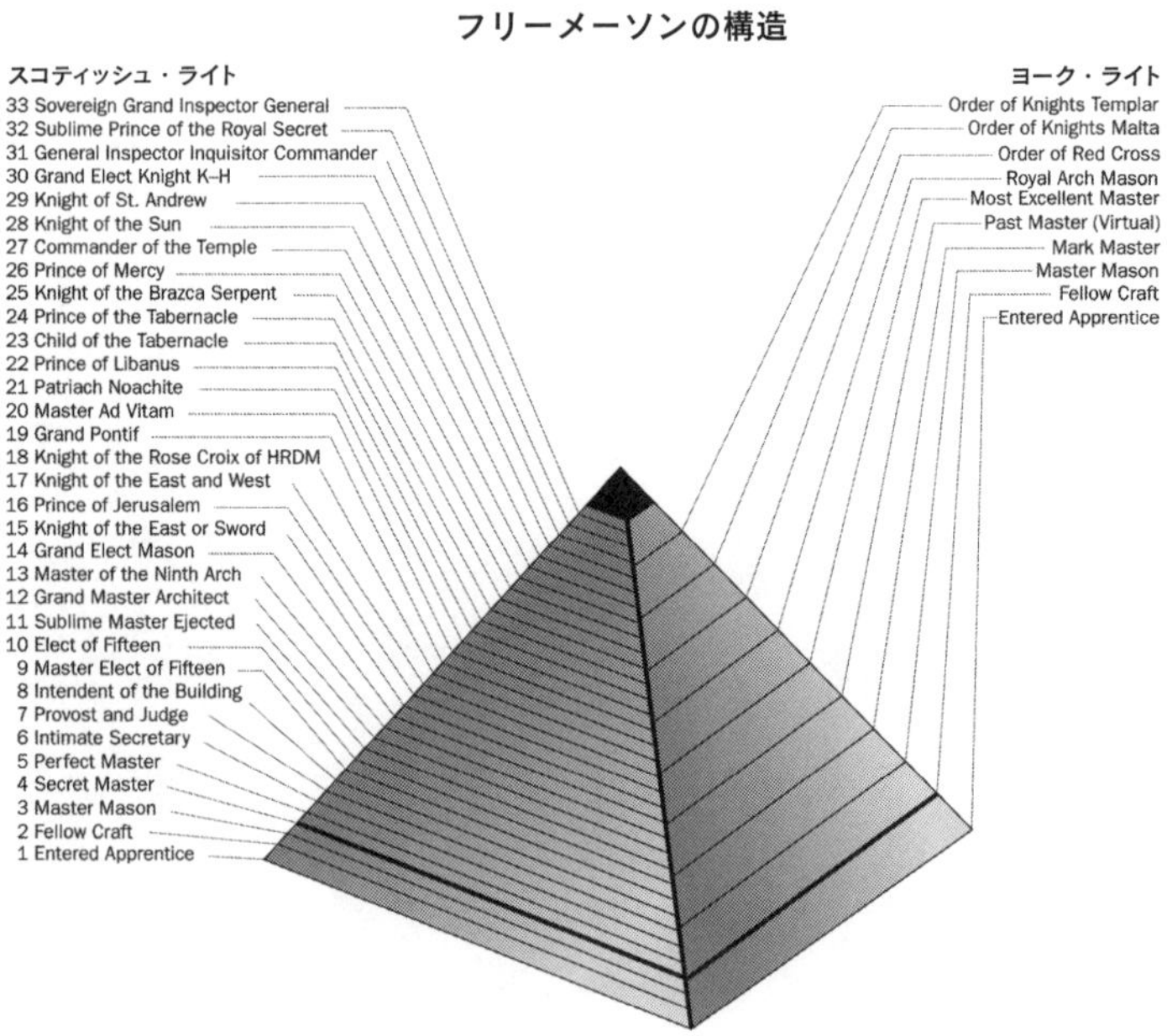

フリーメーソンの構造

スコティッシュ・ライト

33 Sovereign Grand Inspector General
32 Sublime Prince of the Royal Secret
31 General Inspector Inquisitor Commander
30 Grand Elect Knight K–H
29 Knight of St. Andrew
28 Knight of the Sun
27 Commander of the Temple
26 Prince of Mercy
25 Knight of the Brazca Serpent
24 Prince of the Tabernacle
23 Child of the Tabernacle
22 Prince of Libanus
21 Patriach Noachite
20 Master Ad Vitam
19 Grand Pontif
18 Knight of the Rose Croix of HRDM
17 Knight of the East and West
16 Prince of Jerusalem
15 Knight of the East or Sword
14 Grand Elect Mason
13 Master of the Ninth Arch
12 Grand Master Architect
11 Sublime Master Ejected
10 Elect of Fifteen
9 Master Elect of Fifteen
8 Intendent of the Building
7 Provost and Judge
6 Intimate Secretary
5 Perfect Master
4 Secret Master
3 Master Mason
2 Fellow Craft
1 Entered Apprentice

ヨーク・ライト

Order of Knights Templar
Order of Knights Malta
Order of Red Cross
Royal Arch Mason
Most Excellent Master
Past Master (Virtual)
Mark Master
Master Mason
Fellow Craft
Entered Apprentice

図７：フリーメーソンの各水準に他の水準が持つ知識を知らせないでおく区画化された「階層」は、クモの巣の中の全ての組織にとって構造上の基礎である。

共通の方向に進めるため、政治家や官僚、銀行家、企業、スパイ、メディアを結集する。

先端組織は、非常に多くの「シンクタンク」や非政府組織（NGO）を含む。彼らの役割はクモの巣の隠れた部分で孵（かえ）されたクモの実現目標を受け取り、それを目に見える世界に押し付けること。これは政権や政府機関、銀行、企業、諜報（ちょうほう）機関・軍事集団、メディア複合体、そして人間社会の方向を指示できる全ての重要人物や機関を通して行われる。

われわれは政府や集団、機関によって下される一見、偶然で無関係な諸決定を目にするが、社会を変革する諸決定は偶然ではなく、決して無関係でもない。それらは最終的に同じ主人に仕える数え切れない代理人を通して導入されている、クモの実現目標である（図9）。

クモの巣の核心部では、政府と政治**は**銀行制度**で**あり、多国籍企業**で**あり、シリコンバレーの巨大企業**で**あり、主流派メディア**で**あり、教育制度**で**あり、主流派科学**で**あり、製薬企業連合すなわち「ビッグファーマ」その他もろもろ**で**ある。人間生活の方向を変える重要な決定は、無作為にも、単独にも下されない。それらは全体管理のためのクモの計画の一部である。

これら集団や機関で働く人間の大多数は、日々クモがけしかけた行動を取る。しかし、それら決定や変更、政策の出所、それらが集合的に何を達成するよう設計されたのかについては見当も付かない。これが、ごく少数の者が圧倒的多数者を支配し、操ることを可能にする構造である。その間、多数者は実際に何がどういう理由で起きているのかを知らないままでいる。

誰が彼らに教える――主流派メディアか？　それはクモの巣に所有されていて、ほとんどの主流

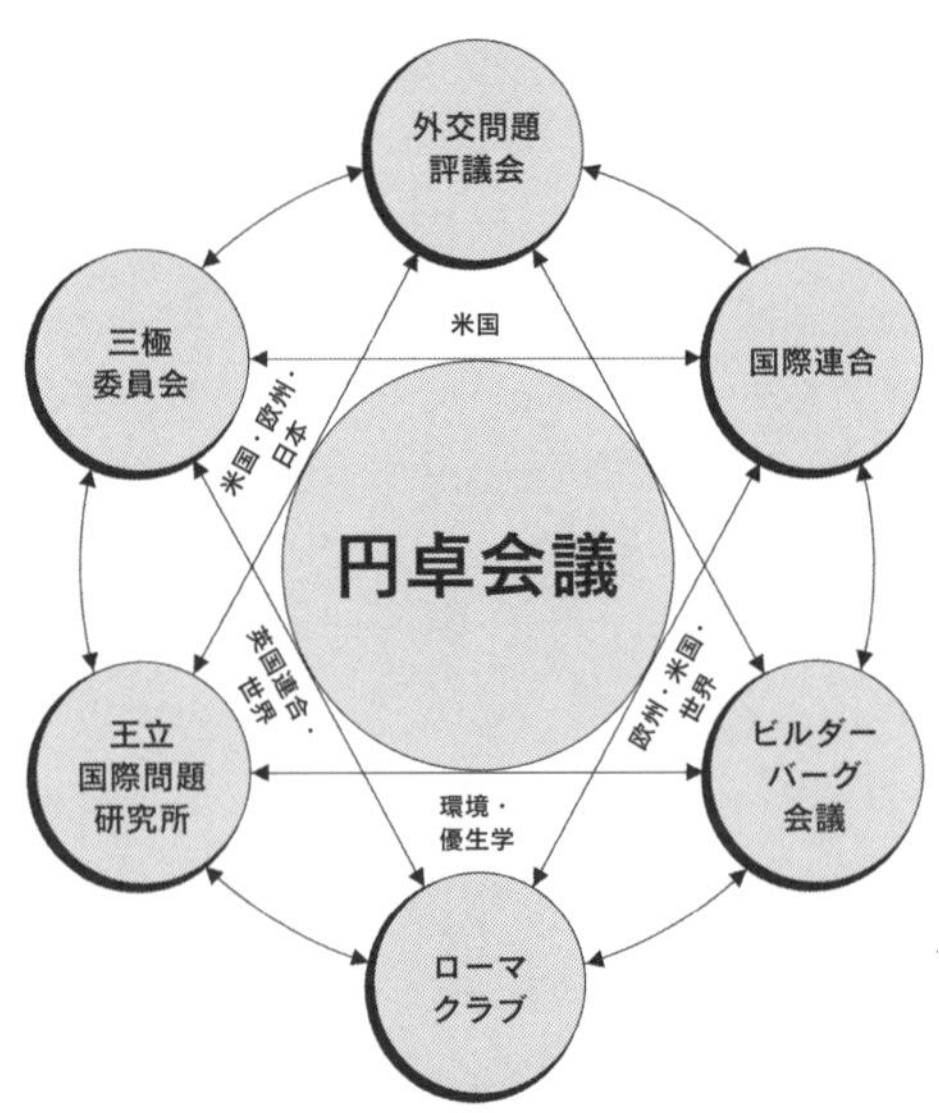

図８：クモの隠された実現目標を引き受け、人間社会全域で演じきる、主な「先端」組織。

図９：「見える」世界で起こることは、見えない所で孵(かえ)される。

派「ジャーナリスト」は、その実現目標について他の民衆と同じくらい無知であり、多くの場合、もっと無知である。

死のカルト

秘密結社の世界ネットワークの核心部は、人身御供の悪魔崇拝のとりこになっている。死に取りつかれ、人間の目には見えない彼らの隠れた「神」や主人たちに文字通り、生贄(いけにえ)を捧(ささ)げる。彼らにとって死、とりわけ生贄死に伴うエネルギーと恐怖が格別のご馳走なのだ。ほとんどの人は「神」への人身御供は古代の世界で終わったと考えている。しかし、私の本を何冊か読めば、そうではなく、いかに多くの世界的大金持ちや有名人(セレブ)たちが今日に至るまで、この恐怖の実行者であることが分かるだろう。

悪魔崇拝には、子供のエネルギーを吸い取ることが含まれることにも気付くだろう。ここでは、全ての主題が「幼い処女を神に捧げること」から始まる。これは子供に関する記号だ。悪魔崇拝者と小児性愛者の一味はクモの巣と「神」への奉仕のため、子供たちを標的にする際に、しばしば和合して働く。

これら古代の習慣は、われわれが歴史の中で葬(ほうむ)ったことを、このネットワークを隠れみのに切り抜けてきた。そのため、私はクモの巣の中心部に近いエリートを死のカルトと呼ぶ。数千年前にさかのぼるカルトの詳細な背景は、『引き金』や『今知っておくべき重大なはかりごと』（これに関して**知っておくべき最も重要なこと**）のような他の本で知ることができる。

カルト内の一つの中心的ネットワークは、サバタイ派フランキストとして知られる。17世紀に現れ、イスラエルとシオニズムや、サウジアラビア、ワッハーブ派として知られる「イスラム」過激派の首切り人（死のカルト）「ＩＳＩＳ」創設の背後で力を行使してきた。サバタイ派フランキストの名は2人の凶悪なカルト信者、サバタイ・ツヴィ（１６２６－１６７６）とヤコブ・フランク（１７２６－１７９１）にちなんで付けられ、悪魔崇拝の形式を採る。

ヤコブ・フランクは、ロスチャイルド金融帝国の設立者でサバタイ派フランキストのマイヤー・アムシェル・ロスチャイルドと組み１７７６年、クモの巣のもう一つの重要な糸として、悪名高きイルミナティを創設した。私は『引き金』の中で、サバタイ派フランキストを9・11（大量の儀式殺人）の**真**犯人と、それに続く秩序変更戦争（数百万人死亡）や自由の抹殺の全てとの関連で暴露した。

私は人間社会の内側でクモの巣を制御しているこの核心部を、本書を通じて「カルト」と呼ぶつもりだ。そして重要なのは、世界的な出来事を操る際、その中心部分がイスラエルや米国、英国、欧州、世界と関係するサバタイ派フランキストによって演じられると頭に入れておくことである。

小さなイスラエルがこれほど強大な力と影響力を持つのは、サバタイ派フランキスト（国際カルト）の領土だから。ユダヤ人社会ほど、このことを早急に知る必要がある者はいない。連中がユダヤ人のふりをしている間、すっかり浸透してしまったからである。

サバタイ派フランキストに関する私の研究の大部分は、ユダヤ人が情報源になっている。自分たちの地域社会が過去どのように乗っ取られ、今も乗っ取られているかよく知っている。サバタイ派フランキストや残りのカルトは地域社会のメンバーと全く違う目標を追求しているにもかかわらず、それらのメンバーを装うことで社会や文化、宗教に浸透していくことを得意とする。

このように浸透することで、カルトはあらゆる種類の集団を創り、支配することを可能にする。その間、巻き込まれているほとんどの人たちは、カルトが自分たちの組織や宗教、文化または社会を指揮していることはおろか、カルトが存在するなど、思いもよらない。気候変動人為説について公式のたわ言を闇雲（やみくも）に繰り返したり、「問題解決」のため社会の暗黒郷（ディストピア）的変革を求める人たちのどれほど多くが、カルトの先端であるローマクラブについて知っているだろうか？

これは特に環境への懸念（実在と架空）を利用して、社会を世界規模で集権化したマルクス主義者のような専制に変容させるために創られた。エクスティンクション・リベリオン（ER＝絶滅への反逆）のような「気候変動」抗議者や、米国の「グリーン・ニューディール」の推進者が要求するイメージと全く同じような専制である。

そのような抗議や要求の陰から、誰が糸を引いているのか？　死のカルトだ。エクスティンクション・リベリオンのような集団が死や鮮血に取り付かれていることに、気付くことさえできる（図10）。この集団の象徴は、時間がなくなっていることを意味する円で囲まれた砂時計を表していると教えられる（図11）。

しかし、それはオカルト信仰や「性魔術」で長く使われてきた象徴で、「獣の印」と呼ばれる。Oは女性、Xは男性。「儀式魔術師」ケネス・グラントはエリートの英国人神秘主義者、アレイスター・クロウリーの助手で個人秘書だった。彼は自身の1973年の著作『アレイスター・クロウリーと甦る秘神』の中で、その象徴はノーデンスと呼ばれるケルトの神に関係するとも説明している。

ノーデンスの印の中心は、獣の印と同じだ。すなわちⓍ、稲妻の閃光を生み出すOとXの融合である。ノーデンスは非常に深いものまたは深海の神で、小宇宙的には潜在意識と同じである。彼は深海を統治し、その稲妻を制御して利用する……。石の座椅子は（エジプトの女神）イシスであり、この基礎の上に女神が就かれ、天や地上、地中深くを治められた。換言すれば、全ての欲望を授ける女神はXとOの結合によって呼び出される……。

エクスティンクション・リベリオンの抗議は驚くほど儀式的で、白い顔に赤いガウンをまとった集団が通りを歩いて行く。エクスティンクション・リベリオンの信奉者とグリーン・ニューディールの支持者が皆、国際カルトの資産であることを自覚していると言うつもりはない。彼らは理解できないゲームの捨て駒にすぎない。もし彼らが本書を終わりまで読めば、いかに途方もなく自分た

図10：ますます高まっている死への執着

図11：オカルトの象徴とエクスティンクション・リベリオン（ER＝絶滅への反逆）の象徴

ちが所有されているか気付くかもしれない。

気候変動人為説は、世界権力の集中がわれわれの生活の隅々にまで及ぶのを正当化するために欺かれている。さらに、私が書くように、地球規模のオーウェル的国家を押し付けようとしている者たちにとって全ての要求を満たすその「大流行（パンデミック）」も――大いに――そうだ。

永久政府（＝影の政府（ディープステート））が本当の政府

各国と世界は全体として、区画化を通じてカルトに制御された永久政府を持つ。これらは一見社会変革の源泉のように**見える**日替わり政党がどんな性質であれ、常に権力の座にある。永久政府は今日、「影の政府」と広く呼ばれるが、それは恒久的な管理の一部にすぎない。

「影の政府」は、世界に向けたカルトの実現目標を進めようとする官僚や内通政治家と共に、カルトの指示を受けた諜報や軍、警察の職員で構成される。カルトが欲するものを確実に達成できるよう、彼らは選挙で選ばれた政治家やカルトでない職員（圧倒的多数者）を命令したり、操ったり、弱体化させたりする。

永久政府の他の部門には、銀行と金融のネットワークや大手テクノロジー企業、巨大バイオ企業、巨大製薬企業、巨大メディア（と一部の「代替（オルタナティブ）メディア」）、巨大石油企業、その他の大企業、法律制度と裁判所が含まれる。政治家は来ては去るが、影の政府は常にそこに存在する。そして、短期間選ばれた政治家の胸に付けるバラ飾りが何色であろうと、世界は絶えず同じ方向へ進む（図12）。

これはどの国でも同じだが、米国はこれがどのように機能しているかを示す完璧（かんぺき）な例である。合衆国は（少なくとも公式には）民主党か共和党のどちらかによって統治されているが、永久政府はそれら両方を支配する。あなたがどちらに投票しようと、カルトは政権の座にある。

共和党はネオコンまたは新保守主義者（ネオコンサバティブズ）として知られる集団（カジノ長者のシェルドン・アデルソンが主な資金提供者）に管理され、民主党には私がデモコンと呼ぶ同様の集団（投資長者のジョージ・ソロスが主な資金提供者）がある。アデルソンとソロスはどちらも、裏ではカルトの一派であるサバタイ派フランキストのイスラエルを支配する人たちに応えている。ソロスはアデルソンと異なる立場の装いを維持するため、イスラエルとのつながりを否定したものだった。が、彼は違わない。

では、これらの人たちはいつも互いを好んでいるのか？　いや、決してそうでなく、彼らの間にはライバル関係がある。しかし、彼らの上の水準では、互いの侮蔑が手に負えなくなることも、邪魔になることもないのを忘れないでほしい。もしそうなれば、ただでは済まされない。

われわれは米国大統領の職が、「民主党」のビル・クリントン、「共和党」男児のジョージ・ブッシュ、「民主党」のバラク・オバマ、「共和党」のドナルド・トランプとの間で行き来するのを見る。彼らは任期中、世界で最も権勢を誇る人として描写される。しかし実際、彼らは永久政府の一時的な操り人形にすぎない。ネオコンとデモコンの双方が、同じカルトから命令を受けるからである(図13)。

人類の全体管理に向けた実現目標が不断に前進している限り、政治的口論や反論は余興にすぎない。メディアで繰り広げられる公の争いも、「民主主義」と呼ばれるものの範囲内で、多様な政治上の選択肢を本当に持っていると国民を納得させるのを助けている。民主主義は実際、人々にうそをつくことによって自分に投票させる思考操作能力にすぎないのに、この用語は「自由」と相互に言い換えられて使われる。

選挙期間中、あなたが計画した政策についてうそをつき、その後ひとたび当選すれば大抵、逆のことをする。その後、あなたを操縦する同じ権力によって陰から操られたもう一つの政党に交替させられる可能性がある次のうその祭典(選挙)まで、あなたは公式に国を運営する自由が与えられる。世界中でいつも起きていることだ。

人々は「A」党に投票し、彼らが政権を取る。国民が彼らのやることを好まず、次回、過半数が「B」に入れる。結果がほとんど同じなので、人々は彼らのすることが気に食わない。しかし、国民が彼らを取り除ける唯一の方法は、前の選挙で自分たちが退去させた「A」党に戻すこと。何世代にもわたって、同じ庭をぐるぐると回っている。どっちに転んでもあなたが損をする。国によっては、「C」党が存在するが、原理は一緒だ。

あなたが見ている政府は見えない永久政府に服従している。各国の永久政府は、クモの巣を通じ

図12：全政党の「選ばれた」政治家が来ては去る間、永久政府は国内的に世界的に活動し、各国と世界の方向を指図する。

図13：政治家は今日ここにいても明日はもういない。しかし、私がカルトと呼ぶ隠れた手は常にそこにいて、最終的に彼ら全員を操縦する。（ガレス・アイク画）

図14：同じ顔の違う仮面を大衆に支持させれば、分断・統治が常に続くだろう。（ガレス・アイク画）

て世界を指図する地球規模の永久政府に融合している。こうした事情にもかかわらず、人々は政治的に「左」と「右」に大きく分断されており、新たな希望を抱くのは全くばかげている。人々は「選択肢」を持つと信じている限り、分断・統治され、自らを闘いの標的にしている（図14）。

カルトの戦争

中東での度重なる戦争は、全てのさまざまな政治的外見の背後に永久政府が存在する証左である。イスラエルとサバタイ派フランキストに狂信的忠誠を誓う超シオニストによって設立・占拠されているアメリカ新世紀プロジェクト（ＰＮＡＣ）と呼ばれるネオコンの「シンクタンク」は２０００年９月、ある文書を発表した。それは北朝鮮や最終的に中国に体制変更を引き起こすのはもちろん、イラクやリビア、シリア、イランを含むリスト国の政府を転覆するため、米軍に中東その他で「複数の地域戦争を戦い、圧倒的に勝つ」ことを求めている。

カルトは欧州から中国、ロシアから中東に至る広大なユーラシア大陸全体の支配を追求しており、これはさらに、ロシアを不断に悪魔扱いする意図を説明している。ＰＮＡＣ文書は、この政策を米国民に正当化し、軍事費の大幅な増加を確保するため、米国は１９４１年にハワイの真珠湾で日本が行ったような、もう一つの祖国への攻撃を経験しなければならないと述べている。同文書を引用する。

……［その］変容の過程……［戦争や体制変更］……は長い過程になりがちである。ある種の悲劇的で触媒作用を及ぼす出来事――新たな真珠湾のような――がなければ。

一年後の同月、ブッシュ大統領が「21世紀の真珠湾」と呼ぶものが米国で起きた。9・11テロ事件である。この文書の背後にいるアメリカ新世紀プロジェクトのメンバーが2001年1月、ブッシュと共に政権に就いた。彼らには、ディック・チェイニー（副大統領で事実上の大統領）やドナルド・ラムズフェルド（国防長官）、ポール・ウォルフォウィッツ（国防副長官）、ドウブ・ザッカイム（国防総省予算全体の会計監査官）、そしてイスラエルと提携してPNACの体制変更標的リストの作成に関与した多くの者が含まれる。

私は『引き金』の中で、イスラエルの外で活動し、米国の影の政府の工作員と協力する悪魔的なサバタイ派フランキストのカルトネットワークが9・11の真犯人であることを、疑う余地なく示してきた。9・11はその後、彼らの標的となったリスト国を摘み取るため、「テロとの戦い」（テロを用いた戦い）を始める口実として使われた。彼らは9・11の偽の悪者、ウサマ・ビンラディンを「捕らえる」ため、アフガニスタンに侵攻した。これに続いて元のPNACリストにあるイラクやリビア、シリア、イランを標的にし、北朝鮮と中国にも、一層大きな非難を浴びせた。

これらの国々が一見「対立する」政党の異なる大統領によって標的にされてきたことを観察すれ

ば、永久政府の本質がはっきり見えてくる。すなわち、ジョージ・ブッシュ（「共和党」、イラク）、バラク・オバマ（「民主党」、リビアとシリア）、ドナルド・トランプ（「共和党」、イラン）。われわれには、アフガニスタンとイラクへの侵攻でブッシュと協力した、英国首相で戦争犯罪人のトニー・ブレア（労働党）がいる。一方、リビアとシリアの包囲で英国がオバマを支持したとき、デーヴィッド・キャメロン（保守党）は首相だった。

彼らは「異なる」大統領や首相、政党に見えるかもしれない。しかし、彼らは永久政府によって書かれた同じ台本に従っている。

心を解き放つ

こうしたことの全てから私は、われわれ独自の知覚と自己認識の支配権を取り戻すことにより、人間の精神監獄から逃れることを本書の焦点にしようと思った。私が知覚と言ったのは、世界の出来事から、本当の「私」の性質や現実そのものに至る全てに対する知覚である。

自分たちのしていることを完全に理解して活動しているカルトの工作員の数は、80億人に迫ろうとしている世界人口と比べれば、極めて少数である。ごく少数者が非常に多くの者を支配・命令できる唯一の方法は、多数者の全ての知覚を乗っ取ることである。「物理的」支配は、軍や文民警察を通じて比較的小さな集団に対してしか使えない（「感染大流行」のような知覚操作を通じた広範な民衆の黙従がない場合)。

世界を支配するには、知覚を支配する必要がある。行動は知覚に由来するので、知覚を操作すれば、行動や人々がしたいことあるいはしたくないこと、反発することあるいは支持することを操作できる。知覚を乗っ取れば、行動を乗っ取れる。行動を乗っ取れば、世界を乗っ取ることができる。支配の順序は知覚－行動－集団的人間社会である。

次の質問は、知覚はどこから来るか？　それらは受け取った**情報**から来る。われわれは個人的体験や下町のバーの野郎、10時のニュース、フェイスブックの投稿、その他数え切れない情報源から吸収した情報を通して自身の知覚を発達させる。従って、われわれは情報－知覚－行動－集団的人間社会へと連鎖を拡張できる。情報を支配すれば、全ての連鎖を支配できる。カルトはすでに圧倒的に情報を管理し、完全な管理を追求している。

知覚は、受け取った情報に照らした脳の最高の推測に基づく**仮説**である。知覚と真実は同じとは限らず、実際そのようなことはめったにない。そのことに気付けば、人類は知識と創造の可能性を飛躍的に高めるだろう。とにかく、「実はこういうことです」となる知覚をもたらす仮説がなければ、何が「真実」と受け止められるか？　カリフォルニア大学アーバイン校認知科学学部のドナルド・ホフマン教授によれば、知覚は操作された幻想で、現実はわれわれが自らの幻覚に同意したときに存在する。

その通りだが、情報とそこから来る仮説を操作することによって、誰が幻想を操作したり、幻覚への同意を引き出しているのか？　カルトは脳のＡＩへの接続を通して直接、知覚を押し付けることによって、完全な管理を強制しようとしている。しかし、今のところ、集団的現実を乗っ取るため、彼らは情報を操作して知覚を操作しなければならない。

　カルトが主流派メディアやシリコンバレーの所有権を通じて情報源を支配することに夢中になる一方で、私の他の本で細かく例証され、毎日ますます多くの人々によって経験されるように、さらに増え続ける検閲を通じて他の情報を抑圧している理由がここにある。カルトは、ほぼ全ての主題の公式見解に疑問を呈したり異議を唱えたりする情報や意見の発信源を削除または停止したがる。そこには政府（カルト）の政策や「新型コロナウイルス」、ワクチン、体制変更戦争、気候変動人為説、ヒト生物学の本質、人々が自らを検閲するよう操るポリティカルコレクトネスも含まれる。

　これら全ての主題とさらに多くの主題がクモの実現目標の各側面であり、それらはクモの巣を通じてカルトによって押し付けられている。このネットワークによる検閲は明らかに連携していて、カルトが創作した偽の「進歩的」な「ウォーク（Woke）」（訳注：「目覚めた」）。社会的不公正、人種差別、性差別などに対する意識が高いこと）文化によって応援されている。

　皮肉にも、「ウォーク」は「ぐっすり眠って」の同意語だ。気候変動詐欺や極端なトランスジェンダーの教義・信仰・言葉の押し付け、人種差別を絶対にどこでも見つけようとする執着は全て、「ウォーク」の各側面である。偶然同時に起きているのでなく、私がこれから説明するように、カルトの世界に向けた実現目標の各側面である。

偽の自己認識

大量の知覚プログラムの基礎と要点は、われわれが誰であり、どこにいるのかについて、人類を無知なままにしておくことだ。その考えは、揺り籠から墓場まで、われわれは偶然の「進化」という宇宙の過ちであるとの考えをプログラムすることであり、貼られたり、自分で貼ったレッテルのみで自己を規定することである。

人生には始まりと終わりがあり、死んだときに終わる。後者を受け入れない人に対しては、こまごまとした規約（こまごましたカルトの規約）を用いて厳しい裁定を下す怒った外部の「神」の要求に服従しなければならないと説く。地獄の業火を避けたり、信者だけを待っている多くの処女とのデートを確実にするには、その規約に従わなければならない。

信心深かろうが無神論者であろうが、限定的なレッテルはなお当てはまる。「私は○○です」というレッテルだ。すなわち、私は男性、女性、ゲイ、トランスジェンダー、黒人、白人、金持ち、貧乏人、キリスト教徒、イスラム教徒、ヒンズー教徒、ユダヤ教徒などなど。これらのレッテルは、われわれの本質ではない。それらは、われわれが一時的に**経験している**ものにすぎない。

われわれ――永遠の「私」――はそれらの経験を**持つ**無限の認識状態（アウエアネス）の一つの表現である。どんな容姿や肌の色、人種、性別だろうと、われわれは人間と呼ばれる短い体験を持つ無限の認識状態の中の、**注意**を向けた点である。このことを知っていれば、カルトが求めることをやるよう人々に圧力をかけたり、脅したり、怖（お）じ気づかせたり、操ったりすることがどれだけ難しいかを考えてほしい。

われわれは**同じ**意識体（コンシャスネス）のあらゆる面であり、われわれの一時的なレッテルは錯覚に基づく分断で、見えているような状態の実体ではない。このことに気付いていたら、人々を分断・支配するのはさらにどれほど大変か。もし、われわれ全員が人種・文化・性別・政治・所得階層のレッテルが一時的な幻想であり、われわれの現実が別の形の「夢」にすぎないと知っていたら、カルトはどうやって本質的な分断・統治や、それらレッテル間の争いをけしかけるのだろう？

あるいは、人間生活はヘッドセットを着け、仮想現実（バーチャルリアリティ）の遊びをしているようなものだと知っていたら？　そのようなゲームは現実に見えるかもしれないが、ヘッドセットを外せば（「死」を象徴する）、一時的に現実だと信じていたものが全て、科学技術的に生成された幻想または夢、悪夢であることが分かる。これが人間生活の本質である。13世紀ペルシャの神秘主義者、ルーミーは次のように述べている。

> この場所は夢。眠っている人だけがそれを現実と考える。やがて夜明けのように死が訪れ、自分の悲しみであると思っていたことを笑いながら目覚める。

死のカルトの陰謀が勝利するには、これらの真実をわれわれから遠ざけなければならない。本書は、それがどのようになされていて、今も常に五感の誤誘導を超えている真（リアル）で永遠（エターナル）な「私」にどうやったら戻れるかについて述べようとしている。

カルトの内部者（インサイダー）は現実とは何か、それがどのように機能するかを理解している。その知識を人々に知らせないでおくことが、彼らの力の源泉だ。彼らは公の場でそのような情報を追放するか悪魔扱いすることによってこれを行う一方、クモの巣の秘密結社ネットワーク内で選ばれた入会者の各世代にそれを伝授している。

秘密結社やクモの巣の他の有用人材は最終的にカルトに応え、カルト自身は非人間の主人、すなわちクモに応える。われわれはこのように操作されて自分たちの本質を忘れ、孤立した自己認識の「シャボン玉」の中で、私が幻の自己と呼ぶ制約、つまり**レッテル**の自分（図15）を生きてきた。これは人間支配の全体の基盤だが、そうである必要はない。心を開けば、ほらほら、目覚めの時間だよ。

図15：人間の錯覚

第15章

彼らはどのようにして偽の「大流行（パンデミック）」をやりおおせたのか？

幽霊の正体見たり、枯れ尾花

（日本のことわざ）

「新型コロナウイルス（COVID-19）」と呼ばれる「大流行（パンデミック）」は、人間の集合意識に急速に拡大し、国際社会を変容させるために計画されたと私が本書とこれまでの本で述べてきた実現目標（アジェンダ）の飛躍的前進をカルトに与えた。本書の85％は、その前に書かれている。前章〔訳注：第1章から第14章〕までのあちらこちらで「新型コロナ詐欺」に言及してきたが、今度は詳細について語るつもりだ。すなわち、**「新型コロナウイルス」は存在しない**ということを。

　このことは、大抵の人に衝撃を与えることになるだろうし、主流派の世界だけでなく、「代替（オルタナティブ）メディア」の群れからも気が狂っているとして即座に退けられるだろう。私がそれを真実と知っているのは、すでにそうなっているからだ。しかし、私がこれからの二つの章（第15、第16章）で説明する証拠と背景を人々が骨を折って見詰めていたなら、その可能性さえ即座に退け、私が述べていることを誤って伝える代わりに、一見非合理で、「大流行」の説明と全く矛盾するものが理にかなっていると分かったはずである。

「代替メディア」の一部は卓越していた一方、大部分は大きな違いを持ってこの状況から抜け出せなかったと思っている。この２０２０年の出来事の間、われわれは露骨に欠陥のある公式見解をまだ進んで受け入れている「代替メディア」の声と、そうでない「代替メディア」の声の分岐を見ている。

　私は最初に、公式の「大流行」の説明や主流派その他の説明を要約し、その後、でたらめを見抜いてきた医療専門家のおかげによる全く違う説明を提示するつもりだ。

公式見解

いくつかの公式見解と準公式見解があるが、全ては同じ命題に記号化されている。つまり、自然にまたは中国の生物研究所から現れたSARS-CoV-2と銘打つウイルスが存在し、これはCOVID-19と呼ばれる感染性の呼吸性疾患（簡単にするため、このウイルスとされるものをここから一括して「新型コロナウイルス（COVID-19）」と呼ぶ）を引き起こした。この「コロナウイルス」とその影響はあまりに危険なので、それが広がって壊滅的な人命の損失が引き起こされるのを防ぐために、国全体を自宅軟禁（ハウスアレスト）状態に置く必要があると言われた。

これらの主張がどれも証拠（エビデンス）によって裏付けられていないことに気付くだろう。しかし、そうしたうそと不備のある仮説に基づいた都市封鎖（ロックダウン）が、潜在的に数十億人の独立した収入と生活を破壊するために利用された。そして、「ハンガーゲーム（殺し合いの飢餓管理）」社会への飛躍的前進の中で、人々をカルトが支配する国や政府に依存させた。

２０１９年の最後の数週間に中国で起きた「感染爆発」は、激しく厳格な都市封鎖に直面した。その中で、中国に辛うじて残っていた自由は消し去られ、膨大（ぼうだい）な数の人々が「スマート（高性能）」な顔認証監視技術や、悪質で思考停止した中国政府の警察と軍（同じもの）によって自宅軟禁に置かれた。

西側メディアはカルトが所有する中国政府による熱心な活動を報道した。そこには、「あふれかえる数の死亡者」の需要を満たすため、数日足らずで全く新しい病院を建設することも含まれた。しかし、原因となる「致死性ウイルス」に対する世界的メディアの病的興奮(ヒステリー)の中で新たに建てられた病院は、拡大中だと言われた明らかな人的被害と比べて、おかしなほど短期間で閉鎖された。西側で「ウイルス」が広まったと言われた時点で、中国の「疫病」はすでに劇的に退潮し始めていて、西側の経済が崩壊に向かう間、中国は商業や工業を再開し、極端な都市封鎖は終了し、旅行は再開されていた。

ここで重要なのは、**中国で起きたことがこの「ウイルス」への対処法についての青写真——大規模な都市封鎖や自宅軟禁、人々を互いに引き離し続けること——を設定したということである。**これは初めから計画されていたことで、ビル・ゲイツは「基本的に国全体（米国）が、感染した中国の一部で行われたことをやるべきだ」と述べている。カルトが創設・管理し、ゲイツが資金提供する世界保健機関（ＷＨＯ）によって促進されたつじつま合わせの物語は、中国が「健康災害」に非常に効果的に対処したというもので、世界の残りの地域は自分たちの番になったらそのように応じなければならない。カルトとゲイツの操り人形、テドロス・アダノム・ゲブレイェソスＷＨＯ事務局長は次のように述べた。

中国政府は感染爆発を封じ込めるために採ってきた極端な手段について祝福されるべきである。中国は大流行への対応に関して事実上、新基準を設定している。これは誇張ではない。

舞台は整った。賽(さい)は投げられた。西側経済と数十億人の生活は破壊されようとしていた。

公式見解の最初の形態は、「集団発生」が武漢の「海鮮市場」で始まったというもの。そこではぞっとするほど汚く不衛生な状態で、コウモリや他の動物が買われ、食されていた。そして、この説明が持ちこたえられなくなったとき、代替メディアによって促進され、助長される別の説明が始まった。

こうしたことが、海鮮市場からそう遠く離れてない武漢にあるＢＳＬ－４の研究所を取り巻いていた。そこでは軍事目的で生物兵器を創るため、致死的な作因(エージェント)〔訳注：agent……作用因子。ある結果を引き起こす化学的・物理的・生物学的な実体を指す〕が研究され、遺伝子操作されていた。武漢の同施設は、中国ではこの種の唯一のものである。ＢＳＬ－４はバイオ・セーフティ・レベル４を指す。これは、しばしば即死に至る作因を保管することができる最高レベルの生物安全に関する予防装置を備えた研究所に割り当てられる指定である。

１９８９年の米国生物兵器反テロリズム法を起草した、イリノイ大学法学部の国際法の教授、フランシス・ボイルは２０２０年２月、今回の騒動に関与したと言われる「コロナウイルス」株は、誤るなどして武漢の生物研究所から放たれた人工的な生物兵器だと確信していると公の場で述べた。彼が代替メディアに盛んに登場して、遺伝子操作されたＤＮＡを備えた攻撃的な生物軍事兵器の**存在**について語ったことは、明らかに真実だった。

しかし、その後の世界中の実際の死者数は、致死的な生物兵器が解き放たれたとの主張を到底支持するものではなかった。名うての放火犯が火事現場の近くに住んでいるからといって、その関係だけで彼が火をつけたことを意味しない。しかし、放火を**やった**人はそう思わせようとするだろう。代替メディアのかなりの部分がこの武漢研究所シナリオを信じて宣伝し、後にそれが当然、中国に対し注目と怒りを集める主流派の説明になったとしても。

イスラエルが所有するトム・コットンのような影の政府〔訳注：ＤＳ＝ディープステート〕に通じた一部の米国政治家は、武漢研究所が起源になった可能性を示唆し、これが火事場での怒りをさらにかき立てる理由になった。それは「致死的な作因」――今では「ウイルス」と呼ばれる――がカナダの生物軍事兵器の開発と実験の主要な中心地であるウィニペグの研究所から、または数ある米国のＢＳＬ－４研究所の一つから、中国人によって盗まれたことを連想させた。

別の人たちによれば、その「ウイルス」は米軍に提供され、感染の発生が公表される直前の２０１９年10月18～27日に武漢で開かれたミリタリー・ワールド・ゲームズ（世界軍人運動会）に紛れて解き放たれた可能性がある。この大会には米国からのチームを含む１００カ国以上から１万人の軍人と支援スタッフが参加した〔訳注：日本は不参加〕。

ボイル教授の推定では、米国は９・11テロ事件以来、生物軍事研究に１０００億ドル以上を費やしており、毎年50億ドルずつ増えている。これは特定の遺伝子タイプを標的とする生物兵器開発に関する、サバタイ派フランキストのアメリカ新世紀プロジェクト（ＰＮＡＣ）の計画と同期していた。生物軍事研究は、米国や中国、イスラエル、英国（悪名高きポートンダウン）、フランス、ロシアおよび他の多くの場所で、世界中で行われている。

サバタイ派フランキストが牛耳る（ぎゅうじ）イスラエルは第一級の化学・生物兵器計画（「研究」施設の陰に隠れて）を有してきて、いつものことながら、生物兵器禁止条約あるいは核不拡散条約への署名を拒んで、国際的な査察を妨げている。というのも、サバタイ派フランキスト人脈のおかげで、それは自身のための法律だからだ。その計画を遂行するテルアビブに近いイスラエル生物調査研究所は、同国で最も秘密主義の組織の一つである（だからその競争を考えたまえ）。『グローバルリサーチ』のホームページはイスラエルについて次のように述べている。

> 敵の間で広がり大流行を引き起こすことができる生物兵器や細菌、ウイルスの研究は、最強度の秘密性に取り巻かれている。それらの中には、腺（せん）ペストの細菌（中世の黒死病）や、治療が不可能で感染すれば死に至るエボラウイルスが含まれる。

それでは、武漢のような研究所に、致死的な作因が存在するのか？　それらは間違いなく存在する。尋ねられるべき質問は、「新型コロナウイルス」はそれらの一つだったのかということ。臆測ではなく、実際に起きたデータが「違う」と告げている。私は、そのための事例を詳細に説明するつもりだ。

確かに、ウイルスが武漢の動物食品市場または「海鮮市場」で発生したとの最初の公式説明は精査に耐えられなかった。コウモリが初めに非難されたが、それは真実を隠すために同様の状況で前にも行われてきたことである。デマと誤「誘導」が至る所で飛び交い、それらをさらに多くばらまくほど、一層事態は混乱し、真実が失われる。

私はあらかじめ抱いた信仰に合うように起きたことをでっち上げるのでなく、起きたことをたどる観点からその場面を観察した。この「ウイルス」が西側に広がるにつれ、その結果は単純に死者数の点で、「致死的な生物兵器」から予想できるものとどうしても合わなくなった。では、何が起きていたのか?

クモの巣――米国・カナダは中国に数百万ドルを渡し、「大流行(パンデミック)」詐欺を調整

「大流行」詐欺を別の視点から眺めるため、カルトがどのように世界的な操作をするのか、あらためて強調する価値がある。最初にやるべきは、国境を忘れること。カルトネットワークにそれは存在しない。特定の国に本社を置く多国籍企業を思い描くがいい(カルトの場合、本社あるいは中央司令部――クモ――は陰に潜む)。企業は世界中の他の国々に子会社を持ち、そこが本社からの命令や指示を受ける。カルト組織も同じやり方で動く。

各国には、とりわけ世界の方向性に最も影響を及ぼす国々には、カルトが秘密組織や魔女的集会、

相互交配したネフィリム〔訳注：旧約聖書の『創世記』や『民数記』などに登場する、神の子と人間の娘たちの間に生まれた巨人〕の混血家族を持っていて、それらが各国の政治や行政〔影の政府〕、金融と銀行、メディア、カルトの持つ巨大製薬企業に利益を与える医療機構などを制御する任務を負う。

この方法によって、クモの指令した実現目標が同時に「異なる」国々に課され、世界規模の変化や調整された出来事をけしかける。中国は米国やイスラエル、英国、イタリア、フランス、ドイツなどと並んで、カルトの主要な中心地であるとすでに述べた。カルトの水準では、中国**は**、米国**で**、イスラエル**で**、英国**で**、イタリア**で**、フランス**で**、ドイツ**で**ある。

このカルトの調整を通じて、これから私が説明しようとする並外れた詐欺を画策することが完全に可能になる。代替メディアの多くの研究者でさえ、「大流行」中の言説から判断すると、この構造や思い通りに操る潜在能力を理解していないように思える。

この構造では、全国と全世界で一緒に起こる出来事を指令するのに、「内情に通じて」カルトのために意識的に働く人間をほとんど必要としない。意思決定をする重要な地位を支配しさえすればよく、これらのほとんどは政治家すら関与していない。テクノクラート（技術官僚）に管理を託すが、新型コロナウイルスの場合、そこには医療関係のテクノクラートが含まれる。この人類の大惨事の間中、彼らが「ウイルス」政策を推進してきた。そして、選挙で選ばれた政治家はほぼ完全に傍観者だった。

事態が進むにつれ、われわれは中国（カルト）と西洋（カルト）の行為が協調していることに気付くだろう。私はすでに、カルトを介した中国と米国における影の政府と学術界のつながりを強調した。新型コロナウイルスが世間の関心を集めようとしていたとき、ハーバード大学教授で化学生物学部長のチャールズ・リーバーは、中国人材の採用計画における自身の役割についてうそをついた罪で起訴され、ボストンにある連邦裁判所の判決で１００万ドルの現金による保釈金の支払いを命じられた。検察によると、リーバーは月５万ドルの報酬と約15万ドルの生活費と引き換えに、中国の武漢技術大学のために研究を行い、論文を発表し、特許を申請することに合意していた。彼はまた、武漢大学に調査研究所を設立するため１５０万ドル与えられたと、当局は述べている。

私はこれまで、「前」米国防総省職員の「退職」後の流れは、直接・間接を問わず最終的に中国に仕えることになると述べてきた。米国が武漢ウイルス研究所に３７０万ドルを渡し、カナダも何か同様のことをしていたことが明らかになった。この米国の援助はビル・ゲイツと通じたアンソニー・ファウチ――「新型コロナ」都市封鎖対応におけるトランプの助言者――によって承認されたと報じられている。

なぜ**米国**と**カナダ**は、中国の研究所に数百万ドルも寄付するのか。お金を中国「支店」に渡したのは、カルトの米国とカナダの「子会社」だった。これがカルトの国境のない世界であり、それを通じて大流行詐欺は調整された。

であれば、カルトが武漢の研究所に関わっている？　その通り。そしてこれは重要な進展になるかもしれない。しかし、そこが「新型コロナウイルス」の発生源なのか？「新型コロナ」が架空の「ウイルス」であれば、それはほとんどあり得ない。武漢研究所説は、それから関心をそらすための物語である。

詳細を加えるつもりだが、要するに、このようにして彼らはうまくやってのけた。中国を支配するカルトネットワークは、「致死性ウイルス」の見せかけの感染爆発で世界的ヒステリーを引き起こした。そして彼らは、厳格な都市封鎖と集団自宅軟禁を通じてそれに対処した。「ウイルス」は存在せず、見せかけの死者数は、グロテスクなほど毒まみれの武漢の大気で生じた他の呼吸器系疾患や肺炎による死者を「新型コロナウイルス」と呼ばれる存在しない「ウイルス」による死亡として読み換えることによって生み出された。「新型コロナ」は、異常に毒された環境のために武漢にありふれた他の多くの疾患と同じく、「インフルエンザのような」呼吸器系の症状を持っていた。

その後、「新型コロナウイルス」を調べすらしない「検査」が導入された。以来、これと同じ検査が残りの世界で「新型コロナ」を調べ**ない**ため使用されてきた。西側メディアは中国での大量死や同政府が数百万人の死亡に関する真実をいかに隠しているかといった話を信じ込ませることで、病的興奮の火を煽（あお）ってきた。西側その他のメディアとカルトネットワークは、「えーえ！　次は私たちだ!!」と金切り声を上げた。驚くべきことに、中国の「死者数」は突然減り始めたが、それは故意の誤診や偽検査に基づいていれば、簡単に行える。

他の国々で医療の上層階級を支配するカルトの有用人材は、医師や他の医療従事者に「インフルエンザのような」症状や肺炎を「新型コロナ」と診断し始めるよう指示した。そして、何ら証拠も必要とせず、実際にほとんどの症状を「新型コロナ」による死亡とした。もし読者がこの背景に前もって出くわさなかったら、私が詳細に入っていったとき、衝撃を受けるだろう。

その物語は、同じ偽検査と、患者であふれかえる「戦場」のような状態の病院に一層悲鳴を上げるメディアによって支持された。実際、病院はかつてないほど静かだったが、警備員が警備しているため来客は立ち入れず、メディアは撮影を禁じられ、患者が大津波となって押し寄せて医療従事者は疲れ果てているという幻想はずっと続いた。「過重労働」の医療従事者の負担を軽減するため、他の手術と治療は取りやめられたが、彼らは何もすることがなく、大抵座ってボーッとしていた。

中国であったような都市封鎖は、存在しない「ウイルス」から「人々を守るため」にけしかけられ、カルトが所有し、ゲイツが資金提供した世界保健機関（WHO）によって促進された。同機関は世界的「大流行」と宣言されたものに対処する方法として、中国の厳格な都市封鎖の「成功」を強調した。これはほんの粗筋（あらすじ）であり、詳細は説明の途上だ。

事実なき宣伝

その病的興奮が始まった最初の数週間、ある種の生物兵器が関わった可能性を受け入れ、私は満足しきっていた。多くの**状況**証拠が、その方向性を示していた。ただし、この言葉は状況に依拠したものであり、説得力を持つのは、現実世界の出来事がその仮説を裏付けた場合だけである。

　数週間がたち、これが少しも当てはまらないことが私にははっきりしてきた。死亡率はこのシナリオを裏付けないのに、代替メディアのかなりの部分がまだそれに執着した。「ウイルスに感染した」圧倒多数の人々が「非常に軽い症状」か全く症状がなく、数週間がたつうちにつれ、その数は増えるようだった。もし毎日の戦場を思わせる見出しを読んでいたら、これを知ることはないだろう。この知覚の詐術を基に、世界経済は破壊された。

　全ての「ジャーナリスト」（冗談はよせ）は同じ陰謀にくみしているのか？　もちろん、そうではない。ジャーナリストたちは当然のことのように公式説明を無条件に繰り返したにすぎない。ことわざにもあるように、要約するとこうだ。「偉大な英国人ジャーナリストは買収することもねじ伏せることもできない。しかし、買収されてない彼らがすることを見れば、そうする必要がないのだ」（訳者注：詩人のハンバート・ウルフ（1885〜1940）は「……そうする隙がないのだ」との警句を残している）。

　「新型コロナ」と称されたものは、決して致死的な生物兵器ではなかった。イタリアに旅行した後「ウイルス」に感染したと診断された最初のスコットランド人の1人はBBCラジオに、微熱が出て「少しインフルエンザにかかったような」震えを感じたと語った。最悪の症状は痛みと、特に足のうずきだった。彼は次のように述べた。

病院に行くまでに、私は快調になった。軽いインフルエンザの症状はすぐに消え、脚の痛みや熱、せき、息切れはなくなり……気分が良くなった。私の症状は3、4日のうちに消えたみたいだ。

えーえええええ!!!!! われわれは皆、死んでしまうのに!!! この病的興奮がひとたび始まると、「インフルエンザのような症状」を持つほとんど誰もが、何の裏付け証拠もなく、「新型コロナ」と診断されていた。「インフルエンザのような」症状は多くの潜在的原因——毎年同じ時期にやって来るいまいましいインフルエンザを含む——を持つ。「新型コロナ」の検査でさえ、それを全く検査しない痛い冗談であることが間もなく分かるだろう。健康と薬物に関連した主題を数十年調査してきた米国人ジャーナリスト、ジョン・ラポポートは次のように書いている。

コロナウイルスの大流行が発表される以前、インフルエンザやインフルエンザのような症状、肺感染症、肺炎で病院を訪れる人々は一般病棟に置かれて治療を受けるか、薬を出され自宅に帰されることさえあるものだった。

しかし、今では彼ら、彼らの多くは、全く検査もなしで、あるいは意味のない事後検査で、コロナウイルスの「推定症例」と呼ばれる。これらの患者に「伝染性のコロナウイルス」の烙印(らくいん)を押すことにより、病院の医師は「他の人々を感染から守る」ため、彼らを集中治療室に送ることを余儀なくされている。

「新型コロナ」患者と死亡者の数の操作が始まり、それは全く衝撃的な割合に達するようになった。その後、英国政府のホームページ「Gov.uk」で、特異な記事が投稿されたとの知らせがあった。フリージャーナリストの友人がそのサイトでコロナウイルス情報を丹念に調べながら関連ページを見ていたら、ボリス・ジョンソン首相が「このウイルスは非常に危険」との理由で全国に厳格な都市封鎖を宣言したほんの**数日前**の投稿を見つけた。その投稿は「重大な影響をもたらす感染症（HCID）」への公式な政府指針に関するページにあった。新型コロナウイルスについて、次のように述べている。

２０２０年3月19日現在、新型コロナウイルス（COVID-19）は**英国において、もはや重大な影響をもたらす感染症（HCID）とは考えられない**［著者強調］。HCIDに関する4カ国の公衆衛生グループは２０２０年1月、新型コロナウイルスをHCIDに分類する暫定勧告をした。これは、大流行の初期段階に入手可能な情報を用いた、ウイルスと疾病に関する英国HCID基準の考えに基づいていた。

新型コロナウイルスについてより多くのことが知られるようになった今、英国にある公衆衛生の諸機関は英国HCID基準に反する新型コロナウイルスに関する最新情報を見直している。彼らは幾つかの特徴が今では変化していることを確認した。特に、死亡率（全体的に低い）についてより多くの情報が利用できるようになった。そして今や、ずっと多くの臨床的知見や専門的で感度の高い臨床検査があり、それらの有用性は高まり続けている。危険病原体諮問委員会（ACDP）もまた、新型コロナウイルスはもはやHCIDに分類されるべきでないとの意見である。

その「ウイルス」による「危険性」が政府によって格下げされた数日後、そのウイルスが本当に「重大な影響をもたらす感染症」だとの理由でこの国は都市封鎖された。英国と世界にどんな詐欺師がうろついているのか。政府が危険性を格下げしたことが暴露された直後、彼らは再びそれを格上げした。

私に格下げを注意喚起してくれた同じジャーナリストはまた、その時点での2020年の「ウイルス」期間における全ての原因による英国での死亡者数を調べ、2019年の同じ数週間と比較した。それらは1万1661人（2020）と1万1431人（2019）で、ほぼ同じだった。同期間、欧州の死亡率は総じて同じ傾向を示した。2020年4月3日時点で、イングランドとウェールズの全死者数は実際に、2018年の同じ期間よりおよそ6％少ない。

程なく登場する米国人医師、アンドリュー・カウフマンは、米国疾病予防管理センター（CD

C）が発表した「感染の発生」の数カ月後、4月末までの毎週の死亡率を追跡した様子を説明した。彼はそれらが過去3年間の平均より6％少ないことに気付いた。「もし増加がなく、実際には減少しているならば、新しい病気が存在する証拠とは何か？」。本当に、その通りだ。「新型コロナウイルス」を原因とする追加の死者はどこにいたのか？　私のジャーナリストの友人はさらに、同じ2年間の同じ数週間に病院の救急外来を訪れた人数を比べたところ、2019年の方がわずかに高いという結果が実際に明らかになった。治療を求めて病院――メディアがわめき散らしていた「戦場」――にあふれている「新型コロナウイルス」の「新たな」患者は皆、どこにいたのか？

欧州評議会議員会議保健委員会の元議長、ヴォルフガング・ウォダーグは同じ点を指摘した。「全体の人数は追跡確認することができる。人々は過去数年間より少ししか亡くなっていない」。彼は、他のどの冬よりも「インフルエンザのような」病気はなかったと述べた。4月まで明らかになっている2019～2020年の死亡率の比較が新型コロナによる「新たな」死者を説明する何らの重要な違いを示さないまま突然、英国国家統計局はこれまで行ったことのない方法で数字を数え始めた。「死亡は、新型コロナとインフルエンザまたは肺炎の両方を死亡診断書に記入して登録することができる。従って、死亡は両方の分類に入れて数えることが可能だ」。「新型コロナ大流行」などないのに、あったように見せるため、数字は大幅に操作され続けただろう。英国の国民保健サービス（NHS）で働くマルコム・ケンドリック医師は述べた。「他の医師たちは3月上旬以降、死亡した人には誰でも新型コロナウイルスを記入していたことを知っている」。衝撃的であり、これは世界中で起きている。

空(から)の「戦場」病院

次に、英国国民保健サービス(NHS)は「救急救命病床の容量と、取りやめた緊急手術」に関する数字を、もはや公開データに含めないとの変更を発表した。彼らは、「戦争地帯」の病院が空(から)に近いという目障りな事実を国民から隠すために、こうしなければならなかった。ええ、**空**です。

これは主に二つの理由から来る。すなわち、(1)病院を崩壊させるような「新型コロナ」の戦場めいた感染爆発は存在しなかった。(2)医療従事者を「圧倒される」ことから守るため、「新型コロナ」以外のほぼ全ての治療や手術、診察が取りやめられてきた。そのような前提にあって、どうして病院が空に近い状態以外になり得ただろうか。そして、同じことが世界中で起きていた。

病院は警備員に守られ、管理され、少数の入院患者がいたが、外来患者は「新型コロナ規則のため」断られた(戦争地帯の病院がほぼ空なのがばれるから)。これは、子供たちが他の病気が原因で亡くなることを意味する。彼らのママやパパは、われわれが扱っているサイコパス(精神病質)の驚くべき異常な性質を告発することもなく。

あるドイツ人ジャーナリストは、欧州で最も大きな大学病院の一つ、シャリテ・ベルリン医科大学の「新型コロナウイルス救急センター」にどうにか侵入し、空であることを発見した（図378）。外には二つの「救急テント」さえあり、それも使われてなかった。彼によれば、職員たちは個人的には、起きてもいないことを誇大に宣伝するメディアに対して非常に批判的だった。医療従事者はその状況について公式に話すことを禁じられ、言論統制を確実にするため、全ての情報は中央報道事務局を通じてメディアに提供された。

そのドイツ人ジャーナリストのビデオには、このコロナ恐怖がひどく巧妙なごまかしであることを詳しく説明する多くの医師や専門家が登場している。ユーチューブはその動画を削除したが、われわれはどうにか別の版を見つけ、それを検閲がなく私が強く推薦するビットシュート（Bitchute）の動画プラットフォームに取り込んだ。ビットシュートはユーチューブによって消された動画や、あなたが見るべきカルトの見解に反するどんな動画も受け入れてくれる。次の単語を「Davidicke.com」の検索エンジンに入力し、その動画を見てほしい。'New source for banned YouTube video: German journalist goes to hospital 'teeming with coronavirus patients' – how can doctors cope? – and finds NO ONE THERE'（禁じられたユーチューブ動画の新たな情報源：ドイツ人ジャーナリストが『コロナ患者であふれる』病院へ行く――医師はどう対処するか？――と、**そこには誰もいなかった**）。

世界中で、多くの人が自分たちの地元の病院を撮影し始めた。すると、それらもまた「ウイルス」患者が殺到することなく空であることが分かった。その間、メディアはわれわれに先述の「戦場」状態を伝えていた。１人の英国人が病院を歩き回り、そこが空のことを示す写真をフェイスブックに投稿したとして、３カ月勾留された（図３７９）。

彼は「正当な理由なく」病院を訪ねたことで有罪判決を受けた。もちろん、そこが空だったことを示していた。英国の民衆にうそをついている当局は、決して「正当な理由」を考慮に入れようとしない。私が会った病院勤務者は言った。「何が起きているかについては、あなたのおっしゃる通りです」。彼によれば、病院は数百の空き病床とボーッと座っている従事者がいて、「こんなに静かだったことはない」。

英国、ブリストルにあるサウスミード病院の内部告発者はメディアプラットフォーム『ブリストルライブ』で、数百人の病院従事者が一時解雇されたと語った。彼女は通常フルタイムで働く救命救急センターの看護師だが、今は週１回の勤務を得るのに苦闘している。彼女はゼロ時間の契約を交わしているが、それは仕事があるときだけ支払われることを意味し、事実上、無収入だ。彼女の配属先では、一部の看護師を含め、「軽く」２００人以上が同じ状況にある。内部告発者は次のように述べている。

都市封鎖のときは、患者がほぼ全くいなかった。病院は脳卒中患者や整形外科的外傷、脳神経外科用の病棟を含む７つの病棟と、１５０の病床を閉鎖した。病院は廃墟(はいきょ)のようだ。中を歩いたなら、針が落ちるのも聞こえるだろう。病院にいる患者は、ほぼ間違いなくコロナウイルス患者

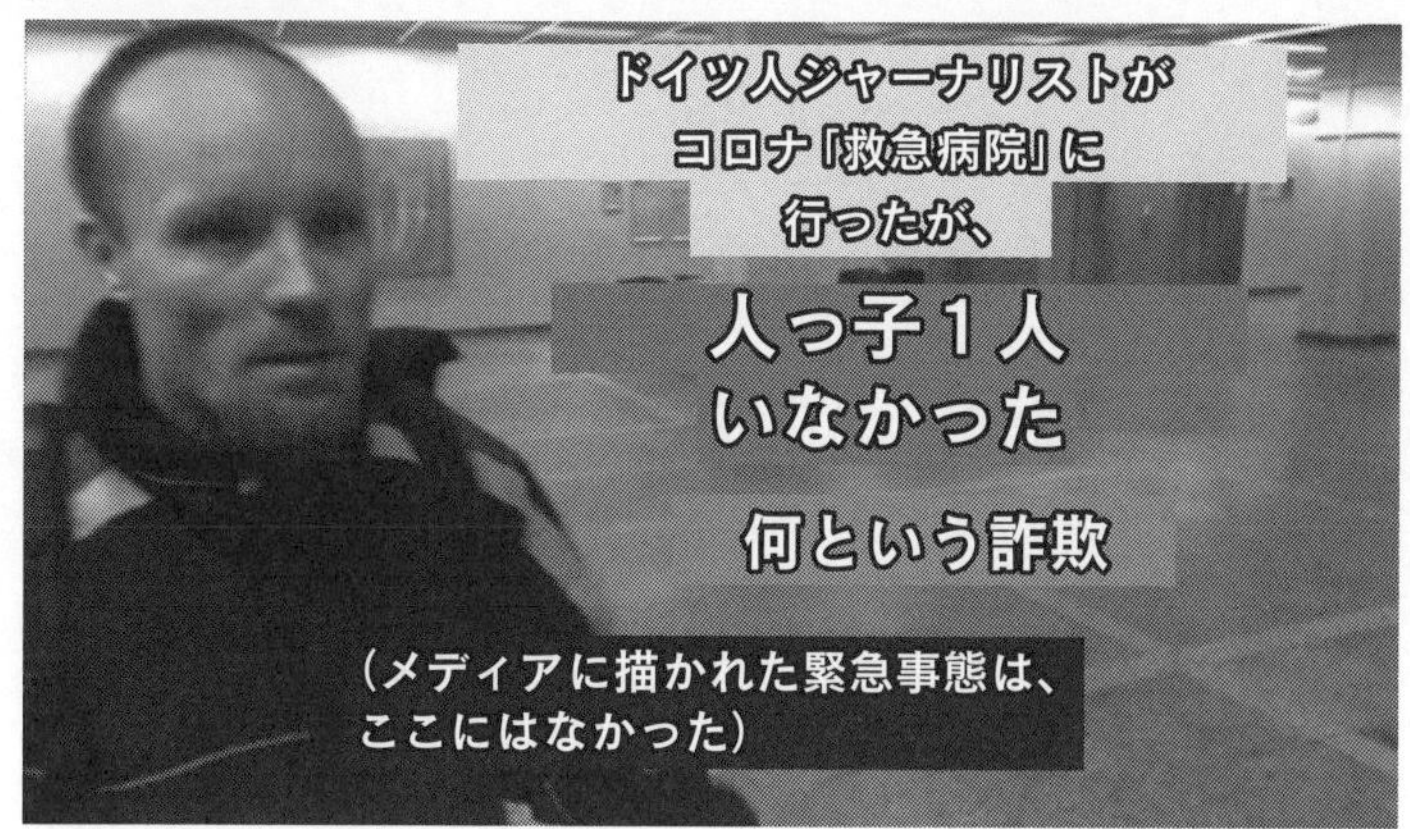

図378：インターネット上には「まるで戦場」と報じられる病院の多くのビデオが現れたが、そこでは通常と違うことは何もなく、人っ子１人見られないことがしばしばだった。

図379：「戦場」と思われた空の病院の写真とフィルム映像が世界中で現れた。これらの写真を撮影した英国人男性は、他の人が真実を暴露するのを思いとどまらせるため勾留された。

だけのようだ。

ブリストル市議会の成人社会的ケア委員長、ヒュー・エバンスによれば、同市の病院の病床使用率は「常に、予測できなかったほど低い」。一方、ノースブリストル国民保健サービス（ＮＨＳ）信託の人事および変革担当の理事、ジャッキー・マーシャルは恥じらいや皮肉のそぶりも見せず述べた……「われわれは新型コロナ大流行のため当初予想された患者数の高まりを、まだ見ていない」。国内・国際のメディアを読んでもみても、これは分からなかっただろう。

おめでたい拍手人

ガラ空きの病院は世界中で不変のテーマだ。さらに英国政府は「われわれをウイルスから救ってくれた」医療従事者に対し、疑問を持たないパフォーマンスペンギン（芸を仕込まれた養鶏）人間による毎週の集団拍手を煽動（せんどう）している。その間、医療従事者の大半は座ったまま自分の指を鳴らしているか、一時解雇されているか、空（から）の病院のあちこちを飛び跳ねている医師や看護師を呼び物にするユーチューブ用の長尺のダンシング動画を大量に作っていた。社会的隔離規則（ソーシャルディスタンス）が他の誰にも課されているにもかかわらず、彼らは互いに数インチかそれより接近して立っているのに問題はないようだった。それを課している警察は世界的にも彼らを無視していた。

国際カルトの陰謀は知覚を操ることに従事していると私は本書で強調してきたが、この偽の「大流行」ほど露骨な例はなかった。この目的のため、レディー・ガガやポール・マッカートニー、ミック・ジャガー、エルトン・ジョン、その他多くのいつも無思慮な「有名人たち(セレブ)」が駆り出され、『世界は一つ、家で一緒に』の「イベント」に自宅から公演した。これは、ビル・ゲイツが所有する世界保健機関(WHO)とビル・ゲイツが所有する「地球市民」と呼ばれる組織によって共同で催された。

英国人歌手、リタ・オラは視聴者に安全を確保し、WHOの推奨に従うことを促(うなが)した。ゲイツは自分の実現目標を前進させるため、さらにもう1人の無知な有名人に最大の感謝を表している。彼女は自分が何をしているのか分からないまま。この「イベント」は表向きには医療従事者を祝福するためのもので、少なくとも彼らの大半は、テレビを見る十分な時間があっただろう。

しかし、この心理学的な底流は「統一世界」(世界政府独裁へのカルトの長期的記号)と「地球市民」(国境と国民性の撤廃)の知覚を宣伝することだった。これと医療従事者への集団拍手は全て、病院が患者であふれかえっているとの知覚的幻想を与えるためだった。

顔を出して何が起きているかについて本当のことを話す医療従事者が割合からしてほとんどいない事実は、「大流行」のうそによる悲劇的な人類の結末――彼ら自身とその子供たちを含め――を眺めるようになる残りの人生で彼らが背負っていかなければならないものである。空の病院を容易に確認し、暴露することができた主流派メディアは、戦争地帯という幻想を伝え続けた。

この原稿を書いている時点で最も近い人物は、英国国民保健サービス（NHS）に引き継がれた私立病院が空で使われてないことについての、ロンドン『メールオンライン』の記事に出てきた。「危機」のためNHSから数億ポンドの資金援助を受けたその病院は、上級医師によって「罪深いほど空っぽ」と描写された。彼らによれば、数百人の国内最高の医師たちが「大流行」の間に「親指をくるくる回している」〔訳注：暇ということ〕状態に置かれ、他の患者たちを未治療や未受診、手術の中止を通じて危険にさらしていた。

2020年3月、私立病院の8000の病床がNHSから補償を受けながら、「新型コロナ」と闘うため、それらの病院には700人の医師を含む2万人の従事者が必要だと主張されている。さらに彼らは、応援のため、資格のある数千の従事者を退職者から起用するよう求めた。

ロンドンに拠点を置く、整形外科医院の院長は述べた。「今、この瞬間にわれわれが見ているのは、罪深く衝撃的なほど多くのガラ空きの私立病院と空きベッドである」。その外科医が言うには、彼の病院では「救急」と「緊急を要する」手術のみ許された。「直ちに大手術を必要とする25人の待機名簿を抱えていた。重度の関節炎を持った患者は、毎夜痛みに泣き叫んでいて、眠ることができなかった」。『メールオンライン』はその後、英国国民保健サービス（NHS）病棟は「あふれていた」と書き、せっかくの勇気ある告白を台無しにした。そうだろうね。

その数字に関して理解できないもう一つの現象は、臨時に4000の集中治療病床を供給するために東ロンドンのエクセル展覧会センターに9日間で造られた「ナイチンゲール」施設のような特別集中治療施設を建てようとしていたことである。その間、通常の病院は莫大な空き病床を抱えて運営されていた。政府はその後、「看護師不足」を主張することで「ナイチンゲール」がほとんど使われてない理由を説明したが、多くの人がほぼ空の病院で実際は暇を持て余していて、他の者は空の病棟でダンシング動画を作った。全国の他の「ナイチンゲール病院」でも、事情は同じだった。

米ワシントン州のシアトルコンベンションセンター内に数百人の部隊によって建てられた巨大な野戦病院は、1人の患者も治療することなく解体された。その際、病院にはサッカー場の大きさの緊急「死体置き場」と、連結式のトラックがあった。メディアや官僚によれば、通常の死体安置所からあふれた死体を収容するためだという。携帯電話でそれらを動画撮影した人は、トラックが空であることを示した。

英国軍が私の住むワイト島に来て、地元の聖マリア病院を改装し、200床の臨時病床を供給した。そのとき、職員が私に話したのは、これほど静かだったことはそれまでなく、ここが「圧力」の下にあることを裏付ける看護師ダンス動画の場所の一つだったということだ。もし、あなたがこのいずれも理解できないなら――それに保健当局の説明と違う――読み続けてほしい。

詐欺がどう働くか、医師が説明

事態を観察するにつれ、「新型コロナウイルス」は存在しないことがはっきりしてきて、パズルのピースがはまり始めた。決定的な貢献は、ニューヨーク州で法医学精神科を開業する医学士で、サウス・カロライナ医科大学の血液学と腫瘍(しゅよう)学の元指導医、アンドリュー・カウフマンの研究によってもたらされた。彼はまた、マサチューセッツ工科大学（ＭＩＴ）で学んだ。

私が新型コロナ詐欺の操られ方を調べていたとき、カウフマンが重要なピースを私に提供した。私は、新型コロナウイルスは存在しないということを彼の動画発表を見るまでに確信していて、そうネット動画でも述べていたが、カウフマンは幾つかの極めて重要な詳細を暴いた。彼のインタビューと発表は、検索エンジンに'Videos of Dr Andrew Kaufman exposing Covid-19 deceit'（新型コロナウイルス詐欺を暴いているアンドリュー・カウフマン医師の動画）と入れれば、https://davidicke.com/で見ることができる。彼のホームページはAndrewkaufmanmd.com。

カウフマンは、中国当局がおよそ２００人の最初の患者に発生した病気の原因を「新たなウイルス」と直ちに結論づけた方法を説明している。そして、そのような結論は根拠がないことを詳しく述べている。彼らはほとんど初めから「ウイルス」を非難していたが、その理由は、世界的カルトや、それが国境を持たずにあらゆる国でどう活動しているか研究した人なら、誰でもはっきりしてくる。

カウフマンによれば、中国の研究者は最初の患者たちのほんの少数の肺から精製してない遺伝物質を採取した。それは大多数の人々の細胞や細菌、真菌、体内にすむその他微生物を含むさまざまな源から、常に見つけられる。従って、これは全く何も証明していない。**「新型コロナウイルス」**

と呼ばれる「ウイルス性疾患」は、分離も同定もされていない。そして、その病気について他の可能性ある原因は、ほとんど検討されていない。

世界中で繰り返される台本は、書かれたものだ。彼らはＲＮＡ（リボ核酸）の配列を特定した。ＲＮＡはＤＮＡと働きに違いがあるものの、ＤＮＡのように遺伝物質を含む。この遺伝配列が**彼らの検査してきたもの**である――決して「新型コロナウイルス」と呼ばれる「ウイルス性疾患」ではなく。

ウイルス粒子は他の物質よりはるかに小さいので、存在するなら、ろ過を通じて分離できただろう。彼らはそれをしなかった。代わりに、彼らは汚染された、不純なＲＮＡ配列を他のＲＮＡ配列と比較し、サーズウイルスが関係しているに違いないと宣言した。２００３年に発生した重症急性呼吸器症候群（ＳＡＲＳ）の原因であると主張されたSARS-CoV-1「ウイルス」と80％弱、同じと確認されたからである。

彼らは同定さえしていない「新しいウイルス」をSARS-CoV-2と呼び、それが「新型コロナウイルス」と称されたものの原因だと主張した。カウフマンはこの主張に関し、主要な問題を強調する。第一に、SARS-CoV-1「ウイルス」は精製も分離もされていない（全ての最近の「怖い」ウイルス同様に）。だから、「ＳＡＲＳ」の原因が証明できたとは到底言えない。

第2に、「たった80％弱、同じ」というのは、基本的に意味がない。カウフマンは人間とチンパンジーの間に96％の相関性を指摘し、「誰もわれわれの遺伝物質がチンパンジー属の一部だとは言わないだろうに、彼らは96％と比較して80％未満というずっと低い割合の配列の一致を用いて、そのためにこれはコロナウイルスだと言っている」。彼は全く公正にも、これは極めて貧弱な科学だと述べた。

ドイツ人内科医で細菌学者、ロベルト・コッホは1890年、特定の細菌、この場合「ウイルス」が一定の病気の原因であることを証明するための四つの基準を定めた。これらの基準は以来、主流派医学で「黄金律」として使われてきた（しかし、彼らが大衆を腰の抜けるほど怖がらせるために使いたがる「新型コロナウイルス」その他の最近の「致死性ウイルス」はそうではない）。これらはいわゆるコッホの原則である。

1. 一定の病気にはどの場合にも特定の細菌が存在しなければならず、全ての患者は同じ症状がなければならない。それはまた、健康な人に見いだされてはならない。
2. その微生物はその病気の宿主から分離でき、純粋培養で増殖できなければならない（他の物質なしに「ウイルス」だけを分離しなければならない。これは「精製」として知られる）。
3. その感染性病原体の純粋な培養物が健康な感受性のある宿主に接種されたら、同じ病気が再現できなければならない（分離された「ウイルス」はあなたが主張する病気を引き起こせることが証明されなければならない。そして、その「病気」にかかっていない健康な人々から、病気を引き起こしているとあなたが言ういかなる「ウイルス」または物質も見いだされてはならない）。

4．その細菌は実験的に感染した宿主から回収できなくてはならず、その「ウイルス」または細菌と接触した誰もが同じ病気にかからなければならない。

「新型コロナウイルス」はこれらの基準を何も満たしていない。**決して何も。一つも。**「新型コロナウイルス」と称されるものは決して分離も単離もされておらず、詐欺の全体は非常に多くの潜在的原因を持つ症状からの診断と、遺伝物質（「新型コロナウイルス」ではない）の検査によってでかされた。この遺伝物質もまた、肺がんを含めそこに存在する多くの他の潜在的原因を持つ。実際、同じ検査が肺がんを特定するために採用されてきた。

カウフマンは「新型コロナウイルス」の同定方法を説明する科学論文群を読み、それら全てがコッホの原則や、ウイルスに関し「リバース基準」として知られるずっと説得力に欠ける原則の採用さえ、本当に怠っていたことに気付いた。「リバース基準」は米国人細菌学者・ウイルス学者で「現代ウイルス学の父」、トーマス・ミルトン・リバースがロックフェラー医学研究所の所長だった1937年に開発した。

他のもっと最近の「ウイルス」を同定したと主張する論文も、両方の検査を怠っている。そして、全ての論文が最も重要な基準——病気を引き起こしているとされる作因を、検査方法を汚染し、ゆがめる他の遺伝物質から分離すること——を満たしていない。カウフマン医師の結論は、「新型コロナウイルス」は存在しないというものだった。
「この大流行全体は、完全に創作された危機である。言い方を換えれば、誰かが「この」病気で亡くなったという証拠はない」。多くの人がこの発言に驚くだろう。しかし、このことは複数の研究領域にわたる証拠や出来事によって裏付けられていることが分かるだろう。

　中国（カルト）当局は「インフルエンザのような」症状と肺炎を患う全ての人々を、「新型コロナウイルス」に感染したものと診断し始めた。それは存在が証明されてなく、人々が病気である理由に決してならない「ウイルス」と称するものだった。武漢は大抵の中国の都市と同様、悪名高い有害な大気と、それ故、広範にわたる肺や呼吸器系の問題を抱えていた。これはイタリアの「新型コロナウイルス大流行」の中心地、ロンバルディアと同じである。

　初めから中国の医療従事者は、単に「インフルエンザに似て」いたり、非常にたくさんの他の潜在的原因のある肺炎症状を、悪名高い「新型コロナウイルス」となるものに診断していた。全ての呼吸器系疾患が「新型コロナウイルス」と呼ばれ、全ての死亡が同じ方法で診断されたため、症例数は明らかに急増した。存在しない「新型コロナウイルス」による死亡率は、西側諸国に「致死性のウイルス」が自分たちの所にやって来るという恐怖をつくるため、狂ったように誇大宣伝された。

　しかし、その「死亡率」は、毒まみれの武漢でいつも死亡原因になってきたもので亡くなる人々だった。その後、中国当局は彼らが同定していない「ウイルス」と称するものに対し、人々を「検査」し始めた。**新しいウイルスはもちろん、何も証明されていない段階で、**彼らは診断「検査」を展開した。「彼らはどうやってその遺伝物質の発生源を知ったのか」とアンドリュー・カウフマンは問うた。そうだね、彼らは知らない。

その検査はRT－PCR検査、または逆転写ポリメラーゼ連鎖反応法と呼ばれる。それは「量よりも質に関する」手続きで、あるRNA遺伝情報の配列の有無を測ることができるにすぎない。決してRNAの**量**ではなく。もう一度、強調する。PCR法は「新型コロナウイルスの検査」に使われているが、実際、それは……**「新型コロナウイルス」の検査ではない。**それは、多くの潜在的理由で多くの**人々**に存在する遺伝物質の配列を検査しているにすぎない。

これほど多くの人が検査で陽性になるのは驚かないし、心底腐りきった世界保健機関（WHO）が、人々は「新型コロナウイルス」から免疫を発達させていないと発言するのも驚かない。存在しないために決して感染しないものに対して、どうしたら「免疫」を獲得できるのか？　自分自身の遺伝構造の一部である遺伝配列に対し、どうしたら免疫を獲得できるのか？

ほとんど誰にも、自分の体にコロナウイルスが存在している。もし調べれば、遺伝物質の形で現れる可能性がある。強調するが、「新型コロナウイルス」でなく、**コロナウイルス**が。すなわち、通常の風邪や、体内に潜伏しながら免疫系（システム）によって進行が食い止められているもっと猛烈な菌株を含む、ウイルスの大「家族」が。「新型コロナウイルス」に特化していないコロナウイルスに対する検査は、莫大な数の人々に陽性を出すだろう。

世界保健機関は、「新型コロナウイルス」が「SARS-CoV-2と呼ばれる新たに発見されたコロナウイルスによって引き起こされる感染性の病気」であると主張する。カウフマンやますます多くの人がこの主張に対し、本気で異議を唱えている。彼は、米国の生化学者、キャリー・マリスによって1980年代に発明されたPCR検査について、「この検査結果は全く信用できない」と述べた。デジタルPCRとも呼ばれる定量的なPCRが、遺伝物質――中国が「大流行」の初めに病気の人々の肺から採ったもの――の解析を確立するために使われる可能性がある。しかし、幻の「新型コロナウイルス」のためでないことははっきりしている。

PCR検査は「増幅」を伴う。これはごく少量のサンプルを採取し、その内容をよく識別できるよう増幅することを意味する。問題は、増幅がサンプル中の他の全てを拡大することである。これは、探しているものが、他の物資によってさらに多く汚染されるようになることを意味する。増やせば増やすほど、ほぼ誰もが持っている物質をサンプル中に見つけることになる。増幅回数を増やせば増やすほど、検査対象ではなく、サンプル中の他の物質に反応して、ますます多くの人が「陽性」になるだろう。

「新型コロナウイルス」と主張される遺伝物質を、35回増幅すれば、被験者の体内にある遺伝物質(「ウイルス」でなく)の内容について陰性か陽性が出るだろう。しかし、例えば60回増幅させれば、あまりに多くの他の遺伝物質が現れるので実際、誰もが陽性になるだろう。その「ウイルス」のせいではなく、「遺伝物質」に含まれていた別の要素によって。

どれだけ多く「陽性」が出るかは、遺伝物質をどれだけの回数、増幅させるかによることを、これは意味する。もし国によって異なる増幅回数を使えば、これは**異なる数字**を説明する一つの理由になるだろう。彼らはまた、陽性・陰性の数を決める方法として、しばしばサンプルを薄める。陰性にする場合は、増幅回数を減らして時間を短縮すればいい。当局はこれらの方法によって「患者」の数を操作できる。

もし中国で、例えば、最初に人々を怖がらせるため高い増幅回数を使えば、膨大な「患者」数を獲得できるだろう。その後、低い増幅回数を使えば、患者数は突然ゼロに向かって下がり、彼らは自分たちの厳格な都市封鎖が功を奏したと主張できるだろう。そうすることで、他国に対し青写真となる対応を提供できた。同様の途方もない欺き（あざむき）が、英国や米国、その他で採用されてきた。

ワクチンが導入されたとき、彼らはワクチンが効いたように見せるため、その検査を操るだろう（とても簡単）。

「致死性ウイルス」は自然免疫系の反応

アンドリュー・カウフマン医師は、「エクソソーム」と呼ばれるものに関係する衝撃的な情報を持ち込んだ。細胞はエクソソームを常時放出するが、組織に毒素があったときに実質的に増える。それらはまた、体内の離れた部分の問題について警告を伝え、細胞の余剰スペースから毒素を取り除くことさえできる。化学的であれ、電磁的であれ、あらゆる形態の毒素は、細胞を損傷や死から守るため、体システムの一部として細胞にエクソソームの放出を引き起こす。カウフマンは、顕微鏡の下でのエクソソームと「新型コロナウイルス」とされるものを見せる。するとそれらは……あらゆる重要な点で全く同じである（図380）。

それらは両方とも同じ細胞受容体――RNAすなわちリボ核酸の形で同じ遺伝物質を含む――に付着する。そして両方とも、中国人の病気の原因が「ウイルス」だと主張する前、最初の数人の患者から初めに採った肺液から見つかった（図381）。

それらが互いに酷似している理由がある――それらは**同じ現象**だ。メハリー医科大学の学長兼最高経営責任者で、元ジョンズ・ホプキンス大学のHIV研究員、ジェームズ・ヒルドレス医学博士は、ウイルスについて述べた。「このウイルスはあらゆる意味で完全にエクソソームである」。細胞が自分自身を浄化し、他の細胞に警告を発する自然の機能であるエクソソームと、「新型コロナウイルス」と主張されるものは同じものである。

中国にいるカルトの工作員や世界中の代理人たちは、単純にエクソソームを「分離された新型コロナウイルス」と名前を呼び換え、「検査」を開発した。これにより、出所不明のRNAに対して陽性反応が出て、今では大衆の頭の中で「新型コロナウイルス」と呼ばれる存在しない「ウイルス」に変身している。

エクソソーム（「新型コロナウイルス」）放出を引き起こす条件に、次のものがある。毒性、恐れと緊張［「ウイルス」ヒステリーと都市封鎖を見よ］、感染、けが、免疫系反応、ぜんそく、病気、

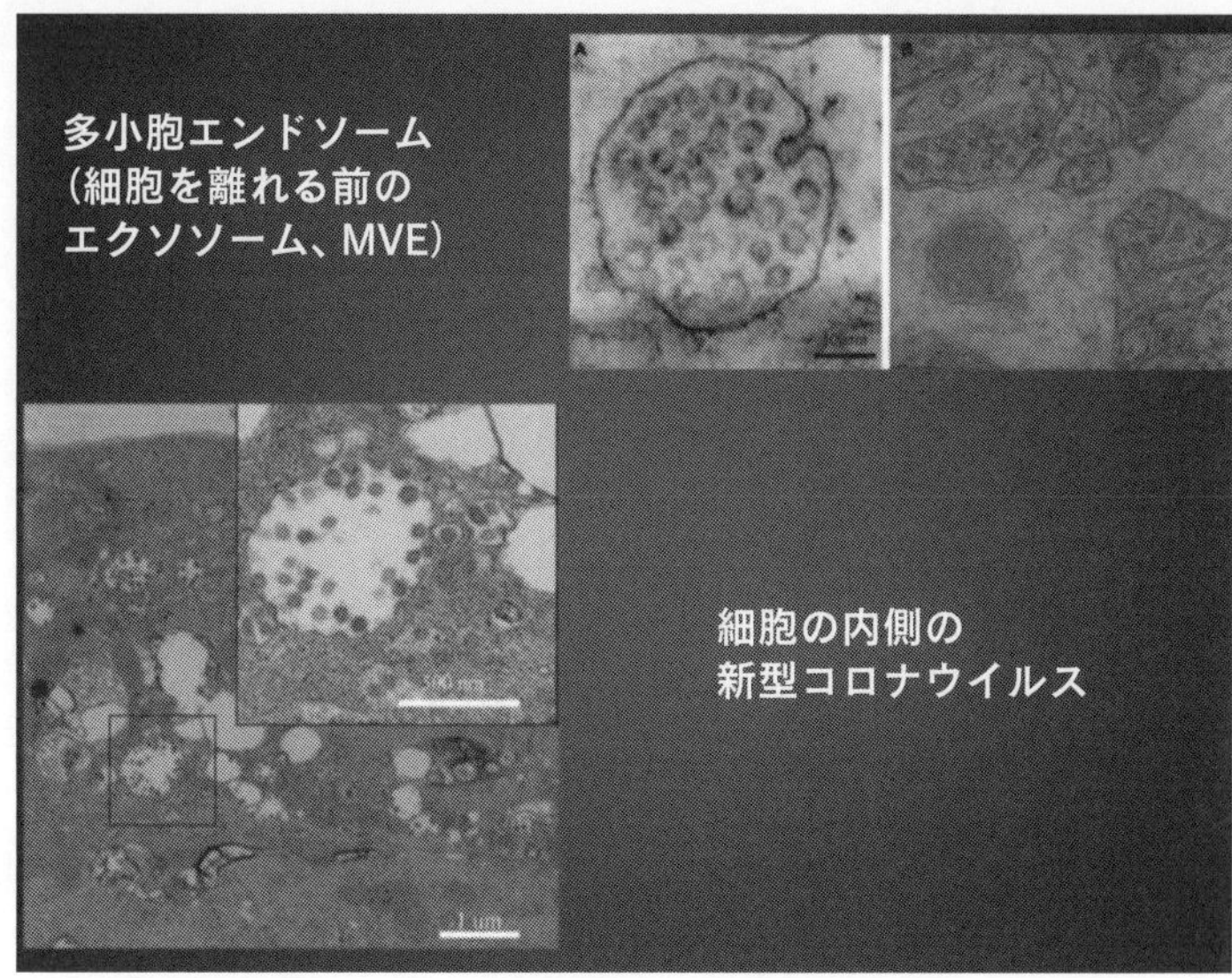

図380：米国人医師、アンドリュー・カウフマンは毒された細胞による自然の免疫系の反応であるエクソソームが、顕微鏡の下（もと）で「新型コロナウイルス」と呼ばれるものとどれほどそっくりかを明らかにした。カルトの工作員は自然の免疫反応を取り上げて、それを「致死性ウイルス」と呼んだ。

	エクソソーム	新型コロナウイルス
細胞内側にあるときの直径	500 nm (MVE)	500 nm
細胞外側にあるときの直径	100 nm	100 nm
受容体	ACE-2	ACE-2
内容	RNA	RNA
見つかった場所	気管支肺胞の（肺）液	気管支肺胞の（肺）液

図381：アンドリュー・カウフマンはさらに、エクソソームと偽の「新型コロナウイルス」は両方が組み込まれる細胞受容体に至るまで、あらゆる重要な点で同じであることを示した。エクソソームと「新型コロナウイルス」は全く同一のもの。何という詐欺か。

日ごとに強力になっている電磁放射。

アンドリュー・カウフマンはまた、遺伝物質の同定過程の一部は抗生物質を加えることが含まれると指摘する。抗生物質は細胞に、サンプル中への**エクソソームの放出**を引き起こす。彼らは、多くの人が免疫反応や遺伝物質であるRNA情報の内容物に対し陽性が出ることを知っていて、自然免疫反応の名前を「新型コロナウイルス」に呼び換えた。

私がこれから示すように、人々が検査で陽性が出た後、他の原因で亡くなったら、医師は死亡証明書に「新型コロナウイルス」と記入するよう命じられている。このようにして、存在しない「新型コロナウイルス」による「患者」と「死者」の数が欺(あざむ)かれ、大衆に「致死性のウイルス」との認識が広がった。それを止められるのは、数十億人の独立した生計を破壊する可能性がある地球規模の集団自宅軟禁(ハウスアレスト)である都市封鎖(ロックダウン)と、ビル・ゲイツが製作した強制「ワクチン」だけだという。

ウイルスに「感染」できるか？

都市封鎖と「社会的距離の確保(ソーシャルディスタンス)」は、国民を感染性の病気——存在が示されていない「ウイルス」——から守るとの理由で当局によって正当化されてきた。次に、その「ウイルス」が本物だったとしても、ウイルスが自己複製するための宿主細胞を必要とするとき、誰もがそれを他人から感染できるかどうかという疑問がある。『ブリタニカ百科事典』はウイルスを「動物または植物、細菌の生きた細胞でのみ増殖できる」作因と定義し、「宿主細胞なしでは、それらは増殖も代謝の進行も続けることはできない」と記す。

それ故、「新型コロナウイルス」が工作物の表面やドアノブ、お金から「感染」できるのか？　また、それが体内に宿主細胞を探しているときに、どうやって人と人または動物と人の間を飛び移れるのか？　都市封鎖が続いたとき、ドイツの「感染大流行」対策に従事していたウイルス学者、ヘンドリック・ストリークは、「ウイルス」は買い物でも美容院に出掛けることでも広がっていないと述べた。

ある「感染した」家における彼の研究は、その家の電話やドアノブ、さらにはペットのネコの毛を含む「どの表面にも、生きたウイルスはいなかった」ことを発見した。「われわれはそれが物を触ることによって伝染する、塗抹感染［塗りつけることによって感染すること］でないことを知っている」と彼は述べ、ウイルスは非常に密な接触によってのみ伝播（でんぱ）できると信じていた。私が読んだことから、そのような脅威は全く正確でないか、少なくとも証明されていないと言いたい。

一方、国民はお店に1人ずつ交代で出入りするために雨の中で立って待っているときを含め、他人から6フィート（約2メートル）離れていることや、天気の日も家にとどまること、除菌剤であらゆる肌の表面を浄化することを命じられた。ストリークの言葉で、われわれはドーン・レスターとデーヴィッド・パーカーの領域にたどり着いた。探究心旺盛（おうせい）な内科医によって広く引用されている彼らの本『本当の病気の原因―あなたが病気について知っていると思う全てが誤りの理由』（未邦訳）に。

レスターとパーカーは「ウイルス」が人と人の間または人と動物の間で伝染できるということを真面目に疑問視し、それが可能であることを示す立証可能な科学的証拠は存在しないと指摘する。といっても、こう主張しているのは彼らだけではないが。同書は「ウイルス」を「自己複製能力があるが、生きた細胞内に限る微細な粒子」とする確立された定義を引用する。著者は次のように記す。

その定義はまた、ウイルスが多くの病気の原因であると主張する。まるでこのことが決定的に証明されているかのように。しかし、これは事実でない。ウイルスが何かの病気の原因であると明確に証明する独自の科学的証拠は存在しない。理論の立証責任は、それを提案した人々にある。しかし、**「ウイルス」が病原体だとの主張を支持する「証拠」を提供する実在の論文は一つもない。**

どうしたら、自然の免疫反応――それが本当の「ウイルス」の正体――が病気を引き起こしたり伝染させたりできるのか？　エクソソームの反応は問題（毒されるか、その他の損傷を受けた細胞）に対する反応であり、それ自体問題ではない。別の言い方をすれば、火事に対応する消防士たちを**火事**だと言うようなものである。

「ウイルス」という言葉はまさに、「毒」を意味するラテン語の言葉に由来する。天然痘のときのようなさまざまな膿の症状は昔、「ウイルス」という言葉と関係していた。レスターとパーカーは、評価の高い生物学者で国立科学アカデミーの会員、リン・マーギュリス博士を引用し、ウイルスは彼女の定義では生きてさえいないと述べている。

それらは生きている細胞の外側では何もしないので、生きられない。ウイルスは自己増殖する要件を欠いているため、生細胞の代謝作用を必要とする。**代謝作用、つまり自己を維持する絶え間ない化学作用は、生命に不可欠な特徴である。ウイルスはこれを欠く。**

マーギュリスはさらに、「……生きた細胞膜の外側のいかなるウイルスも不活性（訳注："inert"）である」と述べた。不活性とは、「動く能力も力も持たない」ことを意味する。うわあ！「致死性ウイルス」が急に全然、怖くなくなるでしょう？

レスターとパーカーは動けない不活性の「ウイルス」粒子がどうして人々の間で伝播して細胞に入り、彼らを「感染」させると考えられるのか疑問を呈す。これは、気候変動カルトが気温に深刻な程度まで影響するには二酸化炭素が倍の量にならなければならないという不都合な事実に直面するのと同様の問題を、医療の権威者たちに提起する。これは起きようとしておらず、気候原理主義者たちはこうした事実を覆し二酸化炭素は危険だと主張するため、「フィードバック・ループ」（訳

注：温暖化による諸現象がさらなる気温上昇を引き起こすという主張。例えば、氷河が溶けて黒い地表が出ると、太陽熱を吸収して一層の気温上昇をもたらすなど」というつじつま合わせの全くの作り話を発明しなければならなかった。

同様に、生きた宿主の外にいるウイルス粒子は動けず、それができなければ、それらは伝えられて誰かに「感染する」ことはできない。少し待ってくれ。私が何とかしよう。考えさせてくれ。ああ、そうだ。それらが移動できる粒子に乗せてもらい、それから体に入るのにぴったりのタイミングで降りる。ふう、彼らがそれを信じると思うか？　これがその謎を説明すると主張されているものだ。ただし、これが**どのようにして**起こるのかは説明できていないが。レスターとパーカーは記す。

空気中を移動する唾液（だえき）あるいは粘液に付着したいかなるウイルス粒子の伝播（でんぱ）も観察されたことはない。ウイルス粒子はこれまで研究室の電子顕微鏡の下でのみ観察される。空気中のウイルスの伝播は仮説である。それらが人体を通じて移動する能力と同じように。

この著者たちは、ウイルス学者による調査を含む度重なる調査も、「ウイルスが何かの病気の原因であることを決定的に証明する元の論文を発掘できなかった」と記述する。病気の原因となるウイルスの働きは、研究室での実験による推論や仮説に基づく。しかし、研究室での実験はウイルスが病気を引き起こすことの証明を怠ってきたのではなく、それを証明できなかった。

「ウイルスのような〝不活性〟な生きていない粒子は、そのような機能を果たす能力を持たない。その必要な仕組みを欠いているからである」

それなら、「社会的距離」やマスク、都市封鎖の効果とは何か？　何もない。表情を隠すマスク着用ほど人々を分断するものがあるだろうか。しかし、存在しないウイルスからマスクが守ってくれると人々がこれまた疑いなく信じるにつれ、マスクはどこでも見られるようになった。マスクの繊維穴は、ウイルス粒子よりずっと大きい。カウフマン医師はこれを、蚊を防ぐため金網を設置するようなものと表現した。

彼はまた、マスクが呼吸を制限すると警告した。ぜんそくあるいは肺や気管支疾患がある人は構わないが、健康な人にとっては「問題」を起こしかねない。マスクや社会的距離の確保のいずれも保健とは関係ない。それは支配と経済的破壊に関係する。

ところで新聞は、現金を扱うと「ウイルス」がうつる可能性がある（誤り）と早々に主張し始めた。しかし、新聞を扱ってもうつるはずがないと彼らは強調した。どうして紙幣を通じ「伝染」し得るのに、新聞はそうでないのか？　新聞社が商(あきな)っているのは、お金ではなく、新聞だからだ。何と、哀れな。

そうした宣伝が絶え間なく続けられてきたので、「新型コロナウイルス」の証拠はないと言うと、ほとんどの人には狂った定義に聞こえる。まさか彼らはそんな大それたうそはつかないでしょう？

ああ、彼らは**うそをつく**でしょう。絶対的にとてつもない大ぼらが彼らの名刺だ。大衆は大きなうそほど信じる。

この点に関し、カルトが支配するシリコンバレーが二つのビデオに対しそれぞれ数日以内に取った対応は非常に意義深い。一つ目は『ロンドンリアル』で私がブライアン・ローズに行ったインタビューで、生配信された。生配信中、ユーチューブ史上2番目に多い視聴者を世界で獲得した。終了後数分のうち、すでに30万人以上が録画を見ているときにユーチューブにはその動画を削除し、Vimeo（ヴィメオ）とフェイスブックがすぐに続いた。後者版はフェイスブックが停止する前、100万回の再生があった〔訳注：2020年4月6日に配信された2回目のインタビューを指す〕。

主流派メディアと悲しいことに多くの代替メディアは、私が現在の出来事を5G（第5世代移動通信システム）の角度から述べたことに焦点を当てた。しかし、それはインタビューの比較的小さな部分にすぎない。私が述べた全体の要点は、「新型コロナウイルス」の存在に疑問を呈することだった。数日後、私の息子、ジェイミーがDavidicke.comでアンドリュー・カウフマンにインタビューした。その動画は5Gに触れていないが、30万の視聴を超えた後、ユーチューブから削除された。消された二つの動画の共通要素は、5Gではない。それは「新型コロナウイルス」の存在に疑問を呈すことだった。広く知られるようになれば、それは砂上の楼閣を突き崩すだろう。物事を考えない人は、証拠がその方向を指し示すときのことを考えた方がいい。

私は5Gが「ウイルス」を引き起こしていると言ったとして、常に誤って引用されてきた。私が

「新型コロナウイルス」は**存在しない**と言っているときに、それは維持するのがむしろ難しい。私の真意は、5Gが「新型コロナウイルス」と**呼ばれる症状**を引き起こすというものだった。それは5Gが「ウイルスを引き起こす」というのとはまるで違う。

詐欺がどのように働くか、科学者が説明

2020年3月下旬、作家で研究者、英国では有機農場の創設で知られるジュリアン・ローズ卿から電子メールを受け取った。彼が送ってきたのは、医療分野で働く米国人科学者の友達から送られて来た、コロナウイルス詐欺の説明だった。それは組織的詐欺の見事な分析であり、アンドリュー・カウフマン医師の多くの発見を完全に裏付けている。

その科学者によれば、彼らは人々に「新型コロナウイルス」に特化した検査をしているのではなく、非常に多く存在するコロナウイルスの菌株がないか検査している。「新型コロナウイルスに特化した信頼できる検査はない」と彼は述べている。実際の「新型コロナウイルス」患者数を報告する広報官も放送局もなかった。

「新型コロナウイルスに対する全ての行為と反応は、全体的に欠陥のあるデータに基づき、絶対に正確な評価をすることができない」。「新型コロナウイルス」と診断されたほとんどの人が風邪かインフルエンザの症状しか示さなかったのは、これが理由だと彼は述べた。「それは、ほとんどのコ

ロナウイルス株が風邪かインフルエンザの症状にすぎないからである」。

84歳のドイツ人男性が「新型コロナウイルス」検査で陽性と出た。彼の介護老人福祉施設全体が隔離されたがその後、彼は普通の風邪をひいていただけと分かった。タンザニア政府は検査のためパパイアとヤギから採ったサンプルをWHOに送った（詐欺を暴くため）ら、両方とも「新型コロナウイルス」陽性の結果が返ってきた。

「新型コロナウイルス」を検出するために使われるPCR検査は検出を行わない、とその科学者は述べている。その代わりに「基本的に細胞からサンプルを採り、いかなる「RNA」も増幅して『ウイルス配列』を探す。すなわち、既知のウイルスの全遺伝情報（ゲノム）の一部と一致するように見える、人間のものでない「RNA」のかけらを」。彼によれば、問題は……**この検査が役に立たないことが分かっていることだ。**

それは「増幅」を利用する。これは非常に少量の「RNA」を採取し、それを分析できるまで幾何級数的に培養する。明らかに、サンプル中のわずかな汚染物質も、潜在的に重大な誤発見を導くように増殖される。加えて、それは全遺伝情報でなく、部分的なウイルス配列を探すだけである。従って、他の問題を無視しても、単一の病原体と同一であると確認することは不可能に近い。

彼によれば、病院に送られてきた「ミッキーマウス検査キット」と呼ばれるものは分析者に、「せいぜい」あなたの細胞内にいくらかウイルス（ＲＮＡ）があることを教える。大抵の人はコロナウイルス（ＲＮＡ）を大抵いつも持っているから、こんな検査は無意味である。

それはあなたに、そのウイルス配列が特定の型のウイルス（いわゆるコロナウイルスの巨大家族）と関連していることを示すかもしれない。しかし、それだけのこと。これらのキットが新型コロナウイルス（COVID-19）のような特定のウイルスを分離できると考えるのはばかげている。

彼は、他の問題は「ウイルスの量」だと述べた。ＰＣＲの「新型コロナウイルス」検査は、ごく少量のＲＮＡを増やすことによって機能する（しないが）。従って、どれだけのウイルスを持っているか——病気を診断するときに、本当に重要な唯一の問題——を知る点で無意味だ。

誰でも自身の体の中に常にうろついているウイルスが少数あるものだが、大抵は病気を引き起こさない。なぜなら、それらの量はあまりに少ないからだ。ウイルスが人を病気にするには、たくさんのそれ、膨大な量のそれが必要だ。

しかし、ＰＣＲ検査はウイルスの量を検査しない［定量的ではなく、定性的ＰＣＲ検査が使われる」。従って、［ウイルス］が、人を病気にするのに十分な量を持っているかどうかは判定できない。もし体調が悪くてPCR検査を受ければ、全く病気に関わっていなかったとしても、何か偶然のウイルス［RNA］が同一と確認されるかもしれない。それは誤診につながる。

ここで述べられたことは、1980年代、PCR検査を**開発したこと**でノーベル化学賞を受賞したキャリー・マリスによって支持されている。その通り、PCR検査開発者が、それは**感染性の病気を正確に検査することはできない**と述べている。しかし、これが「新型コロナウイルス」に関して使われている検査だ。

マリスは述べた。「定量的PCR検査とは矛盾した表現だ」。彼によれば、PCR検査は物質を**質的に**確認するために考えられたが、その性質上、この検査は量に対しては適用できない。マリスによれば、ウイルス量検査は血液中のウイルスの数を数えるとの一般的な誤解があるが、この検査は**遊離した感染性のウイルスを少しも見つけることができなかった**。この検査はウイルスの遺伝子配列を検出できたが、決してウイルス自体は検出できなかった。この全貌から、「新型コロナウイルス」による患者数や、従って死者数は全く当てにならないことが分かる。

その科学者によれば、コロナウイルスは非常にありふれている。「世界中の人口の大部分が体の中に少量の新型コロ……を持っている。たとえ彼らが全く健康だろうと、何か他の病原菌に罹患していようと」。彼は尋ねた。「これがどこに向かっているか、もう分かりましたか?」。この全てが意味するところは、「もし完全にうその感染大流行に関して完全にうその恐怖を創り出したいなら——コロナウイルスを使え」。

それらは非常にありふれていて、無数に存在する。たとえPCR検査を適切に実施し、汚染物質を締め出したとしても、他の理由（インフルエンザや細菌性肺炎など何でも）で病気になった人の大部分は、新型コロナのPCR検査で陽性が出るだろう。ひとえに、コロナウイルスはありふれているからである。全世界で常時、数十万人のインフルエンザと肺炎患者が入院している。

彼が言うには、これらの人々から最も具合の悪い人を選び、一カ所に集め（そう、武漢に）、PCR検査を実施するだけでよい。次に、「必然的にかなりの数になる」コロナウイルスに似たウイルス配列を示す人は誰でも、「新しい」病気にかかっていると主張するのである。

最も重篤なインフルエンザ患者をすでに選んだから、その検体はかなり高い割合で死に続けるだろう。その後、この「新しい」ウイルスは、インフルエンザより高い致死率［CFR］を持っていると言って、さらなる不安を吹き込むためにこれを使うことができる。そして検査を増やせば当然、さらに多くの「患者」が生まれるだろう。それは検査を拡大し、さらに多くの「患者」を生み出す。そしてまた同じことを……。

まもなく「感染大流行（パンデミック）」が生まれ、あなたは簡単な検査キットのペテンを使って、最悪のインフルエンザや肺炎の症例を**実際には存在しない**［私の強調］何か新しいものに転換するだけでよい。

その科学者が言ったのは、それから同じ詐欺を他の国々で働くだけで、恐怖の意識を高いまま確実に維持できる。「それで、人々はパニックを感じ、批判的に考えることができなくなるだろう」。克服しなければならない唯一の問題は、新しい致死的な病原体が実際に**存在するわけでなく**、通常の病気の人々がいるだけという事実だ。これは、「新しい致死性の病原体」による死者が、本当の新しい致死性ウイルスの大流行には低すぎることを意味する。しかし、彼によれば、これは次の方法で克服することができる。これらは全て、起こり続けるだろう。

1. これはほんの始まりで、さらなる死亡が差し迫っているとあなたは主張できる［あなたはこれを偽のコンピューター予測を使って裏付ける］。これを口実に使って全員を隔離し、その後、予測された数百万の死亡が隔離によって防がれたと主張する。

2. あなたは人々に、危険を「過小評価すること」は無責任であると伝え、彼らを脅（おど）して人数のことは議論しないようにする。

3. あなたは人々を偽科学で欺くことを期待しながら、でっち上げた数字についてでたらめを話すことができる。

4. あなたは健康な人々（もちろん、彼らもコロナウイルス［RNA］の断片を体内に持っている可能性が高い）に検査を始め、そうやって「無症状保菌者」（もちろん、あなたは恐ろしく聞こえるように話をひねりださなければならない）で「患者数」を水増しできる。たとえ、どのウイルス学者も、無症状患者が多ければ多いほど、病原体は致死的でなくなることを知っていたとしても。

彼によれば、これらの単純な段階を踏めば、「あなた独自の大流行を完全にでっち上げ、数週間維持することができる」。要するに、当局は正確な検査がないものを「確認」することができないし、彼らはカルトの有用人材、ビル・ゲイツ（さらに多くの者が続く）が「危機」の背後ですぐに行商を始めたようにワクチンを製造することも絶対にできない。その科学者とアンドリュー・カウフマンが述べたことは、さらに増え続けている証拠によって裏付けられるだろう。

息子のガレスと私は数時間ほど離れた所に暮らしているが、その恐怖が始まる前の2019年のクリスマスの準備期間に、われわれは両方とも、まさに「新型コロナウイルス」の症状が出た。私は後に、他の人たちも同様だったと知ることになった。私は強い免疫系に恵まれているので、めったに病気にならない。現代の食事から不足しているものを毎日の栄養補助食品で補い、絶えず免疫系を強化している。そして、ガレスも同じく活発な自身の免疫系が備わっているため、ほとんど病気にならない。というのも、子供時代に予防接種で傷付けられていないからだ。

ガレスと私自身は共に、非常に特異な病気を経験した。今なら、「新型コロナウイルス症状」――それら全て――と呼ばれるもので、われわれは同時に倒れた。せきと痛み、少しの熱があって数日間、体調が優れなかったが、二人とも仕事を続け、私はその期間にこの本の一部を書いた。医者にかからなくても、免疫系がその役割を果たしてくれる。重要なのは、もし数週間後に同じ症状が出ていたら、われわれは「新型コロナウイルスの犠牲者」と呼ばれていたことである。

米国では毎年、冬だけで数万人がインフルエンザ（多くは合併症の肺炎を伴う）で亡くなる。米国疾病予防管理センター（ＣＤＣ）の統計によると、２０１７年から２０１８年に、４５００万人の米国人がインフルエンザと診断され、そのうち６万１０００人が死亡した。８万人という報告もある。「新型コロナウイルス」で見た病的興奮を覚えている人はいるか？

毎年、25万人の米国人が肺炎で入院し、およそ5万人が死亡する。死亡診断書の操作により、これらの人々は全て偽統計上の潜在的「新型コロナウイルス」要員だ。さらに、毎年６５００万人が呼吸器系疾患に苦しみ、３００万人が死亡する事実が加わる。これは世界で三番目に多い死亡原因である。

数字と「予測」はどこから来る？

「致死性ウイルス」の恐宴を正当化するのに十分な死者が大幅に不足しているときは、その科学者が予想した通りに対処された。人々はまだ大量に死んでいないが、それが起こりつつある（「これはほんの始まりで、さらなる死亡が差し迫っていると主張できる」）と彼らは言った。そして、その数字が実現しなかった場合、都市封鎖のおかげであると言った（「その後、予測された数百万の死亡を隔離が防いだと主張する」）。

死亡予測は決して当たらなかったが、彼らの御用商人はそれを知っていた。それらは経済的破綻と数十億人の管理を目的とした都市封鎖を確実にするため、誤るように創られたにすぎない。都市封鎖が非常に邪悪な動機で世界経済を破壊したのは事実だが、厳格な都市封鎖を避けた日本の経験は、封鎖が事態に影響を及ぼすとのうそをさらけ出した。

検査と死亡診断書を通じて数字が捏造されるのに、都市封鎖の有無にどんな違いが出たというのだろうか？　これは常に心に留めておく価値がある。統計は事実を語らない。それらを編集する人たちの意図を語るのだ。もし英国の例を挙げるなら——世界的に同じことが起きたが——法外に誇張された死亡予測（数十億人の自宅軟禁を正当化するため）は……**コンピューターモデル**から来た。

ご存じの通り同じ手法が、愚かしいほど誇張された気候変動に関する**コンピューターモデル**に使われている。それは吹き出すほど不正確なことが判明しているが、気候のうそを信じさせるにはとても有効だ。うそをダウンロードできるよううそをアップロードしさえすればいいから、望む予測を引き出すのは非常に簡単である。

アンドリュー・カウフマンはコンピューターモデルの作成に従事したことがあり、結果を創作するのがいかに簡単かを説明した。コンピューター「予測」は、その「予測」が生み出される元の入力データの性質に左右される。「新型コロナウイルス」予測の狂気は、「**もし都市封鎖しなければ、英国で最大50万人が死亡するだろう**」というもの。この狂気がただ静まるよう、私は繰り返す。「もしわれわれが都市封鎖しなければ、英国で50万人が死亡するだろう」。

これは数理生物学の教授で英国医学研究評議会（ＭＲＣ）国際感染症分析センター（ビル・ゲイツと彼のワクチン接種の世界的偽装出先機関である「ギャビー［Gavi］」と世界基金（グローバルファンド）が出資）の責任者であるニール・ファーガソンの仕業だ。『ビジネス・インサイダー』は、ファーガソンの働きについて次のようにつづる。

そこはビル＆メリンダ・ゲイツ財団から年間数千万ドルの出資を得て、英国国民保健サービスや米国疾病予防管理センター（ＣＤＣ）と協力し、世界保健機関に「緊急な感染症問題の迅速な分析」を提供する任務を負っている。

ビル・ゲイツのギャビーの最大の資金提供者は……ギャビーが資金提供し、ゲイツが所有するファーガソンとロンドンのインペリアル・カレッジから都市封鎖の助言を得た**英国政府**。「大流行」の間、英国政府は納税者からの金、年間3億3000万ポンドを最低5年間、国際開発省を通じてギャビーに援助すると発表した。ギャビーはゲイツが支配する世界保健機関（WHO）に続き、国連、世界銀行と連携する。

WHOはカルトが創り支配する国連の一部であり、世界政府の隠れみのである。ファーガソンはカルトの完全な子分であるゲイツの完全な子分だから、政府を脅して都市封鎖という人類の悲劇を課す「コンピューターモデル」をファーガソンが作成したことは驚くべきことである。

インペリアル・カレッジがそれらの「モデル」に使っているコード（符合）は、ゲイツのマイクロソフトによって「調整」されたことも報告されている。ファーガソンはゲイツが出資し、フリーメーソンとつながったインペリアル・カレッジに本拠地を置きながら、政府や、ゲイツの世界保健機関に助言した。その大学はこれまで、ゲイツの出資金、2億ドルの大部分を受け取ってきた。ゲイツは偽「感染大流行」物語のどこにでもいて、私見では、彼とファーガソンは人間社会に対して行ってきたことに対して、余生を監獄で過ごすべきだ。

決して起こらなかったファーガソンの架空の「予測」はそれまで気の進まなかったボリス・ジョンソン首相をけしかけ、英国を独裁警察軍事国家（「ハンガーゲーム」（殺し合いの飢餓管理）社会を見よ）に変えた。ジョンソンは本格的な都市封鎖に反対したが、彼が責任を果たすよう告げるそのような予測に直面し、そのときから、テクノクラートたちは彼を降参させ、完全に政策を支配した（図382）。

それらには、英国政府の緊急対応組織の一部である緊急時科学諮問会議（SAGE）と、「国家的または地域的危機への対応において政府機関の行動を調整する」COBRA（コブラ）と適切に名付けられた小委員会が含まれていた。SAGEを率いるのは、英国の首席科学顧問で、英国に拠点を置く巨大製薬企業、グラクソ・スミスクライン（GSK）の元製薬開発上席総括責任者、パトリック・バランス。GSKは途方もない資金提供と、ビル・ゲイツとの商売上のつながりを持ってきた。

ワクチン政策を助言している学者と巨大製薬企業の「専門家」集団である英国のワクチンネットワークは、ゲイツ財団から全体で（少なくとも）およそ数億ドルの寄付をもらう会員を持つ。そこには「新型コロナウイルス」の検査を宣伝し、ワクチンの「探索」に関わるGSKの従業員が含まれる。

GSKとゲイツは偽の「感染大流行」から法外な富を築いている。グラクソ・スミスクラインの元最高経営責任者、アンドリュー・ウィッティーは休職して、世界保健機関で新型コロナウイルスのワクチン開発の推進を指揮した。ゲイツは「大流行」物語を指示し、決して存在が示されない「ウイルス」のため、全人類に集団予防接種を迫るのに必要な人や物全てを買収し、操ってきた。

英国の首席科学顧問でGSKの役員、パトリック・バランスは2020年4月、英国政府へのSAGEの「助言」は、「大流行」が終わる（そして、人間社会が後戻りできない変容を遂げる）後

図382：ニール・ファーガソン――英国首相のボリス・ジョンソンと他の政治家たちはファーガソンの馬鹿げた「コンピューター予測」を信じ、生命と生計を破壊する全くの惨事が続いた。（ガレス・アイク画）

まで、公表されないだろうと述べた。英国ニューカッスル大学社会衛生研究所のアリソン・ポロック所長は、政府顧問に透明性を高めるよう求める（無理だ）医学雑誌『ランセット』の書状に署名した数十人の専門家の1人だった。彼女は次のように述べた。

われわれが知らなければならないのは、誰が政府に助言しているか［ビル・ゲイツ］……、政府が何を隠していて［ビル・ゲイツ］、誰がそれを守っているのか？　政府の雇われ人と公的支援を受けている大学の科学者（SAGE委員の大部分を占めそうだ）は納税者に説明する義務がある。

いや、違うぞ、アリソン。彼らはカルトに対し説明責任のあるビル・ゲイツに対し、説明責任がある。ボリス・ジョンソンは「新型コロナウイルスに感染」（新型コロナウイルスでない何かの原因による病気）したため、重要な期間に誠に都合よく蚊帳（かや）の外に置かれた。英国民が都市封鎖中、自宅軟禁され、これら「予測」によって正当化された警察国家に暮らしていると、ファーガソンは劇的に自身の数字を縮小し3月末、死者数は「2万人以下」になりそうだと述べた。「新型コロナウイルス」に起因する死者が無関係な「検査」に支えられた行政運営上の死亡診断書の数学的な詐術であるなら、これでさえ誇張だった。

ファーガソンとインペリアル・カレッジの彼の仲間は、いつものやり方で独裁的な都市封鎖を売り込んだ。つまり、恐怖と偽りだ。ボリス・ジョンソンへの彼らの報告〔訳注：インペリアル・カレッジの新型コロナウイルス対策チームが2020年3月16日に発表した『報告書9：投薬によらない介入策が新型コロナウイルスの死亡率と医療需要の低減に及ぼす効果』（通称・インペリアル論文）のこと。新型感染症に対する基本戦略として、重症化リスクの高い人々を感染から守りながら感染速度を遅らせる「緩和戦略」と、全国民の社会的距離の確保や学校・大学の閉鎖などを伴う強行策で感染の拡大を止める「抑圧戦略」があるが、同報告書は「抑圧戦略」が唯一の実行可能な戦略だと結論づける。この報告を機に、英国政府は方針を「緩和戦略」から「抑圧戦略」に大転換した〕は次のように記す。

恐らく最も重要なわれわれの結論は、英国と米国の医療体制の収容能力の制限を数倍以上緊急に引き上げなければ、緩和は実行できそうにないということ。1回の比較的短期の流行に導く最も効果的な緩和戦略（患者隔離や家庭隔離、高齢者の社会的距離の確保）の調査では、一般病棟と集中治療室（ＩＣＵ）の病床双方に対する収容能力の制限の急拡大は、われわれが調べた救命救急の必要に関する最も楽観的なシナリオの下で、少なくとも8倍を超えるだろう。

トランプ政権のコロナウイルス対策の取りまとめ役、デボラ・バークスが記者に語ったことによれば、そのインペリアル論文――米国で200万人以上が死亡するというファーガソンのコンピューター予測――が在宅勤務や、10人以上集まることを避ける新たな助言を促した。

ゲイツがファーガソンを所有するから、ファーガソンの意図はゲイツの意図である。そして、独立した生計を大量に破壊し、「ハンガーゲーム」社会を設定するというカルトの実現目標を追求するため、西側諸国の青写真として中国に厳格な都市封鎖を確立するという繰り返しの主題がある。ファーガソンは次のように述べている。

武漢や中国など、地域における人と人との接触を減らそうとする場所で採用されてきたような地域対策を採用しなければならない。従って、重要な種類の方策は第一に、いかなる種類の呼吸系疾患や風邪を患う人も、それらの症状がすっかり解消するまで自宅にとどまるべきである。

その後に続いたのは、手術や診察など他の病院活動の大幅な中止だった。同時に他方では、「新型コロナウイルス」によって病院が圧倒されるとのファーガソンのインペリアル・カレッジの予測は全く当たらなかった。あまりに外れるので、英国当局は集中治療病床の使用に関する数字の発表をやめた。集中治療室はパンクしておらず、都市封鎖下にある主要病院全体でものすごい数の空床がある事実を隠した。

ニュース機関は、自分たちが説明している「戦場」の病院の映像を持っていなかった。あまりに証拠を欠いているので、CBSはニューヨークの集中治療病棟と主張する映像を使ったところ、イタリアのものだったことがばれた。英国のチャンネル4ニュースは訓練センターで駆使されている人形の画像を見せながら、それを生きた人間として紹介した。

しかし、2020年3月26日になって、インペリアル・カレッジの予測可能な精神錯乱者たちは、「新型コロナウイルス」が世界中で3000万人を殺す可能性があり、命を救える唯一の方法は各国が素早く行動した場合（つまり、国民を自宅軟禁下に置く）だけだと警告していた。インペリアル・カレッジは保健問題には対応していなかった。

それは台本に従い、あからさまに、そして非常に誇張されたコンピューター「予測」を用いて、カルトの実現目標要求を正当化していた。彼らは自らの行為について、何が起き、それがどのように画策されたかを明らかにするため、独立した公開調査という結末に直面しなければならない。

ファーガソンとインペリアル・カレッジは他の政府に対しても「予測」を作成したが、これには米国が都市封鎖しなければ最大220万人死ぬ可能性があるとのファーガソンの主張も含まれる。これこそ、ビル・ゲイツが経済とワクチンに関するカルトの実現目標のために望んだ都市封鎖であり、このためにゲイツ出資のインペリアル・カレッジが口実を提供した。

ジョンソンやトランプなど指導者周辺の中心的助言者もゲイツの気前のよい贈与の金銭的な受益者であり、カルトが創設した世界保健機関（WHO）を米国政府に次ぐ二番目に大きな出資者として事実上所有するのも、同じビル・ゲイツである。あなたがこれを読むまでに、彼は最大の出資者になっているかもしれない。ゲイツが支配するWHOは、世界規模で「新型コロナウイルス」への対応を操り、西側諸国に中国の都市封鎖政策を促進してきた。なぜなら、「それは非常に効果的だった」からである。分かるだろうか？

米国では、カルトが支配するジョンズ・ホプキンス大学コロナウイルス情報センターが数字を集計し、メディアに「説明」を行っていた。その重大さは次の章で分かるだろう。「新型コロナウイルス」死亡者の予測を作成しているもう一つの機関は、ビル・ゲイツの援助を受けた——インペリアル・カレッジとニール・ファーガソンのように——保健指標評価研究所（ＩＨＭＥ、米ワシントン大医学部の付属機関）である。

「誤差」の喜劇

インペリアル・カレッジはアジェンダ21／２０３０〈訳注：１９９２年のブラジル・リオでの地球サミットで採択された行動計画「アジェンダ21」に基づき、２０１５年に採択された成果文書「われわれの世界を変革する：持続可能な開発のための２０３０アジェンダ」を指す〉のあらゆる側面を宣伝し、「気候変動」のコンピューターモデル「予測」に深く関わってきた。気候変動カルトは全く新しい経済制度——「新型コロナウイルス」ヒステリーと極端な経済の低迷の主要目的の一つ——を求めている。

ファーガソンと彼の作成した「モデル」は、ＢＳＥ（牛海綿状脳症）すなわち狂牛病が人間に飛び移れば、最大15万人が亡くなる可能性があり、それと同等のヒツジが死ぬと予想した。その後、BSEの人間での形態〔訳注：クロイツフェルト・ヤコブ病〕による死亡は２００人未満だった。BSEはウシの害虫を駆除するために使われる有機リン酸系殺虫剤によるものと分かっている。

インペリアル・カレッジのコンピューターモデルを持ったファーガソンとごろつき（しまった、また繰り返した）は２００１年の口蹄疫の発生のとき、数百万のブタやウシ、ヒツジの不必要な大量の「先制」殺処分を引き起こし、計り知れない数の農家とその家族の生計を破壊した。インペリアル・カレッジとニール・ファーガソンのお家芸に思える。

殺処分された家畜たちは、病気になっていないのはもちろん、それに接触もしていなかった。何か思い当たらないか？　政府はまた、インペリアル・カレッジのコンピューターモデル作成者、ロイ・アンダーソン教授からそうするよう助言された。彼は人間の疫病を専門としていたが（何てことだ）、獣医学の事柄に何の経験もなかった。

アンダーソンは、ビル＆メリンダ・ゲイツ財団「世界健康問題への偉大な挑戦」諮問会議委員と、ゲイツ財団に資金援助された別組織の議長の両方を務める。インペリアル・カレッジは世界的な「保健」とワクチン政策に影響を与える目的で、ゲイツから数千万ドルの助成金を受け取ってきた。それには、「環境監視を通じて循環ポリオウイルスを検出する方法を改善するため」の１４５０万ドルの助成も含まれる。

同時に、トランプ大統領は「新型コロナウイルス対策本部」でアンソニー・ファウチ「博士」のような人々から「助言」されていた。ファウチはゲイツ財団から多額の資金提供を受けてきた国立アレルギー・感染症研究所（ＮＩＡＩＤ）の所長である。彼はまた、ビル＆メリンダ・ゲイツ財団に資金援助された「ワクチン共同体の10年」の「指導者会議」にも任命された。ゲイツが２０１２年に創設したギャビーのホームページの見出しは宣言する。「ファウチ　ギャビーと固い絆（きずな）を築いている」

ゲイツの同様の関係は、２０２０年2月、ホワイトハウスの「新型コロナウイルス対策本部」の調整官に指名されたデボラ・バークス「医師」にも当てはまる。『ナショナルファイル』(nationalfile.com）の記事はつづる。

ゲイツは医療界にたくさんのコネがある。彼はファウチ医師と大金絡（がら）みの関係を持つ。ファウチは当初からワクチンを支持し、抗マラリア薬「ヒドロキシクロロキン」に疑問を投げ掛けるゲイツの姿勢に賛同していた。コロナウイルス対策チームのメンバーで、オバマ前大統領によって米国の世界エイズ対策調整官に任命されたデボラ・バークスもまた、ゲイツの財団から数十億ドルを受け取ってきた団体の理事会にも参加している。そして、バークスはホワイトハウスのコロナウイルスへの取り組みのため、ビル・ゲイツが出資した論争中のモデルを繰り返し使った。ゲイツはこのコロナウイルス流行に対する住民封鎖計画の大きな提唱者である。

その通り、彼である。というのも、このためにカルトは「新型コロナウイルス」詐欺を開始して独立の生計を破壊し、都市封鎖を「終了」させるためにワクチンを強制するのだから。世界はビル・ゲイツに気付き始めているが、悪夢から目覚めようとしているのでなく、彼の存在を知りつつあるだけ。

この心底邪悪な男は人間社会を乗っ取っている「新型コロナウイルス」の中心にいて、多くの国々で都市封鎖の背後にいるニール・ファーガソン（ゲイツが援助）と彼のコンピューターモデルを操っていた。それらの国には、ファーガソンがファウチやバークスによって喝采（かっさい）を送られる米国も含まれる。米国人研究者のダニエル・ホロウィッツは、インペリアル・カレッジの「新型コロナウイルス」の「予測」が米国の都市封鎖政策に与えた影響を強調した。

われわれの政府や他の多くの政府を恐怖に陥れたのは、もし都市封鎖しなければ２２０万人が死ぬと予言し、地球温暖化活動家に資金援助された英国インペリアル・カレッジの一つの研究だった。加えて、イタリアで報告された８～９％の死亡率はわれわれをおびえさせ、彼らに感染したこのウイルスの何か他の変異株が、こちらにも来たかもしれないと考えるようになっている。

われわれがついに検査をしていて、実際に新たな症例を報告する能力を持ったという事実と共に、自らが死のスパイラルに追いやられたと考えた。しかし、繰り返す……曲線がいつ始まったか知らなければ、曲線を平らにできない。

都市封鎖は「人々を守っている」と主張されたが、もっと膨大な数の人ががんや心臓病を含む別の病気で常時死んでいる。カルトとその政治家や影の政府のサイコパスが、どれほど人類のことを心配しているかお話ししよう。ニューヨークにあるマウント・サイナイ病院の小児科の教授で、ロックフェラーが創った家族計画協会の幹部だった超シオニストのリチャード・デイ博士は１９６９年、ペンシルバニア州ピッツバーグで小児科医たちに、すでにがんの治療法はあるが、秘密にしていたと語った。

「現時点で、ほとんど全てのがんを治すことができる。もし解禁すべきと判断されれば、資料はロックフェラー研究所［現在のロックフェラー大学］に所蔵されている」

計画では、薬や食べ物、研究所で作られた新しい病気、がん治療の抑圧を通じて人口を制御し、間引くことになっている、とデイは言った。彼によれば、人々をがんで死なせれば、人口増加を遅らせることができるだろう。

「何か他の原因で死ぬくらいなら、がんで死ぬ方がましだろう」

われわれが扱っている共感の欠如したサイコパスのレベルを、ちょっと立ち止まってよく考えてほしい。そう主張するカルトは、絶対に軽蔑している「人々を守る」ために人間社会を破壊してきたのだから。

悪魔のゲイツ

ニール・ファーガソンとインペリアル・カレッジの同僚「モデル作成者」たちは、ビル・ゲイツと彼の主人らの求める完璧なタイミングで**ワクチンが利用できるまで**無期限の都市封鎖を無自覚に、完全に推進し続けなければ、誰にも相手にされない存在だ。ゲイツの操り人形のファーガソンがインペリアル・カレッジの外にあるワクチン影響モデル化コンソーシアム（VIMC）の代表に就いたとすれば、これが彼に期待されることだろう。VIMCは、「世界中の予防接種プログラムの影響をモデル化する幾つかの研究グループの仕事を調整する」。

このファーガソンの「コンソーシアム」は、ビル・ゲイツが創設したギャビー「ワクチン同盟」とビル&メリンダ・ゲイツ財団が資金提供する、世界的なワクチン推進事業である。ファーガソンの利益相反は尋常でないが、政府（カルトが所有する政府）内の誰も気にしていないようだ。押し付けられている地球規模の実現目標があるのに、なぜ彼らはそうなのか？

もし数カ月間ある程度の都市封鎖の下にいて、それから逃れる唯一の方法が最終的にワクチンを打つことだったら、その在庫数にかかわらず、人々は一層接種を受けそうだと思わないか？　これらの選挙されないテクノクラートたちが政府に「助言」し、忘れ難いが、政治家のふりをしている。政治家は尊敬を持って彼らを扱うが、彼らは少しもそれに値しない。

「コロナウイルス」と診断され、なぜかうまく生き延びたファーガソンは、たわ言を英国政府に信じ込ませ、都市封鎖に導いた。その間、彼の仲間のクリストファー・ホイッティ（もう1人のウイルスの「生き残り」）はコロナウイルス政策に関する英国政府の首席医務官で、パトリック・バランスが率いる英国政府緊急時科学諮問会議（ＳＡＧＥ）という「科学的諮問」機関の委員だった。ＢＢＣはホイッティを「現代の政策立案者のうちで、われわれの日常生活に恐らく最大の影響を与える官僚」と評した。政治家でなく、テクノクラートであることを覚えていてくれ。

ホイッティはアフリカのマラリア研究のため、ビル＆メリンダ・ゲイツ財団から4000万ドルの助成金を渡された。ファーガソンとホイッティは「感染病　エボラ出血熱伝染を減らすための難しい選択」と題する論文を一緒に書いた。これは2人が関わった、もう一つの誇張された保健上の恐怖だ。

ファーガソンは2009年の豚インフルエンザ「大流行」をめぐり、「長期間」学校を閉鎖することを支持した。彼は、豚インフルエンザが現在の速度で広がり続ければ、世界人口の3分の1を感染させるだろうと述べた。そして、彼とインペリアル・カレッジ・ロンドンの他の「研究者」は、そのウイルスは北半球で大流行を引き起こす可能性が高いと予測した。

ニュースは報じた。「著者の1人で疫学者、疾病モデル作成者で、世界保健機関の大流行に対する緊急委員会の委員を務めるニール・ファーガソンは、そのウイルスが『本格的な大流行を起こす可能性』があると述べた」。

彼は「コンピューターモデル」を当時の首席医務官で教授のリアム・ドナルドソン卿に提供した。そのモデルは、最悪の感染シナリオでは、英国人口の30％がH1N1型の「豚インフルエンザ」ウイルスに感染し、6万5000人が死亡する可能性があると告げている。同年末までに公式に死亡した人数は392人だった。

これこそがファーガソンの「モデル化」で、それ以上不正確にするのはほぼ困難である。ああ、そうだ。英国ではそれで亡くなった人はもちろん、誰も他の人からエボラに感染しなかった。気にするな、自覚のないまま（すなわち実現目標に沿って）、とにかく自分の「専門的意見」を尊大に話し続けているだけである。

新聞は「英国の都市封鎖はワクチンが見つかるまで無期限の可能性　政府に助言する科学者が警告」と題する記事の中で、「インペリアル・カレッジの学者たち」を引用した。彼らは、〈訳注：英国連合の〉各国が解除と再導入（まさにカルトの実現目標の方針に忠実に）の規制循環の繰り返しを耐え抜かなければならないだろうと述べた。

ファーガソンは、英国政府は厳格な措置を講じてからノーマルに戻すという考えに取り組んできたが、「われわれは今それが可能と考えない」と述べた。では、この「われわれ」とは誰か？「われわれ」はゲイツであり、より大きな「われわれ」は彼を所有するカルトである。

人々は「新型コロナウイルス」でのみ死ぬ

数字を操作する者が直面した最大の問題は、存在しない「危険な病気」または人々が信じたくなるような形のうそに依拠する「生物兵器」から、十分な死者を生み出すことだった。それぞれの国のカルトの子会社ネットワークは、医療ピラミッドの上意下達の制御を通じ、これを(少なくとも最初は)解決した。国民の「保健」組織にいる数万人に政策を命じるのに必要な人は、ごく少数である。つまり、低い各階層が何をしなければならないかを命令する重要な地位を支配するだけでよい。

西側やもっと広範な世界での「新型コロナウイルス」の最初の診断は中国と同様に、純粋に全く症状に基づいて行われた。医師や他の医療従事者は、「インフルエンザのような症状」か肺炎を持つほとんどの人が「新型コロナウイルス」と診断されなければならないと言われた。非常に多くの人がそれらの症状を持ち、さまざまな原因で肺炎を発症しているとすれば、その数はひとえに診断に関するこの上意下達要請から、上昇し始めた。

PCR検査(「新型コロナウイルス」の検査ではない)が始まったとき、患者数だけでなく、死者数の偽造もほぼ無制限にできるようになった。医療従事者に告げられたのは、病院に来る人は誰でも、あるいはどこで処置される人も、「新型コロナウイルス」の検査を受ける必要があるということ。カルトが知っていたように、検査したら大勢の人が陽性になった。多くの人が体内に当然に持っている遺伝物質を検査するのだから。

その後、従事者は検査で陽性と判定された人が（他の病気で）死亡したら誰でも、死亡診断書に死亡原因として「新型コロナウイルス」が明記されなければならないと言われた。交通事故で亡くなった人々は死亡原因として「新型コロナウイルス」が与えられてきた。このいずれも臆測ではない。多くの医療従事者が勇気を持って声に出し、起きていることを明らかにしてきた。

しかし、圧倒的多数はそうでなく、世界人類の結末がいよいよはっきりしてきたのに、彼らは人生の残りの間欺瞞と共に生きなければならないだろう。英国の国民保健サービス（ＮＨＳ）は医師たちに、何の証拠もなくても、死亡診断書に「新型コロナウイルス」と書くことができると告げた。

> もし死亡前に患者に新型コロナウイルス感染の典型的症状が見られたら、検査結果が出てなくても、死因を「新型コロナウイルス」とすることができる。その後、検査結果が出せるようになった時点でそれを共有すればよい。綿棒がない状況では、**臨床的判断で足りる**［私の強調］。

英国の首席検視官は指導メモの中で、「緊急」コロナウイルス法案は「新型コロナウイルス」の死亡を検視官に照会する必要が全くないことを意味し、同様のことがこの発効を指示したニュージャージー州を含む米国や多くの国で起きていると述べている。医師は検視や解剖による死因鑑定もなく、診察もされなかった人の死因を新型コロナウイルスとして処理することができる。なぜなら、解剖は**本当の**死因――「新型コロナウイルス」ではない――を暴いてしまうから。英国の首席検視官の指示は次のように記す。

> 登録された医師なら誰でも、MCCD［死亡診断書］に署名できる。彼らが自身の知識と信念を尽くし、死因を述べる能力があるとすれば、たとえ、その患者に終末期の看護や死後の検分がなかったとしても。

地域社会での死亡も、病気の検査や医師による診断なしに新型コロナウイルスによる死亡として記録できる。大法官庁国璽（こくじ）部は独裁憲章コロナウイルス法2020の緊急権限の下、「英国が予測された感染者と死亡者のピークに向かうにつれ、NHSが直面する負担を軽減するために」そのような行動を取った。これは、医療従事者たちが何もしない退屈さを紛（まぎ）らわすためユーチューブのダンス動画を作っている空（から）に近い病院が直面した負担だった。

スコットランド国民党を通じてカルトが支配するスコットランド政府は、「検査で確認された」（偽検査）「新型コロナウイルス」と診断された人が28日以内に死亡したら、死因としてそれが記録されなければならないと告知した。偽検査で陽性になった人の圧倒的多数は「軽度の症状」か、大抵全く症状がなかったことを覚えていてほしい。スコットランドの死亡記録方法に関してこれを十分に理解すれば、その小さな国だけで、数字を偽造する詐欺の大きさが分かるだろう。

これは、「新型コロナウイルス」の犠牲者とされる人に実施される検視要求を取り下げたのと同じスコットランド政府である。そのため、本当の死因は確証できず、「新型コロナウイルス」が死亡証明書に載り続け、数字は累積していった。ある新聞記事によれば、「通常、病院で亡くなった患者は疑いの余地なく死因を確証するため、死体解剖が行われる」。

人々が実際に何が原因で死亡したか解明することがこの狙いではない。「感染大流行」が恐ろしいとの知覚を高めるため、できるだけ多くの死亡診断書に、存在しない「新型コロナウイルス」を載せるためである。スコットランドは美しい場所だが、その支配ネットワークは文字通り悪魔的である。

北アイルランドの公衆衛生局は、「新型コロナウイルス」死者の定義を「新型コロナウイルスが死因であろうとなかろうと、最初の陽性が出てから28日以内に亡くなった人」とすることによって、スコットランドや他の国々を模倣した。

イングランドのNHSや国家統計局（ONS）は、数字の集計方法を変更することにより、死者数のペテンを微調整した。「新型コロナウイルス」詐欺の前、彼らは死亡診断書の数によって各週の死者を数えてきた。今は死亡診断書が記録される前に偽「ウイルス」による「仮の」死者数を含めるが、これは「その後の数週間のデータの集まりも含まれる」ことになる。これは一つの死亡をある週「仮に」数え、翌週「公式に」数えることで、同じ死亡が2回数えられる可能性があることを意味する。

ONSは地域社会での死亡者に「新型コロナウイルス」死亡者を含めると発表した。これには、ウイルス検査［その結果とは無関係］さえしていない人や、新型コロナが疑われるかそれが「一因」と思われる人も含まれる。

〔訳注：日本でも多くの水増し工作が行われている。2020年3月11日、日本医師会は全国の医師会にインフルエンザ検査をやめるよう通知した。激減したインフルエンザ患者がそっくり新型コロナ患者に数えられている可能性が高い。同年6月18日、厚生労働省は全国の都道府県等に「新型コロナウイルス感染症の陽性者」が亡くなった場合、「厳密な死因を問わず『死亡者数』として全数を公表する」よう事務連絡を出している。

金銭的な誘因も講じている。2020年5月25日、重症コロナ患者の診療報酬が他の重症患者と比べ、3倍に引き上げられた。集中治療室（ICU）に入れれば重症になる。これとは別に、「新型コロナ疑い患者」の診察を行う救急・周産期・小児医療機関に対し、最低2000万円の補助を実費で支給している。

自治体独自の取り組みもある。東京都新宿区では同年6月、「新型コロナウイルス感染者」に10万円の見舞金を支給することを決めた。愛知県は「医療従事者応援金」を創設。コロナ患者1人当たり、入院で100万円、人工呼吸器装着またはICU対応で200万円、ECMO（体外式膜型

人工肺）装着で４００万円が病院に支払われる〕

「それはコロナ、ばかな――常にコロナ」

患者と死者の数は、カルトが所有し、ゲイツが支配する米国のジョンズ・ホプキンス大学の働き（後ほど詳しく）によって世界中のメディア向けに編集されたが、その不正工作は事実上、あらゆる国で起きている。死因として「新型コロナウイルス」を指定するよう命じる、同じ上意下達の仕組みを使って。

カルトが所有する米国疾病予防管理センター（ＣＤＣ）――ゲイツが支配する世界保健機関と巨大製薬企業の事実上の代理機関――は医師と医療従事者に「指針」を発行した。それは何ら確証がなくとも、「新型コロナウイルス」を死因として記録するよう彼らに告げている。そう、インチキ検査さえなく。もし「新型コロナウイルス」が「死亡を引き起こしたか、死亡に貢献したと推定される」場合、それを主原因として記載することができる。

当局はさらに米国のメディケア（高齢者向け医療保険制度）を通じた病院への支払方針（一部は医師に行く）でこの操作を支えている。これはＦＯＸニュースでミネソタ州上院議員のスコット・ジェンセン医師によって暴露された。彼によれば、病院が誰かを「新型コロナでない単なる肺炎」と診察すると、メディケア制度によって彼らに４６００ドル支払われる。もし、患者を「新型コロナウイルス」肺炎と診断すると、1万3000ドルが支払われ、「新型コロナウイルス」と診断された患者に人工呼吸器を装着すると、支払額は3万9000ドルに跳ね上がる。たくらみをこれ以上はっきりさせることができるだろうか？

多くの場合、患者不足のため倒産に追い込まれていた各病院は、無症状の「新型コロナウイルス」患者を診察し（レジが「カチーン」と鳴る）、次の患者が入れるように彼らを移動させるか、短時間、必要ない人工呼吸器を着ける（より大きな「カチーン」）ことによって、メディケアの支払いを通じて大金を稼ぐ（あるいは経営を維持する）ことができた。彼らは自分たちの手続きを変更さえして、ベンチュリーマスク〔訳注：患者の呼吸状態に関係なく安定した濃度の酸素投与のできるマスク〕や非再呼吸式マスク、気道陽圧装置を含む通常の中間手続きを経ず、人工呼吸器へ直接飛んだ。彼らはカルトの実現目標に合うよう、存在しない「新型コロナウイルス」と診断しさえすれば、銭箱は鳴り続ける。

人々は、全ての医療従事者が慈悲の天使だとの考えを心から追い出した方がいい。絶対にそういう人もいるが、彼らにはうそつきや詐欺師、サイコパスもまた含まれる。医療上、何の必要もないのに人々に人工呼吸器を着けることによって、明らかに仕組まれた診療報酬制度を利用する人は、誰もがサイコパスである。イリノイ州公衆衛生局長のゴジ・エジケ医師は、「新型コロナウイルス」の死亡者数の編集方法について暴露した。上役たちが歯を食いしばっている間、彼女は記者会見でこう語った。

もし終末ケア施設にいて、あと数週間の命で、そのとき新型コロナを持っているのが分かれば、新型コロナ死として数えられるだろう。はっきりとした別の原因が存在する［かもしれない］が、それでもなお新型コロナ死として記録される。従って、新型コロナ死として記録された全ての人がそれが死因だったことを意味するわけでなく、彼らは死ぬときに新型コロナを持っていたことを意味している。

というよりはむしろ、「新型コロナウイルス」を調べない検査で陽性だったということ。英国の首席科学顧問、パトリック・バランスは奇妙なことに、エジケと同じことを言った――**死亡診断書に記載されている新型コロナは、新型コロナが死因という意味ではない。**他の症状で死亡する人をたくさん診断する観点からすれば、「新型コロナウイルス」による見掛けの致死率は、全く違って見えてくる。

ロンバルディア地方にあるイタリアの「大流行」の中心は、武漢のように、汚れた有害な大気で世界的に悪名高い。その大気は、生涯そのごみためで呼吸してきた高齢者たちの間にとりわけ広範な肺疾患をもたらす。このことは、肺炎や他の呼吸障害による人の死亡を、そうでないのに「新型コロナウイルス」による死亡として呼び換える驚くべき可能性を提供した。

ロンバルディア州の死者数の異常な性質を強調すると、２０１８年、ロンバルディア州の原因を問わない全死亡者は9万9542人であり、死亡率で第2の地域、ラツィオ州では5万7289人だった。イタリア当局は同国で「新型コロナウイルスで死亡した」人の99%が一つから三つまたはそれ以上の「他の病的状態」、すなわち彼らの人生を終わらせることができる病気や健康上の問題を抱えていたことを明らかにした。もう、理解できただろうか。

70%は男性で、「新型コロナウイルスで死亡した」と言われる人のうち、生命を脅かす他の既知疾患を何も持っていなかった人は1%未満だった。イタリア国立衛生研究所は、同国の「新型コロナウイルス」検査陽性死亡者の平均年齢がおよそ81歳であることを明らかにした。同死亡者の10%が90歳以上で、90%が70歳以上、そして80%が二つ以上の慢性疾患を持っていた。半数は三つ以上持っていた。これらには、心血管疾患や糖尿病、呼吸障害が含まれる。

これらの人々を「新型コロナウイルスによる死者」と呼び換えれば、直ちにイタリアで「破壊的な健康危機」が生じる。同国は都市封鎖し、他の西側諸国はこれが自分たちの方へやって来るのではないかとおびえることになった。「新型コロナウイルスで死亡した」医師の名簿がイタリアで公表された。彼らは死亡が予期される高齢者（大部分が退職者）で、死因が致死性の「ウイルス」である証拠は何もなかったことが判明した。

「イタリアの災難」宣伝がカルトの所有する世界規模のメディアによって売り込まれた後、イタリアの保健相顧問のワルテル・リッチャルディ教授は、同国の見掛け上の「新型コロナ」死亡率は、イタリアが世界で2番目に高齢人口を抱えることと……**病院が死亡者を記録する方法のため**だと述べた。

わが国で死亡者を記載する方法は、非常に寛大だ。というのは、コロナウイルスを持っていて病院で亡くなった人は全て、コロナによる死亡と見なされるからである。国立衛生研究所の再評価では、12%の死亡診断書のみが、コロナウイルスによる直接の犠牲者であることを示した。一方、死亡した患者の88%が少なくとも一つの持病を、多くは二つ、三つの持病を持っていた。

そのようにして、事が起こされてきた。さらに、存在しない「新型コロナウイルス」で死ぬことはできないし、検査さえできない「ウイルス」を診断することもできないなら、その12%ですら真実でない。ニューヨークで「新型コロナウイルス」の死亡者とされる3分の2は70歳超で、95%以上が50歳を超えていた。そして、全ての致死例の約90%が別の基礎疾患を持っていた。その診断は簡単に切り換えられる。

スタンフォード大学の元・神経放射線学部長、スコット・アトラスによれば、ニューヨークで死亡した人の99%以上が基礎疾患を持ち、18~45歳全員の死亡率は0・01%だった。考えてもみたまえ。子供や老年未満の若年層が偽「ウイルス」で死んでいないのは、「新型コロナウイルス」のせいにできる「他の病的状態」を彼らが持っている可能性が絶望的に低いからである。

同じ詐欺が、カルトにすっかり支配されている他の国々でしでかされている。ドイツのロベルト・コッホ研究所の所長によれば、ドイツではコロナウイルスに感染した死亡者は、実際にそれが死を引き起こしたかどうかにかかわらず、新型コロナウイルスによる死亡として数える。ドイツ人ウイルス学者のヘンドリック・ストリークは次のように述べた。「例えば、ハインスベルクでは持病のある78歳の男性が心不全で死亡したが、SARS-CoV-2の肺障害はなかった。彼は感染していたので、当然ながら新型コロナウイルスの統計上に表れた」。

医師や専門家は思い切って言った

医師や医療従事者、家族からの証言が現れ、広がり始めた。がんや心臓病、その他の事故で亡くなった患者や愛する人たちがどのように死亡診断書に「新型コロナウイルス」と記されたかを語っている。

この診断詐欺は、当局（当局の中にいるカルト工作員）によってもたらされた。当局は病気に関係なく全ての患者に「新型コロナウイルス」の偽検査をしなければならず、もし広範にある遺伝物質のため陽性が出れば、死亡診断書に「新型コロナウイルス」を記すことになり、数字が膨らんだ。多くの場所の病院従事者が私のホームページ（davidicke.com）で数週間にわたって、これが世界中で起きていることを証言してくれた。

かつて英国で有名喜劇俳優だったエディー・ラージは長期にわたる心臓障害のさなか、心臓まひで病院に駆け込んだ。検査で「新型コロナウイルス」（遺伝物質）陽性が出ると、それが死因と診断された。事実、エディーの死去を報じるメディアの言い回しは、偶然ではなかったと言いたげに何度も繰り返された。

彼らは、誰それが「新型コロナウイルス」**が原因で**亡くなったとは言わず、「新型コロナウイルス」**検査で陽性になった後に**亡くなったという。この二つの言葉は明らかに同じではなく、同様の表現が役人から異口同音に吐かれる。しかし、ひとたびその死が新型コロナウイルスのいかさま数字に加えられると、それらはジョンズ・ホプキンス大学や他の公的な編集のおかげで、「新型コロナウイルス」で**これだけの人数が亡くなった**に変形される。

ほとんどの医師や医療従事者はこの詐欺についてひたすら沈黙を守っていたが、一部の人たちが真実と患者の福祉のため、人類全体を欺く（あざむく）ための陰謀を糾弾（きゅうだん）し始めた。都市封鎖とその恐ろしい影響が長引くにつれ、彼らの人数は増えてきた。

モンタナ州カリスペル医師会認定内科医師で、米国内科学会モンタナ支部の評議員兼特別研究員のアニー・ブカセクは、その詐術を暴露した1人だ。彼女はかつてのH1N1やエボラ、ジカ熱、サーズ（SARS）（重症急性呼吸器症候群）、マーズ（MERS）（中東呼吸器症候群）をめぐる「われわれはみんな死ぬ」詐欺が何事もなく終わったのを見た直後、その公式見解に疑問を抱いたと述べている。そして、新しいワクチンがアフリカやカリブ海地域の無垢（むく）な子供たちに試された――ビル・ゲイツの企ての特徴――だけだった。ゲイツは素晴らしい男だ。

ブカセクは死亡診断書の操作によって「新型コロナウイルス」の数字がどのように水増しされているか、「新型コロナウイルス」にのみ集中するやり方によって他の患者たちがいかに治療や手術、診察を拒まれて苦しみ、死亡しているかを説明した。

「新型コロナウイルス」と診断することによるメディケアの誘因を暴露したスコット・ジェンセン医師は、テレビのインタビューで米国保健省から7ページの文書を電子メールで受け取ったと述べた。それは死亡診断書の記入方法を「指導する」前代未聞のものだった。彼によれば、文書は死亡診断書に「新型コロナウイルス」を記載するのに、臨床検査は必要ないと告げていた。ジェンセンは衝撃を受けた。なぜなら、死亡診断書は事実に基づいて扱うと考えられているからである。

別の医師は、死者数の操作と、診断結果の修正を通じて新型コロナウイルスの数が増加するに従って他の死因の数がどのように減少したか暴いたことで、自身の動画をユーチューブから削除された。ノースカロライナ州シャーロット出身の米国人整骨医、ラシッド・バターはその操作と、何が起きているか知っているのに黙っている医師や医療従事者たちを激しくののしった。彼は死亡診断書の言葉遊びを検証し、以前に書かれた死亡診断書でさえ、「新型コロナウイルス」を含めるよう変えられていたと語った。

カリフォルニア州ベイカーズフィールドにある「加速された緊急医療」の2人の医師、ダン・エリクソンとアルティン・マシヒは4月下旬、記者会見を開き、郡の経済活動の「再開」を求めた。彼らは病的興奮状態の見出しの背後で、実際に何が起きているのかを説明した。カリフォルニア州の集中治療室は「実質的に空（から）」で、病院は閉鎖され、患者を治療しておらず、医師は一時解雇されている。カリフォルニア州の医療体制は最小限の能力で稼働し、「患者があまりいないので、医師を退去させた」。

彼らによれば、心臓病やがんのような疾患を持つ人々は、「新型コロナウイルス」を恐れ、病院に来ていなかった。彼らがそれまで隔離について学んだのはどれも、**病人**の隔離に関してだった。彼らは健常者の隔離を見たことがなかった。

「そこでは病気も症状もない人々を捕らえて、彼らを自分たちの家に閉じ込める」

数百万人が死亡する予測モデルは「ひどく不正確」だったと彼は述べた。エリクソン医師は数字を列挙し、検査陽性者の人数に基づくと、カリフォルニア州の人が「新型コロナ」によって死亡する可能性は0・03％であることを示した。だが、待ってくれ。それらは（A）「新型コロナウイルス」でなく、広範にある遺伝物質を陽性と検査していて、（B）死亡者とされるものは「ウイルス」症状に似た（または何もない）別の病気が呼び換えられている。

エリクソンによれば、その数字が明らかにしたのは、ニューヨーク州（市だけでなく）では「新型コロナウイルス」によって死亡する可能性が0・1％存在し、一時「新型コロナウイルス」ヒステリーの中心地だったスペインでは0・05％だったこと。「新型コロナ」「そのうそを信じたとしても」はインフルエンザより危険ではない。都市封鎖や経済的破壊を正当化するものは何もない、と医師たちは述べた。

彼らの数字は、致死率を0・1〜0・2%の間と見積もったスタンフォード大学の研究によって支持された。これらの数字から診断詐欺を差し引けば、ゼロが残る。カルトが所有し、ゲイツが運営する世界保健機関の死者の推計値は、スタンフォード大学の数字より20〜30倍高い。広範な都市封鎖を確実にするためである。関係者は全員、人道に対する罪で監獄へ送られるべきだ。

エリクソン医師は都市封鎖の結果一覧も示したが、そこには増加した児童虐待や伴侶(はんりょ)虐待、アルコール依存症、抑うつ、自殺、彼らが毎日目にする他の影響が含まれる。免疫反応は、防御力と免疫系をつくるために必要な作因との接触によって発達させられないという衛生上の妄想が存在する。エリクソンは、こうした強迫観念の中、より多くの人が家に閉じこもれば、一層免疫系は弱くなることを説明した。

「免疫系は相互作用が必要で……場所に閉じこもると免疫系が低下し、外に出たら何が起きると思う? 病気が急増するだろう」

このようにして病気が急増しているのに、病院は一時解雇した医師や看護師を使おうとはしない、と彼は言った。それからエリクソンは、この圧力が医師たちに死亡診断書への「新型コロナウイルス」の記入を迫るのに利用されていることに言及した。

「なぜわれわれは新型コロナを加えるよう迫られているのか? 数を増やして、実際より悪く見せるため? 私はそう思う」

彼はこのことを、そこら中の医師から聞いたという。その医師の動画は1日に500万回以上の再生があったが、ユーチューブのトレンドリストには決して表示されず、その後「ユーチューブの利用規約に違反している」として削除された。何と胸くそ悪い、独裁的な組織か。グーグルが所有するユーチューブが再三再四、自ら証しているのは。

それは、CEOのスーザン・ウォシッキーや彼女を所有する最上位の者から来る。ウォシッキーはゲイツやブリン、ペイジ、ザッカーバーグなどと同様、明らかにカルトの有用人材だ。今や彼らは全員、あらゆる機会において、自分たちの反自由、実際には反人間的な実現目標を大衆にさらされ続けるという結果に直面しなければならない。

人類に対する恐ろしい殲滅(せんめつ)計画を持つ国際カルトの利益に奉仕するためだけの医療政策に、個人体験に基づいて疑問を呈している医師たちを消し去るほど露骨で、無益なことがあるだろうか？いいかい、ウォシッキー。

ある病院の呼吸器系の職員が、インターネットを使ってうそを暴いた。彼によれば、病的興奮状態で誇大宣伝されているような人工呼吸器の不足は存在せず、通常より少ない数の人工呼吸器を稼働させている。呼吸障害で病院に来るどの患者も「新型コロナウイルス」に分類され、彼らが末期段階のがん、あるいは心臓疾患などに苦しんでいるかどうかは問題ではない、と彼は述べた。「呼吸障害で訪ねて来れば、新型コロナ患者に分類される」……「その後、彼らが亡くなったら、原因はⅣ期の肺がんでなく新型コロナになるだろう」

彼によれば、その病院には検査を実施する認定者が1人しかいないので、「新型コロナを調査中」

の患者の大部分は検査されていない（どの道、関係ないのだが）。

「……新型コロナを調査中に死亡した患者は皆……新型コロナ死［になる］。そして、彼らはあなたを怖がらせるため、フットボールの試合のようにその数字を見せている」

彼によれば、国民がトレーラーに詰まれた死体を見せられているのは単に人々を怖がらせるためで、自身はその職歴を通じ、あのような積まれた死体を決して見たことがないと言う。「それは全く起きていない」と彼は言った。さらに、それらが死体であるかさえも疑った。「この代物全部が模造だ」。

彼の病院で撮られたその動画では、背後に機械があった。これは完全に空気を送る人工呼吸器に装着するのではなく、マスクで患者の呼吸を助けるもの。彼によれば、「新型コロナウイルス」の恐怖が始まって以来、こうした機械を使うことが禁止されていて、人々は「破壊」して直ちに人工呼吸器を使うことを許されなければならなかった。

「それは、われわれが患者を治療するために採る従来の方法ではない。従来行っていた方法は何かも、することが許されなかった」

ニューヨークの集中治療医、キャメロン・カイル・シデルが自身の動画で述べているのは、人々の肺が十分強くなくて死にそうなのに、彼らは人工呼吸器を装着されるということ。ニューヨークの集中治療看護師の体験を動画で伝える別の告発者も、同じことを述べている。「人々が殺されているのに、誰も気にしない」はその動画の一節で、病院で家族との面会は許されず、患者は従事者のなすがままで、やせ衰えるまで放置されていた。

2人目のニューヨークの看護師はインターネットを使い、同様の状況を涙ながらに克明に語っている。「私は文字通り、毎日ここに来て、彼らが殺されるのを見ている」。誤った治療か全く治療しないことによって、患者が死んでいくか直接殺されるかのいずれしかなかった様子を多数例示した。「著しい怠慢と誤った医療運営……私がここにいる全期間、誰も人の肺の声に耳を傾けなかった」。「新型コロナウイルス」ははっきりと死亡診断書に載り続けた。彼女は経営者や看護運営者に相談を試みたが、彼らは知りたがらず、彼女を患者や彼女が不満を述べている部署から遠ざけた。それは、殺人というほか言葉がない。医療従事者が殺人者であることを知る患者を殺している。しかし、「新型コロナウイルス」の数字には好都合だった。その看護師は言った。「ひどいミステリーゾーンに突入しているみたい。ここの誰もがこれに了解している」

彼女はいみじくも言った。「反社会的人間でないのは私だけ?」。

呼吸器科の医師は自分たちが「ウイルスを検査していない」ことを認めた。「ウイルスを調べる検査は存在しない」と。彼らは遺伝物質の「RNA配列」を検査していて、その配列が肺がんその他多くの物に由来したとしても、それがわずかでもある人は、誰でも検査で陽性になるだろう。「もしこれが、彼らが説くほどに感染しやすいなら……誰もが死んだだろう。それは、われわれが見ているものではない。これは信じられないことで、あらゆる点で創られたものだ」

大勢の医療従事者が検査陽性者たちと密に接触していたにもかかわらず、病気になるのを見ていない、と彼は述べた。彼はウイルスの存在さえ確信しておらず、「私は長時間そうやってきた」。医師たちは大衆と同じ程度にうそを信じていて、本当の情報を見ようとしていなかった。

「彼らは何かを言われ……彼らは生活を取り、仕事を取り……この検査が何かや、なぜ自分たちが感染率を上げないのかを調べようとしない。彼らは、他の人たちのように、調べるよう言われたことを調べているだけ」

それから彼は、起きたことの核心に関わることを述べた。

あそこにいるトランプ支持者に幾つか尋ねたい。少し、考えてみたまえ。フランスや……イタリア、英国で行われているのと同じことをわれわれはしている。それはトランプがこのコロナの茶番劇を全面的に引き受け、演技していることを意味する。彼は本心からそうしているように見えないから。彼はやるように言われたことをしているのだと思う……これが影の政府やイルミナティの類い……連中の意志が世界を封鎖している。

その通り。呼吸器治療を専門にする誰かが、病院で自身がどのような直接の体験をしたかを明かしているこの動画は、公式見解と食い違う。それ故、ユーチューブから「コミュニティガイドライン」に違反するとして何度も消された。スーザン・ウォシッキーが表の顔を務めるこのカルトの検閲作戦に関してさらに言えることは何か？　自由と最も基本的な人権に対する彼女の軽蔑は、想像を絶するということ。

最近退職した病理学の教授で、英国国民保健サービス（NHS）前顧問の病理学者、ジョン・リーは、メディアと医療報告の慎重な言葉遣いについて私が指摘してきたまさにその点を『スペクテイター』誌の記事で強調した。彼らは、人々が「コロナウイルス検査で陽性になった後」死亡したと言っていたが、コロナウイルス**が原因で**死亡したわけではない。

　多くの英国の保健報道官は、英国内で引用される数字が**ウイルスによる**死亡ではなく、**ウイルスでの**死亡を示すと注意深く繰り返し言ってきた――これは重要だ［私の強調］。数日前、国会で証拠を提出した際、インペリアル・カレッジ・ロンドンのニール・ファーガソン教授がこう述べた。現在、英国内の新型コロナウイルスの死亡者は2万人より少ないと予測するが、重要なのは、これらの人々の3分の2がとにかく死亡したと思われることだと。

　言い換えれば、「新型コロナ死」のざっくりした数字は、実際に新型コロナウイルスで殺された人数より3倍高いことを彼は示唆した（3分の2という数字さえ見積もり。実際の割合がもっと高くても、私は驚かないが）……。

　……残念ながら、新型コロナウイルスの追跡に使われるデータベースから引用される数字では、ニュアンスが失われる傾向がある。すなわち、ジョンズ・ホプキンス大学コロナウイルス資源センターのことだ。毎日更新される、全世界からの新型コロナウイルス情報に関する巨大なデータベースを編集してきた。

そして、その数字はそのウイルスを追跡するため、世界中で使われている。このデータは標準化されていないため、恐らく比較できない。しかし、この重要な警告がわれわれの見る（多くの）図表のそばに表示されることはめったにない。それはわれわれが持つデータの性質を誇張する危険性がある。

そう、わざと。リー教授は「新型コロナウイルス」が独特でも珍しい症状の病気でもなく、苦しさの程度は数十の非常に平凡な呼吸器感染症に匹敵すると補足した。彼が言うには、「熱」や「せき」があるからといって「新型コロナウイルスの可能性がある」と診断することは到底できない。ウェブニュース『オフガーディアン』（off-guardian.org）が述べているように。

イタリアとドイツ、米国、北アイルランド、イングランド。この四つの国にまたがる五つの異なる政府は全て基本的に、患者が新型コロナウイルスによって死亡したと仮定し、後でそれを公式の統計に加えることは問題ないとしている。潜在的な感染大流行のさなかに、それが本当に責任ある行為なのか？　同じことをしている他の国はあるのか？　この点で、どの程度までわれわれは公式の死亡者統計を信用してよいのか？

全く信用しないでくれ。その数字を暴露する偉業を果たした『オフガーディアン』は、英国政府の「1日の死亡者」数は全く1日に由来しないという、もう一つの無法な操作を強調した。その「1日の」数字は6週間以上さかのぼった他の日からの死者数とされるものを含む。

同ホームページは英国の「最も恐ろしい新型コロナの日」と表現された4月10日の例を挙げている。メディアの見出しには次のものがあった。「英国の死者数24時間で980に跳ね上がる　過去最大の上昇」や「英国が欧州の1日最高死者数を記録　犠牲者数980まで跳ね上がる」、「980はスペイン・イタリアの最高1日死者数を上回る」。

実際、その日の新型コロナウイルスに帰する死亡者（誤っているが）はイングランドで117人、英国連合の他の構成国で90人、合計は204人（まま）で、980人ではない。『オフガーディアン』は、その報告に含まれる他の776人は「**3月5日から4月8日までの**一見、無作為の時点で」死亡していたと報じた。同ウェブサイトによれば、それは全ての「1日の」死亡者数と同じである。数字はさらに別の計略によって助長されてきたことも明らかだ――同じ死亡を2回以上数えるのである。

多くのメディアはこうした事実を決して認めなかった。代わりに、実際起きていることに対する間違った認識を通じて、人々が都市封鎖を支持するよう誘導する病的興奮を毎日煽り立てた。あるメディアは3月24日、イングランドのコベントリに住む18歳が、その「ウイルス」によって死亡し

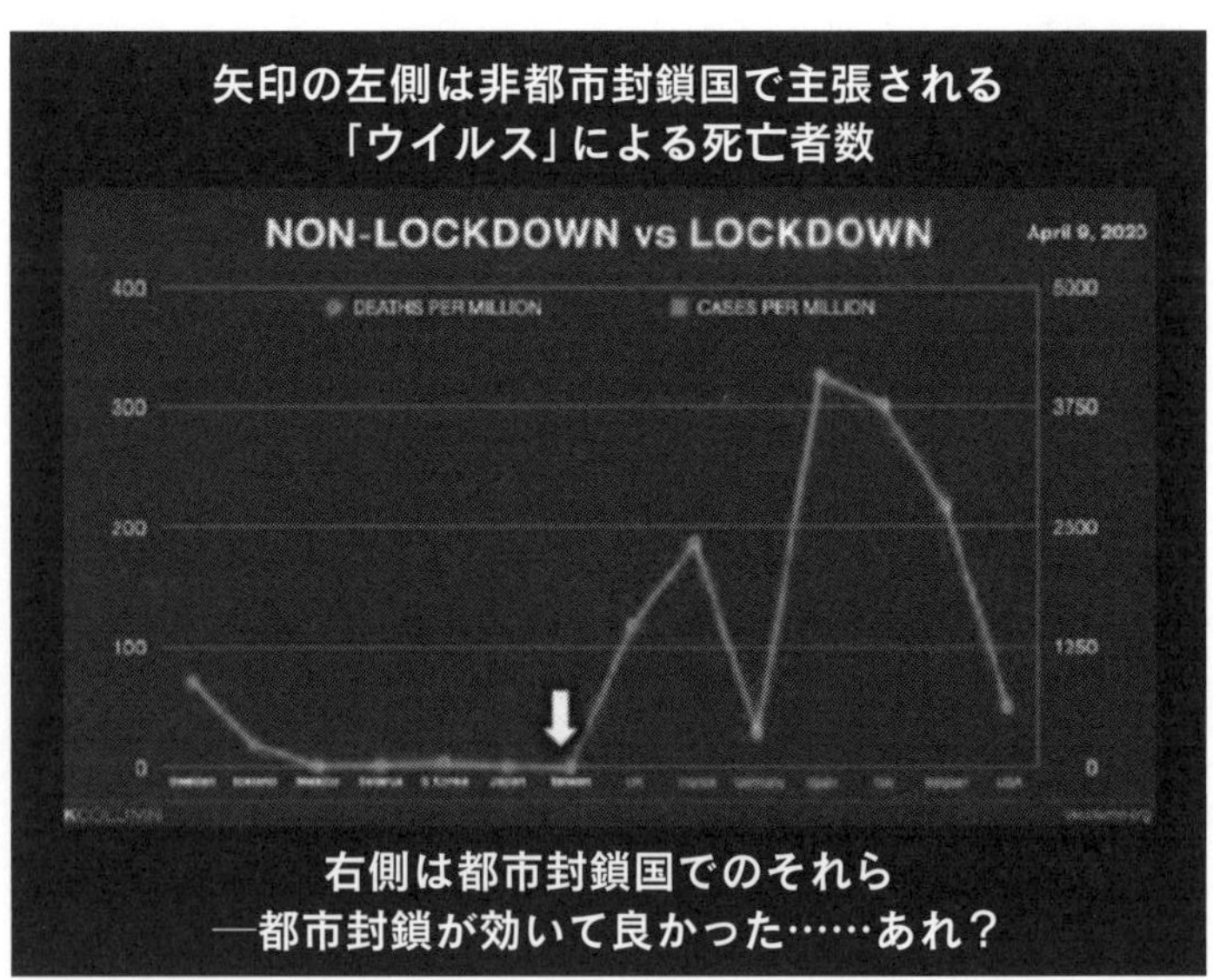

図383：都市封鎖だけが可能な対応でなかったことを示した2020年４月６日のグラフ。都市封鎖をしようとしまいと「新型コロナウイルス」を調べない検査で数えられた患者と、死亡診断書の修正によって途方もなく操作された死亡者によって、公式数字の言う「感染」または「殺害」された人数が実際に決まった。

た最年少の人物だったと主張した。そして、病院がこれは事実でないと言った後でさえ、そう伝え続けた。その少年は「新型コロナウイルス」と関係ない「深刻な」健康問題が原因で死亡した。大した問題ではない。事実で素晴らしい作り話を台無しにしてはならない。

その「ウイルス」で死亡したといわれる別の若者は、他の原因で亡くなったことが判明した。死亡と患者の数は完全な欺瞞（ぎまん）だから、だますには数字を修正するだけでいい。ニール・ファーガソンのばかげた「コンピューターモデル」の数字が途方もない過大見積もりと判明したとき、彼と各当局は、これは都市封鎖と自宅軟禁のおかげだと主張し、途方もない数字を「正当化した」。それは、私が先に引用した米国の医学者によって予言されていた、彼らがまさに追求する筋書きだった。

図３８３にある4月6日のデータは、中国の都市封鎖の青写真が、主張されているほど白黒はっきりしていないことを示した。患者と死亡者の数が偽検査と偽の死因に基づいたままで、都市封鎖するかしないかが数字に一体どんな違いをつくるのか？

老人殺し

世界的な「危機」と言われた数十週間、英国と欧州における全ての原因による死者数は前年とほぼ同じままだった。多くの人々が「新型コロナウイルス」による死亡と記録されるにつれ、別の原因による死亡が奇跡のように減った。しかし２０２０年、死亡者数が増加するときは常に来ていた。

都市封鎖の結果や、ほぼ全ての他の病気や症状に対する手術や診察の中止により、死亡するのが確実な人たちがいたからである。

人々は生命を脅かすさまざまな問題に対して緊急の診断や処置を必要としながら、自宅で痛みに耐えてじっとしていた。病院が「新型コロナウイルス」をめぐる「戦場」だったため、病院の救命救急外来に行くのがためらわれ、彼らは医者に診てもらうことができなかった。真相は、彼らを処置できた各病院はほとんど空で、主要な病院の数百の病床は使われておらず、手術室はメアリー・セレスト号〔訳注：1872年にポルトガル沖で、無人のまま漂流していたのを発見された船〕のようだった。

この精神病質的政策の最大の犠牲者は——カルトが意図したように——老人たちだった。巨大な規模の都市封鎖は、「高齢者と病弱な人々を守ること」と、「病院があふれる（空なのを見よ）のを防ぐ」ために正当化された。しかし、同時に高齢者は、私が先に概説したカルトの実現目標に従って組織的に殺されていた。ある介護老人福祉施設の看護師の言葉を使えば、彼らは治療の拒否を通じて「殺害」されていた。

こうした理由で死亡したほとんど全ての人が、死亡診断書に「新型コロナウイルス」と記入された。高齢者は自宅にとどまり、必需品は配達してもらうように言われた。そうすることで、別の致命的状態が潜在的につくり出されたが、カルトはそれを承知だった。どれだけの人が自分の伴侶（はんりょ）がすでに病気になったり、家族が遠くに暮らしたまま、文字通り独りぼっちにされたか。

「新型コロナウイルス」によって死亡したと言われる人々の圧倒的大多数が高齢者だったのは、最も病気にかかりやすく、それ故、本当の死亡原因の代わりに「新型コロナウイルス」と呼び換えることが最も通用したからにすぎない。私のホームページ（davidicke.com）に連絡してきたある英国の介護老人福祉施設の看護師は言う。

私は今、自分の所を含む介護老人福祉施設で何が進行しているのかをじかに見ています。それは人殺しです、友よ。私はそれを軽い気持ちで言っていません。私はひとたび、これが行われて、ならず者たちが記録され続ければいいと望みました。私が提供できる情報があれば、手伝うつもりです。

ちなみに、私は今まで、職場の師長や医師たちが命令に従い、新型コロナのために入居者に治療を基本的に拒否しているだけなのをじかに見てきました。検査も何もありません。医師たちは今や、誰かを診るために私の施設に来ることもありません。人々は抗生物質を出してもらうよう請うていて、私は紛れもない人殺しでした。

これから数週間のうちに、おびただしい数の高齢の死者が、至る所で見られるでしょう。正直言って、私は自分にうんざりしました。もう、これは終わったことです。これは、私がなりたかった看護師ではありません。

メディアは当然、この現象を別の方向に転換した。英国チャンネル4の「チーフ特派員」、アレックス・トムソンは「コロナウイルスが介護老人福祉施設で『荒廃』を引き起こしている　全死者数を公表するよう圧力が高まるにつれ」と題する記事を載せた。彼によれば、「4月3日までの1週間、イングランドとウェールズの全ての死者の5分の1はコロナウイルスに関連する――全体の死亡率を記録的高さに押し上げて」。彼を「ジャーナリスト」と呼ぶのをどう思うか？

高齢者が「新型コロナウイルス」陽性と判断されて、ほかの原因、とりわけ都市封鎖の影響や治療の拒否によって死亡したら、彼らは「新型コロナウイルス」の死者数に加えられた。どんな間抜けでも1時間も調べれば、本当に起きていることを理解できた。しかし、トムソンと彼の仲間の主流派メディアはそうではなかったようだ。

このような問題は、英国政府の指示で1週間以内に1万５０００床を空けるため、ＮＨＳの病院が患者を「立ち退かせる」することによって一層悪化した。患者の多くは「適切なリハビリ用病床か介護施設」に移された。ゲイツが所有する世界保健機関は２０２０年4月下旬、欧州の「コロナ関連死」の半数は長期介護施設で起きた可能性があると述べた。そして、こう補足したかもしれない。「だから、この計画は機能している」。

このＷＨＯ声明の後、程なく英国最大の介護施設事業者、ＨＣ－Ｏｎｅがその中心的施設における高齢者の死亡の増加について報告している。それは、病院が入居者たちを患者として受け入れなかったためで、コロナウイルスとは関係がなかった。

イタリアのパルマで働くイスラエル人医師、ガイ・ペレグは自分で見聞きしたことから、生死の判断を迫られている60歳以上の患者に対し、呼吸装置の使用を提供しないよう指導があったと述べている。これはもう一つの共通の主題になった。これらは「彼らを守る」ために世界中を都市封鎖する口実として使われている、同じ高齢者だった。

彼らは老人たちを取り除きたいと思っている。そうなれば、生涯にわたる新しい異常な「教育」制度を通してプログラムされた若者は、知覚をカルトのなすがままにされるだろう。一つの遺産は、この「危機」への対応によって引き起こされた経済的災難の責任を負う者として、老人たちに敵対する若者が現れることだろう。

「われわれが老人を守る必要がなければ、これは起きなかっただろう――気候変動や英国の欧州離脱の原因が誰にあるか分かるでしょう」

このウイルスを、１９４６年から１９６４年ごろの間に生まれた私を含む「ベビーブーム」世代になぞらえて、「ブーマーリムーバー（除去者）」と呼ぶ学校の子供たちもいた。でも、気にすることはない。私はどういうわけか、怒りたいという衝動を克服してきた。団塊の世代は、「フラワーパワー」や「カウンターカルチャー（反体制文化）」、「反支配階級（アンチ・エスタブリッシュメント）」だったが、今では年を取って「働けず」、追い出されなければならない地球破壊の支配階級として多くの若者に認識されているのは、何と皮肉か。

一部の医療従事者による伝言や、私のホームページの愛読者からの電子メールは、広範な主題を明らかにした。高齢者が蘇生処置をしない（DNR）合意に署名するよう圧力をかけられたとのソーシャルメディアの投稿もあった。これに署名すると、彼らは死ぬことが許される（そして、「新型コロナウイルス」が不正に死亡診断書に記入される）。

83歳の母親を持つその娘は、「DNRの通知が、健康な人やそれを正当化する健康上の疾患のない人を含む高齢の患者に出されていることをはっきり確証できた」と言った。彼女によれば、これは「ウイルス」や生命を脅かす健康上の基礎疾患を持っていない人を含む全ての人に起きている。「これは年齢だけで行われている」。彼女は、病棟の相談担当が母親にDNR用紙への署名をどのように強制しようとしたかを説明した。母親は、整形外科的な問題で入院しているだけだった。

数日後の今週初めに師長が母親に言ったのは、彼女だけを特別扱いできない。皆が同じように扱われている。全ての高齢患者がこれらの用紙に署名を求められているということ。そしてこれは「決まり」だと。お上の方から降りてきたもので、実行しなければならず、全ての高齢患者を網羅しなければならない。「なぜなら、政府がそう言ったから」。

高齢者たちは世界国家によって、自己防衛のため数カ月間、「自己隔離」する（自らを社会から切り離す）よう命じられた。明らかに、彼らのことは**知ったことじゃなく**、彼らに死んでもらいたいと言わんばかりに。これらは、膨大な数の高齢者が長年にわたって税金を払い続けた挙げ句、哀れで愚弄した国民年金（それがある場合は）で生存するとき、温かさと食べ物のいずれかを選ぶ貧困を生き延びるしかないことを確実にしているのと同じ当局である。

この効果は、彼らに買う資力のない栄養物（あるいは彼らにそれらが必要だという主流派情報）の不足を通じ、彼らの免疫系を破壊することである。その間、有毒な水や他の飲み物とともに最も安価で有毒物質の載った名ばかりの「食べ物」を摂取し、有毒な大気を吸い、有害な放射線を当てられた大気の中に生きている。これら全てのことが、免疫系を破壊するワクチンや免疫系を弱める砂糖の氾濫と一緒に、当局によって認可または促進されてきた。病気が襲ったとき、われわれの健康と生存をいかに気に掛けているかを説くまさにその政府によって。

「政府は気に掛けている」幻想を見抜く出発点は、彼らはあなたのことなどどうでもいいと思っていることに気付くことだ。ここから他の全ての理解がもたらされる。全く予測したくなかったことだが、英国保健省は多くの他の疾患による死因を「新型コロナウイルス」と不正に診断することによって、介護施設の死者を「新型コロナウイルス」死者数に加え始めた。予測できないファシズム（独裁的国家主義）はない。

聡明(そうめい)な医師と専門家が一致、大衆はだまされた

主流派メディアから無視されている医療専門家の一派は、患者と死亡者の数に関して目撃した露骨な操作や、「新型コロナウイルス」はある種の新しい致死性ウイルスだとの主張に対して、別の情報源を通じて正々堂々と意見を述べた。医師で、ドイツで評価の高い感染症医学の専門家、スチャリット・バクディ教授はウイルスによる都市封鎖について次のように述べている。

「それらは奇怪で、ばかげており、非常に危険……これらの手段は全て、自己破壊や集団自殺を導くだろう。幽霊でしかないのだから」

「新型コロナウイルス」は実は「幽霊」との主題は、主流派メディアの外ではありふれている。医師や専門家によれば、あるのは医療危機でなく、政治的危機だ。そして、私が先に言及したドイツ人ジャーナリストの動画にも見られるように、これにはイタリアの医師たちも含まれる。あるイタリア人医師は言った。

「イタリアでは誰1人、コロナで死んでない――それは醜いインフルエンザだ」

ドイツ人医師のヴォルフガング・ウォダーグは、この新しい「検査」がなければ、誰も違いに気付かないだろうと述べた。「大流行の定義を変えれば、それを創り出すことができる」「もし、ウイルスが世界中に広がっていると言えば、永遠の大流行になる」と彼は述べた。

もう1人のドイツ人内科医、クラウス・コーンライン医師も同意する。その新しい検査がなければ、「大流行」は起こらないだろうと彼は言った。「それが新しいウイルスとは信じない。新しい検査にすぎない」。ハンブルクの医師、マーク・フィディケによれば、どんな肺炎もコロナ患者に転換でき、「階段から落ちた人をウイルスの犠牲者に転換できる」。ほかの医師の見解を裏付けるように彼は述べた。「それは一種の手品だ」。

彼は、私が先に引用した米国人科学者と同じことを指摘した。つまり、誰かが病気で、コロナウイルス［ウイルスの「家族」の中に多く存在する］の検査をしているからといって、そのウイルスが彼らの病気の原因とは限らない。

スタンフォード大学医科大学院の医学・公衆衛生研究および政策・生物医学データ科学の教授、ジョン・ヨアニディスはコロナウイルスの恐怖を、その「ウイルス」は1世紀に1度の大流行という非常識な主張に応えて、恐らく「1世紀に1度の証拠の大失敗」と表現した。彼によれば、流通している死者や患者の数字を支えるデータは存在しない。

イスラエル人内科医で、元イスラエル労働党の国会議員、ヨラム・ラスは指摘する。世界保健機関の統計によれば、世界中で毎年、季節性インフルエンザにより25万～50万人が死亡するが、これは政府の対応によって世界経済の崩壊を引き起こさなかった。「聖書に描かれた危機が来たというのは、絶対に気が狂っている」。彼によれば、これはソーシャルメディアが恐怖を世界中に一斉に伝えることができた最初の「ザッカーバーグの伝染病」である。

分子生物学研究所で2年間研究したオーストリア人医師・歯科医、ジャロスラフ・ベルスキーによれば、コロナ恐怖の前、イタリアでは毎日1600〜2000人が死亡し、秋・春には3000人に上昇するのが常だった。当局は「経済を封鎖し、人々の移動を禁じるため」、「技術的な詐術」を使ってコロナを責め立てたにすぎない。

彼はまた、イタリアで「コロナウイルスが原因で死亡した」と言われる人の99％が他の健康上の問題を抱えており、その死亡者の半数が三〜四つの疾患を抱えていた事実を指摘した。その上、病院での最期は、感染症で遂げる傾向にあることが知られている。ベルスキーによれば、実際、インフルエンザにかかった人々は全種のウイルス、さらに細菌に対して検査が行われるのに、本当の原因は決して調査されなかった。

「ウイルス量が発見されて初めて、それが病気にしたものと分かる」。これは、「新型コロナウイルス」ヒステリーで行われなかった――その「検査」はウイルス量を測定するものではない――。従って、政府の異常な行動を正当化するためのデータは存在していない。「もし、そのデータを要求したら、あなたは陰謀論者の烙印(らくいん)を押される」とベルスキーは言う。

彼は、上演中の偽大流行は「鳥」インフルエンザと一緒で新しいものではないとも指摘した。あのときは年間3万人の犠牲者が出ると予測されたが、公式にはほんのわずかな死亡者が出て終息した。彼がイタリアで聞いた話として、彼らは「死亡した人を検査していた。がんや事故の犠牲者さえも」と述べた。ベルスキーは、医療専門家の友達が救急救命室の正常な状態の写真を送ってきた様子を説明した。

彼はドイツの死亡率がイタリアと比べてかなり低い理由についても、重要な指摘をした。ベルスキーによれば、これはイタリアの検査会社が重症患者のみに焦点を当てているのに対し、ドイツでは軽い風邪の人にさえ、検査を実施しているからである。「数字と感情をもてあそんでいる」。数字を操ることで知覚を操ることがいかに簡単か分かるだろう。

医師や専門家たちはまた、「そのウイルス」におびえる世界で、恐怖が人々を病気にする影響も指摘した。その「ウイルス」症状がカルトの所有するメディアによって四方八方にガンガン打ち鳴らされるにつれ、どれだけ多くの人が心身「症状」を発展させただろうか？ ベルスキーは「ドイツでは医療ミスで毎年最大2万人が死亡している。イタリアではもっと多い」と述べ、その病的興奮を大局的に見た。

これらの医師や科学者の誰1人として主流派メディアに登場しなかった。代わりに、全ての放送時間を米国のニール・ドグラース・タイソンのような支配階級の代弁者に与えた。彼は「風刺的な」（主流派支配階級の）テレビ司会者、スティーヴン・コルベアにこう話した。「われわれは世界規模の重大な実験のさなかにいる。その実験とは――人々は科学者たちに耳を傾けるだろうか？」あなたが彼らの1人でなければ、ねえ。

わざと弱めている自然免疫力

インド出身の米国人科学者で、マサチューセッツ工科大学（ＭＩＴ）の生物工学博士、シヴァ・アヤドゥライはコロナウイルスの説明への反論と、彼が「過剰反応」と呼ぶものに対して思い切って語った。「過剰反応」があるって？　ああ、ほんの少しね。アヤドゥライの皮肉はドンピシャだった。死因は「ウイルスから」ではなく、はぎ取られた免疫系である。

すごく調子のいい免疫系の備わった人は、「非常に軽度のインフルエンザの症状」か、全く症状がなかった。「新型コロナウイルス」の症状とされるもの（多くの潜在的要因とともに）は免疫系の一部が機能している告白である。せきをして痰（たん）を出すのは取り除く必要のある毒物を免疫系が排除しているのであり、熱は免疫系が熱を使って捕食者を殺している。また別の状況で、吐くことは深刻な損傷が起こる前に免疫系が健康への脅威を取り除いている。

医療系ウェブサイトwebmd.comによれば、「……体温が高くなると、細菌やウイルスが体内で繁殖しにくくなる」。巨大製薬企業の薬が「治す」多くの症状は、その仕事をしている免疫系であり、そうした働きを抑制することは、健康への大きな損害を潜在的に与えることになる。誰が何の原因で死ぬかの鍵は免疫系の状態であり、それらが最も弱い人は高齢者と、他の病状ですでに免疫系資源が圧迫されている人々である。

もし免疫系が栄養素として必要なビタミンAやD_3、Cを維持していれば、こうしたことは起きなくてすむ。ニューヨークなどの幾つかの病院では最終的に、「膨大(ぼうだい)な服用量の」ビタミンCで「ウイルス」性患者を治療し始めた。同時に、フェイスブックのようなソーシャル・メディア・プラットフォームや彼らの体制に仕える「事実検証者たち(ファクトチェッカーズ)」は、ビタミンCの恩恵についての投稿を「偽(フェイク)ニュース」や「誤った情報」と呼んでいた。

アヤドゥライ博士はまた、免疫反応を高めるためにそのような重要なビタミンを推奨した。全ての主流派と呼ばれるもので、免疫系の増強を説いているものを見たことがあるか？　巨大製薬企業とカルトの実現目標が病気で弱い人々を求めているとき、この両者がどうして強い免疫系を望むというのか？　そもそも、強い免疫系は病気を減らすことを意味するのであり、免疫系をはぎ取ることは巨大製薬企業の巨大利益が回り続けるために必要である。

アヤドゥライ博士が指摘したのは、われわれは体内に途方もない数の「ウイルス」を持っていながら、それらに気付きもしない。なぜなら、免疫系がそれらを抑制しているからである。「ウイルスはわれわれを殺さないし、傷付けもしない」と彼は言う。もしウイルスがわれわれを殺したら、われわれは全員ずっと死んだままだろう。

彼によれば、危険はむしろ脅威に対する免疫系の反応である。脅威が特定されると、さまざまなレベルの免疫系が作動し、さまざまな役割を果たし、圧倒的な数の症例で危険は速やかに解消される。問題は、即座の免疫反応が弱すぎて脅威に対処できず、事実上、システムがパニックに陥り、いわゆる「サイトカイン」を過剰に放出したときにサイトカインストームが起こる。

サイトカインは「細胞間の相互作用または細胞間の伝達、細胞の行動に特有の影響を与える細胞から放出される小さなタンパク質……［それらは］炎症を引き起こし、感染に反応する」と定義される。この反応が鍵となる。もしほかのレベルの弱った免疫系が脅威を処理できなければ、それは捨て鉢になってサイトカインの「嵐」を放出する。

それは、全方位に機関銃を発射する狂った人間として象徴できる。家に押し入った侵入者と、抵抗して彼らを追い払おうと奮闘する家主に例えよう。生き残るのにパニックになった家主は拳銃をつかみ、その侵入者目掛けて発砲するだけでなく、自身にも銃を向ける。サイトカインストームは自分の体を攻撃し、しばしば自滅する。Sciencedaily.com は次のように説明する。

サイトカインストームは、免疫細胞とその活性化化合物（サイトカイン）の過剰生成である。それはインフルエンザ感染中、活性化した免疫細胞が肺の中へと殺到することとしばしば関係する。結果として生じる肺の炎症と体液の蓄積は呼吸困難をもたらしかねず、副次的な細菌性肺炎によって汚染される――しばしば患者の致死率を高める――可能性がある。

「呼吸困難」による死亡は、肺を攻撃して肺炎に道を開く可能性のあるサイトカインストームの免疫反応である。もし免疫系が適切に作動していれば、これは起きない。なぜ主流派の全ては、これをあなたに伝えないのか？　アヤドゥライが米国の学者の4分の3を逮捕するよう求めているのも、同じ理由だ。「彼らはインチキな研究と政治的傾向に基づいた研究をすることによって……われわれの税金をコソ泥している」。

5Gはいかが？

われわれは今、地球が自然に生み出す無線周波エネルギーの2億倍の、科学技術の生み出した電磁的な濃霧または海の中に生きている。それにもかかわらず、これが人類や動物、昆虫、その他の自然界への深刻な影響は言うまでもなく、どういうわけか、何の影響も与えないと数十億人が信じているのは驚きを禁じ得ない。私はそれが狂気の一形態であり、間違いなく、現実否定の最も極端な例であると気付いている。

現下の出来事と、2019～2020年の世界中での5Gの展開の間には、ある種の明確な関連性が存在する。というのも、その関連についての発言や議論を禁じるカルトのインターネットプラットフォームと政府機関の行動によって、このことがはっきりしたからである。

カルトが所有する巨大IT企業による私の『ロンドンリアル』インタビューの組織的削除と、数日後のアンドリュー・カウフマンと私の息子、ジェイミーとの間のそれに共通する主題は5Gでなく、「新型コロナウイルス」の存在に疑問を呈していることだったと私はすでに指摘した。カウフマンインタビューは5Gに言及していない。しかしながら、強制的な検閲という極端な手段によって確証されたある種の関係がはっきりと存在する。

英国政府の情報通信庁（オフコム）は放送メディアの「規制者」（検閲者）で、もし5Gとその「ウイルス」との関連について議論をしただけでも、厳しい制裁措置で放送局を脅した。オフコムは5Gの検閲にあまりに取り付かれているため、小さなコミュニティーラジオ局が、ある一つの番組で5Gと「新型コロナウイルス」の関連について議論した人が1人いたことで、放送シュタージ（秘密警察）によって脅された。

オフコムは戦争犯罪人のトニー・ブレアによって創設されたので、それがいかに悪らつに違いないか分かると思う。どういうわけか、これらのばかげた人たちは「誤った健康情報」と「大流行が5G携帯網の展開と関連しているという根拠のない陰謀論」を無理やり同じに考える。全知の体制崇拝者であるオフコムは、自分たちに根拠がないことを知っている。なぜなら、彼らは「英国内でも国際的にも、コロナウイルスに関する全ての公式の報告と矛盾する、そのような議論のある主張（換言すれば、その5Gの主張は公的な宣伝と相容れない）を裏付ける、信頼に足る科学的証拠を知らなかった」からである。

オフコムの検閲官と指定メディアのカルト説明の擁護者によれば、彼らは「危機の間、主流の情報源の助言に対する人々の信頼を損なう可能性のある、新型コロナウイルスの原因や起源に関する有害な見解――それは公的なカルトの説明を覆す可能性がある――を放送する可能性のあるテレビ局とラジオ局を積極的に監視していた」。これはまさに、独裁か共産主義の専制政治で聞きそうなことだ。

記録と問い合わせによれば、この独裁的な検閲の期間、オフコムの最高経営責任者は、元住宅・地域社会・自治省事務次官で、財務省の歳入関税庁や内閣府に勤務したキャリア官僚のメラニー・ドーズだった。支配階級が彼女の血流に流れている。

オフコムの議長は、元財務省の首席経済顧問兼事務次官で現在、英サンタンデール銀行上級顧問の英国人経済評論家、テレンス・バーンズが務める。これらが英国メディアの検閲を監督し、「新型コロナウイルス」と5Gの関係についてのいかなる議論も妨げている人々である。一方、英国保健大臣のマット・ハンコック（無知ゆえに、自分の部下や助言者の下僕になりたがっている）はソーシャルメディアに「5Gウイルス陰謀論」の禁止を求めた。その男はあまりに当惑し、「自由と民主主義」を信じていると言って自分を欺いている。

ユーチューブやヴィメオ（Vimeo）、フェイスブックは皆、私が『ロンドンリアル』でブライアン・ローズと行ったインタビュー動画を削除した。その中で私は、5Gが関与している可能性に言及した。私は5Gがその「ウイルス」を引き起こしたとは言っていない。ただ、5Gが人間の健康と心理に大きな悪影響を及ぼすことを考慮に入れる必要があり、5Gが「新型コロナウイルス」と呼ばれる症状を生み出す可能性があることを述べた。

オフコムは5G展開の主要な発案者で推進者であり、英国通信産業（好きにしろ）を規制する。

5Gの発案者で推進者と、5Gをめぐる議論の検閲者が**同じ人物**であるとき、これは衝撃的な利益相反だ。もちろん私の場合、それらは、すぐに歓声を上げて支持している哀れな主流派メディアと一緒だった。従って、オフコムと巨大IT企業が議論さえ標的にする激しい検閲によって裏付けられたように、5Gとの関連は**存在する**。

では、質問は何か？ そして、現在起きていることに関して、あるいはこれから到来することに関して検閲はあるのか？ 私はここで、幾つかのその可能性と影響を要約したい。

科学者・ジャーナリストで『見えない虹――電気と生活の歴史』（"The invisible Rainbow: A History of Electricity and Life" 未邦訳、ヒカルランドから発売予定）の著者、アーサー・ファステンバーグは「新型コロナウイルス」と5G以前の2018年、次のように述べた。「われわれが磁気圏と呼ばれる地球の磁場の特性を劇的に変えるたび、それはここ地上で、健康に劇的な影響力を及ぼしてきた」。ファステンバーグの記述によれば、電気が導入されて以来、あらゆる「インフルエンザ」の流行は、新しくより強力な電磁放射と同時に起きてきた。

彼によれば、その一例は「スペイン風邪」（それは米国で始まった）で、1918年に世界で推計5億人が感染し、数千万人が死亡したと言われている。1億人と見積もる人もいる。これらは公式に編集された数字だから、真に受けてはならない。しかし、多くの人が影響を受けて亡くなったと言ってもよい。全く別の問題によって。

私は大量のワクチンがこの大流行と関係しているとすでに述べた。同時に、ここでもう一つ、電磁場の視点から出来事の可能性を考えてみたい。免疫系が衰退しかけていた第1次世界大戦後のぞっとするような生活状態があったことも付け加えなければいけない。

ファステンバーグの説明では、「スペイン風邪（インフルエンザ）」は米国と欧州の海軍基地で始まった。それらは最初に強力な電波探知機（レーダー）を設置した所で、マサチューセッツ州ケンブリッジの海軍無線学校では400人の最初の患者を出している。たとえ、「インフルエンザ」と呼ばれる共通の症状が鼻血（5Gでも報告されている）で、死亡する3分の1の人が脳や肺の内出血を通じてそうなるとしても。

血液凝固障害に関連するこれらの影響などは少しも「インフルエンザ」の症状ではなく、むしろ電磁場の潜在的影響だった。医師はこう述べたと伝えられる。「凝固作用の時間が延びなかった症例の報告を、われわれはまだ受け取っていない」。Wi-Fi（ワイファイ）に漬かった教室で1日過ごした後、教師の体内で見つかった血液への影響を思い出してほしい。もう一つのあからさまな危険信号は、電波探知機が世界規模で導入されると、「スペイン」風邪の流行が同じ場所で続いて起きたことだった。最近と比べれば最小限の世界旅行しかなかった時代で、他の患者と接触することもなかったのに。

ファステンバーグによれば、今では地球全体がかつて経験してない新しい強力なレーダー波にさらされているが、1956〜1957年に「アジア風邪（インフルエンザ）」が発生した。これは東アジアで始まり、世界中に広がったと言われる。1968年に最初の放射線を放出する衛星システムが運用可能になってから数カ月後、「香港（ホンコン）風邪（インフルエンザ）」が世界に吹き荒れた。再び、人々は内出血で死んでいった。

同様に、「新型コロナウイルス」の脅威が始まる前、５Ｇが展開され始めた。そして、５Ｇは都市封鎖の間、多くの市や町、多くの国々で急速に広がってきた。多数の子供や学生が学校や大学に戻ったとき、彼らが遠ざかっている間に５Ｇが設置されていたのに気付くだろう。遠ざかっていた病院を訪れた人がそれらを見るのと同様に。ほとんどの営業と雇用活動は禁じられたにもかかわらず、５Ｇ塔と衛星を配備することは「不可欠の仕事」と考えられた。こうしたことで５Ｇの普及範囲と影響は劇的に広がり、そうでなければ起きていた抗議は妨げられた。

「インフルエンザのような」症状は、強い電磁場（ＥＭＦ）にさらされることによって起こることが知られている（１７７９年には明らかになった事実）。そして、ＥＭＦは細胞がエクソソーム――「新型コロナウイルス」と呼ばれる自然免疫反応――を放出するためのきっかけの一つである。

この「新しい病気」は湖北省の省都、武漢で始まったと言われる。ここは中国最初の「５Ｇスマートシティ（高層密集監視都市）」で、２０１９年10月に驚くほど多くの５Ｇアンテナが設置され、急速に広がった。ボーダフォンイタリアはイタリア経済開発省と協力して、その「ウイルス」の中心地、ロンバルディア州ミラノを「大規模な５Ｇの試験台」にした。武漢とロンバルディアには「大流行」が発生する前に、大ワクチン計画もあった。

バルセロナ大学で微生物学を専門とし、ハバー製薬研究所で天然痘ウイルスおよび細菌を研究したスペイン人生物学者、バルトメウ・ペイエラス・シフェレは２０２０年4月、「新型コロナウイルス」の主要位置と5G作動との間の関係についての予備研究を提示した。私のホームページ（Davidicke.com）に検索語 'Study Shows Direct Correlation Between 5G Networks and "Coronavirus" Outbreaks' （研究は5G網と『コロナウイルス』発生との間の直接の相関関係を示す）を入れればそれを見られる。

この研究は「新型コロナウイルス」とされるものと5Gとの因果関係を示すことは試みていなかった。その「ウイルス」が最も流行していると報告された主要な国や地域を、5Gの位置と一緒に示そうとしただけである。結論は、「コロナ感染率と5Gアンテナの位置との間に明確で密接な関係があることを示している」という結果だった。

カナダオンタリオ州のトレント大学で環境と資源学の准教授を務めるマグダ・ハバス博士による、米国大陸の国々に焦点を当てたもう一つの研究も、同様の結論に達した。先のスペインの研究では、共通の国境を持つ5Gのある国とない国の間の違いにおいて、国境による区分が重要とされた。この研究では、米国とメキシコ、スペインとポルトガルとの間のはっきりとした症例の違いに注目し、とりわけイタリアの陸地にある小さな共和国、サンマリノの症例を強調した。

サンマリノは、あるメディアの記事によれば、「ネットワーク設備とアプリの作動確認に使われる野外研究所」に選ばれた後、5Gネットワークを備えた最初の欧州国家になった。サンマリノが「新型コロナウイルス」患者の人口比率で上位5カ国の一つになったのは、ただのまぐれ当たりか？

このスペイン人研究者本人が述べている。「この研究の結果を目の前にして何も行動しないのは最低でも怠慢、ほとんどは犯罪と考えられる」。5Gとその「大流行」が犯罪者たちによって画策されたとすれば、間違いなく無為が続くだろう。

死者数が広範に操作されていたわけだから、「ウイルス」現象全般を5Gのせいにできないし、数字をあのような根本的な規模で捏造（ねつぞう）する必要もなかったことになる。しかし、それは最も深刻な影響がさらにやって来るという筋書きにつながる。5Gやそれ以下の出力の電磁場でも、ワクチンと全く同じように**免疫系**を深く傷付けるだけでなく、体内の毒素の力や影響を深刻に増大させることができる。エクソソーム（偽「新型コロナウイルス」）を放出する5Gなどの電磁場によって毒された細胞も考慮されなければならない。そのような症状を生み出す5Gの能力を「新型コロナウイルス」のせいにした。

私は他の著作で、電磁場がどのように免疫系の処理できる量を超えて毒素の威力を大幅に増やすことができるか説明してきた。特に、免疫系自体が同じ原因で弱められているときに、どう増やせるかを。私は先に、Wi－Fiや5Gネットワークは周波数を放出する装置だと述べたが、それらの周波数の性質は変更される可能性がある。免疫系を破壊する周波数で一つの領域を攻撃し、それからエクソソームを排出する反応を起こさせる放射線で細胞を毒することは全く可能だ。このエクソソームが「新型コロナウイルス」と呼ばれる。

もう一つの点は、5Gが「遺伝物質の加速された劣化」を引き起こすこと。これは偽の「ウイルス検査」が同定するものである。すでにさまざまな場所で5Gをターゲットにできる衛星システムを使い、地上に5Gアンテナがなくても、ある地域に他の場所よりも影響を与えることが可能になる。5Gは狭く簡単にターゲットを絞れる信号電波で稼働する。

ワシントン州立大学の生化学および基礎医学の名誉教授、マーティン・ポールは、科学技術的な放射線や5Gがカルシウムの細胞内への流入経路（電位依存性カルシウムチャンネル［VGCC］として知られる）に及ぼす影響について説明した。これらのカルシウムチャンネルはカルシウムイオンの細胞への透過を規制し、これが不安定だと心臓や脳、筋肉の収縮を含む多くの体組織に影響を及ぼす可能性がある。

ポールによれば、「新型コロナウイルス」による一般的な死因は肺炎で、それは「五つの下流効果のそれぞれによって著しく悪化される可能性がある。すなわち、VGCC活性化（開く）や細胞内の過剰カルシウム、酸化ストレス、炎症、アポトーシス［細胞死の一形態］である」。

英国のマイクロ波の専門家、バリー・トロワーは1960年代に政府のマイクロ波戦争施設で訓練を受け、英国海軍と英国秘密諜報部でマイクロ波兵器の専門家として従事し、1970年代にマイクロ波戦争で訓練されたスパイの洗脳を解くのを助け、マイクロ波を使った機雷除去班で働いたと自称する。彼の物理学の学位は、マイクロ波を専門とした。彼は「大流行」以前、次のように述べた。

「何々G」と称する全てのマイクロ波……それらは全て、三つのものを除き、全ての生き物の免疫系を低下させる。その一つが細菌とウイルスである。それらはマイクロ波を浴びると繁殖し、増殖する。つまり、全ての生き物が自身の免疫系を失っているが、細菌とウイルスはそれらのものを強化している……状況がある。そして、5Gは状況を悪化させるだけだろう。

これらは電磁場の影響の一部であり、5Gの巨大な影響を複合的な可能性に追加する必要がある。

5Gと酸素

電気通信業界が正直に認めたように、60GHz（ギガヘルツ）の周波数で5Gが酸素分子と相互作用するのは重大な点だ。これは5Gの電磁波と、誤って「新型コロナウイルス」のせいにされる肺機能不全の幾つかの異状な症状が結び付くところであり、その関連性はさらに深刻になる可能性がある。

この業界は60GHzでの送信に熱心だ。なぜなら、5Gが酸素と相互作用する方式によって、利用者間の干渉なしに、ごく限られた同じ地域で同じ周波数を「非常に高密度に展開」できるからである。60GHzの周波数で5Gの信号電波を使って、小さな領域あるいは個人をターゲットにすることもできる。これから述べる内容に関して、そのことを念頭に置いていただきたい。

5Gは60GHzで酸素分子と相互作用し、体と血液が必要な量の酸素を吸収するのを妨げる。これは**呼吸障害**や脳卒中、心臓発作、他の多くの潜在的な致命症状につながる可能性がある。これは、5Gに反対している人が書いた、潜在的な結果についての説明である。

……二つの原子が酸素分子を形成し、幾つかの電子を共有する。60GHzは酸素分子を取り巻く電子を回転させる。2・4GHzの強力な電子レンジが、食物中の水のような分子に影響を与える仕組みと同じように。それぞれの波動で分子に影響を与え、回転または振動させることによって、それらは部分的に熱を発する。これら極小な水分子の回転に由来する運動エネルギーは、食物の残りの部分の発熱を助ける。

2・4GHzがH^2O（水分子）を振動させるのと同じように、5G／60GHzは低出力でも酸素分子の電子を回転させる。酸素電子の回転数を変えることは、人間の生態に影響を及ぼす。通常、空気を吸い込み肺に送れば、血液や脳、細胞などに酸素が送り込まれる。肺に入り込んだ酸素は、血中のヘモグロビンと呼ばれるタンパク質を含んだ非常に重要な鉄分によって取り込まれる。

電子を回転させる酸素分子への影響とは、ヘモグロビンが酸素を摂取できず、それを体の残りの部分に送れなくなることである。60GHzのエネルギーが酸素によって吸収されることを電気通信会社が認めているのは、驚くべき情報ではないか？　そして、60GHzが酸素——最も豊富で、全ての生物の命にとって最も重要な要素と立証されている——と相互作用する事実は、われわれがその意味を深く検証するまでニュースの見出し（全てを止める）にするべきではないと？

この人類の大量削減への潜在力は明白である。米国人の環境学研究者、レナ・プは2016年、5G技術がカルトの操る米国連邦通信委員会（FCC）によって公式に明らかにされて以来、この影響を研究してきた。5Gはその数年後の配備が宣言された。プは全米子供安全技術協会の環境衛生顧問を務め、軍や政府と協力してきた。彼女は、電磁マイクロ波周波数全体、すなわち「電磁場」（EMF）帯域が、数百の生物学的影響を引き起こすと指摘した。

彼女によれば、多様な長さの電波が体の全ての部分に影響を及ぼすから、その影響は無限である。それぞれの新世代は、すなわち5Gの登場に至るまで「G」ごとに、その影響力を増した。5Gは、酸素の共振周波数である60GHzを含むミリ波（MMW）範囲内で作動し、「酸素分子によって完全に吸収される」。

プによれば、FCC（いかさま）安全基準内の低出力と見なされているものでさえ、60GHzの周波数は酸素の分子構造に影響を及ぼし、それが血中の鉄分を含んだタンパク質、すなわちヘモグロビンと適切に結びつくのを止めることになる。彼女によれば、これらの問題には次のものが含まれる。（1）二つの酸素原子間で共有される電子が、人間が摂取できない速度で回るだろう。（2）原子核からの電子の軌道角と距離が変えられる。（3）分子自体の一部または全てがO_2（酸素）からO_3（オゾン）に変えられる可能性。

アンドリュー・カウフマン医師は、60GHzの周波数がマウスの骨髄をどのように圧迫するかを説明した1977年のCIA文書を読んだという。骨髄で生み出される白血球は、免疫系の基盤である。同文書はまた、「細胞の発電所」であるミトコンドリアによる酸素摂取が、破滅的な臓器不全を導く可能性がある60GHzの周波数によって影響を受けたと記す。その結論は、英国医学研究会議ミトコンドリア生物学班による次の説明から理解することができる。

ミトコンドリアは、あらゆる複合生物の細胞内に見られる細胞小器官である。それらは細胞が生き残るために必要な化学エネルギーのおよそ90％を生み出す。エネルギーがなければ、生きられない！　従って、なぜミトコンドリアが悪化すると深刻な病気になるのか、そしてなぜミトコンドリアの働きを理解することが重要であるのか、理解するのは容易である。

それには、60GHzの5Gがミトコンドリアにどう影響するかが必ず含まれる必要がある。

事例研究

5Gと60GHzを調査している間、レナ・プは2016～2017年、テキサス州の中学校で「秘密の出来事」に遭遇したと独白した。機密解除された報告書の読解を含め、何が起きているかを数カ月調査した後、彼女は5Gを浴びることが「非常に悪い知らせ」であることに気付いた。「私はそれ［5G］が、携帯電話から基地局に至る全てで現在使われている周波数より25～100倍生物的に活発であることを発見した」。他の「何々G」は悪いが、5Gはもっと悪い。

このような背景から彼女は、生徒や教職員が「謎の病気」にかかっていた学校で何が進行していたかすぐに分かった。これが学校の内部に関連しているのは明白だった。なぜなら、彼らが校舎を出て教師たちが屋外で授業を始めた途端、全員気分が良くなったからである。プは学校運営者の振る舞いに警鐘を鳴らしていた母親と連絡を取り、この学校が5Gの先行実施「試験」計画の一部であることを確認した。

これは2017年のこと。彼女は集団疾患を説明する「明白な証拠」を見つけた。彼女の直感は、学校のWi－Fi装置が更新されたに違いないというものだった。これにには、新しいチップ（集積回路を収めた半導体の小片）が通信に供する帯域を2・45GHzと5～5・8GHzの2つに拡大したことを含む。彼女はその学校のフェイスブックページを閲覧し、校舎内を撮影した画像を通して、妙なWi－Fiルーターを見た。これは彼女が５Ｇの通信に不可欠と信じているものだ。

私はその学校のフェイスブックページを通して、無線アクセスポイントとしても知られるWi－Fiファイルーターの姿や形、構造の手掛かりを与えるイメージを探した。すると、放熱のためのずっと大きな格子模様のある、特有の形に似たものを見つけた。［５Ｇは］周波数と出力の性質上、ずっと大きな熱を生み出す。

幸いにも、彼女はスクリーンショットを撮っていた。というのも翌日、全ての画像がその学校のフェイスブックページから削除されていたからだ。次に彼女はサムソン社の年次展示会で新たな三つ目のチップを突き止めた――「ワイギグ」と呼ばれる60ＧHzのチップである。彼女によれば、これは自身の二つ目の明白な証拠で、恐ろしいことだが、そのチップを調べると、酸素分子に影響を与えることが分かった。

「私は探していた物とその意味を即座に理解した……酸素の最大摂取量の上限や、どの周波数がこれを弱め、減退させるかを説明する政府の図表を見ていたときだった――私はこれ以上衝撃的なものを発見したことはない」

酸素の摂取を妨げることができる60ＧHzの５Ｇが病院に設置されているだろうか？　この科学技術の多くが東洋から来た。それには中国のファーウェイも含まれる。レナ・プによれば、60ＧHzの周波数はルーターやWi－Fi、携帯電話、体と密着し続ける他の小型装置に使われる。この周波数は、5Gにとって皮膚や汗腺管がアンテナであり、軍隊によってこのように武器として使われることを意味する。

肺の症状は「ウイルス」によって起きない

この5Gと酸素の関係は、「ウイルス」の脅威と5Gの展開以降、呼吸障害の最悪の症例が「感染病」ではなく、酸欠症状を示している肺によって引き起こされていると指摘する一部の集中治療医の観点から、さらに深く考察する必要がある。

ニューヨークの集中治療医、キャメロン・カイル＝シデルは、人々に何が起きているのかを知らせるために必死になってユーチューブに投稿した。ユーチューブは投稿された動画を削除し続け、彼は集中治療業務から外されたと報告された。カイル＝シデルによれば、彼らは「新型コロナウイルス」と呼ばれる感染性の病気を治療する準備をするよう言われたが、それは彼らが扱ってきたものではなかった。代わりに、彼はそれまで見たこともない肺の症状の患者を見ていた。

3万フィート（9144メートル）上空を飛ぶ飛行機で客室の減圧に遭っている人々か、新環境に慣らされないまま、つまり酸素供給が制限されてエベレストの頂上に降ろされた誰かに見られると予想されるものだった。『新型コロナウイルス』はこの症状の病気ではない。私たちは真実でない医療の枠組みの下で働いている」とカイル＝シデルは述べた。つまり、彼らは誤った症例を処置していると確信した。「これらの人々はゆっくりと酸素が欠乏していく」と彼は述べた。患者たちは恐怖と緊張状態で、自分たちの酸素マスクを外すのが常だった。彼らは死の瀬戸際に直面して青ざめているが、肺炎で死んでいく患者には見えなかった。

このような珍しい症例では、何か別のことが確実に進行しているが、それは「新型コロナウイルス」ではない。では、それは何か？ 酸素摂取量への5Gの影響は、数ある可能性の一つに確実に加えなければならない。さらに注目しなければならないのは、米国における新型コロナウイルスに起因する「死亡者」の半数近くがまさに二つの場所、ニューヨーク州とその隣のニュージャージー州で発生してきたことだ。後者には5Gがあり、両者とも携帯電話の電波塔であふれている。もし、この「ウイルス」が5Gの拡大と一緒に広がっているなら、人々は5Gの影響が、5G装置の数やそれらが発する接続電波と共に増えていくことにも真剣な注意を払い、気付く必要がある。

指摘しなければならないさらに二つの点は、抗凝血剤を使っても溶解されない「不思議な、命取りになりかねない血液の固まり」を持つ患者がいたと報告する医師たちがいたこと。もう一つは、皮膚の表面または下にチクチクあるいは「パチパチ」する感覚——ある女性が言ったように、「雷に撃たれたような、全身がピリピリしびれるような——を訴えてきた患者がいたこと。電磁場は血液と皮膚に影響を及ぼすが、5Gではなおさらのこと。今度は、人類が腰を上げて本気で取り掛からなければ、6Gや7Gが送り込まれてくることを考えてほしい。

私はすでに５Ｇの心理学的影響について言及した。マーチン・ポール教授は、科学技術的な放射によって引き起こされるカルシウム細胞関門活動の機能不全が、動物や人間に恐怖をもたらすことに注目している。それは生存本能を活性化する逃走あるいは逃避反応のホルモンである「ノルアドレナリン」の放出の大幅な増加を引き起こす。われわれがパニック買いや、「われわれをウイルスから守る」ための厳格な対策への支持、恐怖と苦痛の別の表現で見たものだ。

電磁場は５Ｇよりずっと低出力でも、適切な周波数なら脳の処理を同調させ、思考や感情を植え付け、行動を命令することができる。これは数十年も前から知られてきたことで、けしかけるには非常に低出力で足りる。それを可能にするのは周波数への同調である。周波数を電離層（地上約60～１０００キロメートル）に跳ね返させることによって、全ての地域の人々が影響を受ける。これは電離層の加熱装置を通じて、長い間起きてきた。

その最も知られているのは、高周波活性オーロラ調査プログラム（ＨＡＡＲＰ）だろう。電離層の加熱装置が電離層に高出力の電波を発射すると、電離層は震動を始め、はるかに強力な出力でそれらを地球に戻し返す。詳しい背景は、『**今知っておくべき重大なはかりごと**』（ヒカルランド）をご覧いただきたい。

５Ｇは子供たちの免疫系を壊すため、世界中の学校に設置されている。これは、食べ物になる植物や草木を含む全ての免疫系に当てはまると、ポール教授は特に言及している。都市封鎖と病的興奮の間、ＢＴ（旧ブリティッシュ・テレコム）が所有する携帯電話事業者のＥＥは、さらに21の英国の町や都市で自らの5Gネットワークを稼働させた。イスラエルは同じものを市民に押し付けていて、ひどく邪悪なイーロン・マスクはさらに多くのスペースXの人工衛星を低高度で飛ばし、地上に5Gを放射していた。ウイルス法制による「社会的距離の確保」や在宅勤務で、ますます5G展開の需要が高まっていることに、電気通信産業は喜びを表明している。

カルトが所有する米国連邦通信委員会（FCC）は、世界的な都市封鎖の真っただ中、カルトが所有するスペースXに100万の地上アンテナの設置を認めた。利用者を同社のスターリンクの衛星インターネット網に接続するためである。ならば、人々が家に閉じ込められている間、5G展開と他の構造変化の点で、何が起きてきたのか？　一層増えている5Gの急拡大は継続して免疫系を減退させ、健康上の影響をますます受けやすくするだろう。カルトはそれを何か他のもののせいにするのだが。

ここに、私が先に説明した大量虐殺への道がある。この5Gの拷問部屋が創られるのを許している電気通信産業や政治家、官僚を操っているイーロン・マスクのような人間は、人類に対する大量虐殺罪で生涯投獄されるべきである。これが展開するのを座して眺め、カルトの精神病者（サイコパス）に人類を撲滅させ、世界を乗っ取らせることは、選択肢であり得ない。ポール教授は次のように警告する。

そして、繰り返させてもらうが、5G放射の初期「展開」で見られるいかなる影響も、「モノのインターネット」（IoT）と相互作用する成熟した5Gシステムで予言される影響のごく一部になるだろう。というのも、初期展開において最初の5Gシステムは通信相手がほとんどいないため、そのような成熟したシステムの高パルスEMFの影響のごく一部しか生成しないだろうからである。

もしわれわれが知るような人間生活が残るためには、5Gは消え失せなければならない。5Gネットワークの世界的拡大や、さらに多くの装置がその周波数帯に接続されるにつれての出力と影響の増加、酸素を変化させる60GHzは、膨大な量の病気を引き起こす可能性がある。その病気は、恐らくもっと極端な架空の「新型コロナウイルス」のさらなる大波を含め、他の原因のせいにされる。人々が公式見解の主張を正当化できるか自問してよくよく考えた末、数十億人が明らかに大うその「大流行」を信じられたなら、プログラムされた人類の知覚が子供レベルである証左である。爬虫類脳は生命や仕事、人間関係など、あらゆる種類の生存を脅かす脅威がないか世界を絶えず見渡している。カルトが爬虫類脳を介して導かれる人間の生存反応を活性化すると、平衡感覚のある観察は人々から消え失せてしまう。

爬虫類脳は考えず、反応する。そして、「たとえあなたを犠牲にしても、私は生き残らなければならない」と我を忘れて恐怖を信じる。これは、生存機会がいかなる形でも増すと信じるなら、どんなレベルの専制の押し付けも受け入れる反応メカニズムである。そして、同じ生存反応は、専制の押し付けへの協力に疑問を呈したり、反抗したり、拒否したりするどんな人も悪者扱いするだろう。

こうした状況で、あなたを圧倒している生存メカニズムを止めるには、平静でいることが極めて重要だ。即座の反応が求められる差し迫った危険状況にない限り、知覚を奪っている爬虫類脳や関連する生存反応から、何も役に立つものは出てこない。「大流行」の狂乱が始まってから、最初の犠牲者は常に理路整然と考えることであり、「まあ、大変だ！」が1日何十回も発せられてきた。

ゲイツの要求する都市封鎖につながるコンピューターモデルを作成した男で、（ゲイツの）ワクチンが整うまで都市封鎖が続けられなければならないと（ゲイツのように）言ったニール・ファーガソン教授は、桁外れ（けたはず）れの偽善の暴露で、その高い地位から落ちた。ファーガソンは2020年5月第1週、自らの都市封鎖規則に反して既婚の愛人と会ったことを新聞に暴露され、彼は政府顧問を辞めさせられた。

家にとどまり、同じ家に住んでないいかなる人の訪問も受けてはならないと彼が皆に告げていたとき、彼は自宅で愛人と性的な密会を楽しんだ。彼女は旦那と子供と一緒に他の場所に住んでいるのに。その女友達、アントニア・スターツは気候変動活動家で、私が先に焦点を当てたジョージ・ソロスとつながった世界的なオンライン「活動家」ネットワークAvaaz（アバーズ）の宣伝部長である。

もっとあきれたのは、ファーガソンが同じ時期、その「ウイルス」に感染したと主張し、スターツは自分の夫が「ウイルス」症状を持っていることを疑ったと友達に話していたことだ。これが、ゲイツの都市封鎖計画を正当化し、少なくとも数億人の生命と生計を破壊する——まさに、ゲイツと彼のカルトの主人が最初から計画したこと——ばかげた「モデル」で国々を都市封鎖した男である。

第16章
ビル・ゲイツはなぜサイコパスか

権威への盲目的尊敬は、真実の最大の敵である

――アルベルト・アインシュタイン

テクノクラート（技術官僚）の億万長者、ビル・ゲイツは「感染大流行（パンデミック）」詐欺のいたるところに登場する。彼が自分のしていることを分かっていないはずはない。操られて「大流行」物語に資金提供して前面に立ったり、「ワクチン接種」というオチを含む対応をしてきたのは、1人の人間ではない。ゲイツは世界的な「保健」産業を喜んで買収し、カルトの言うことは何でも熱心に実行しているカルトの一工作員（エージェント）である。彼の目を見ると、決してほほ笑まない。頭が空っぽなのが分かる。正気も、活力も、感情もない。ザッカーバーグやベゾス、ソロス、そしてカルトに仕える彼らの残りの仲間といると、いつも生体ＡＩを連想させる。

最初に、ゲイツ（マイクロソフト）やザッカーバーグ（フェイスブック）、ブリンとペイジ（グーグル）、ウォシッキー（ユーチューブ）、ベゾス（アマゾン）、マスク（スペースＸ、テスラ、ニューラリンク）、ソロス（オープンソサエティー財団）のようなＡＩの看板役である技術官僚（テクノクラート）の背景を説明する必要がある。他にもたくさんいるが、この構造における彼らの役割は基本的に同じである。彼らはカルトの使い走りで、「彼らの」（冗談）会社や後に数十億ドルになる莫大（ばくだい）な資金を用いて何をするかについて幾つかの厳しい条件が付くものの、そうしていることで大金持ちになる。

カルトは「スマートグリッド（地球丸ごと監獄化）」（次世代送電網）と呼ばれる科学技術による亜現実のテクノクラート独裁を構築中である。全ては調整され、地下基地や他の秘密計画から展開されているという事実を隠すための作り話や覆い隠す人が必要である。カルトが次の水準の管理技術が「発明」される間、不毛な期間が存在しないことに注意してほしい。ある段階の後に次の段階が継ぎ目なく続き、間に空白はない。これは、科学技術がわれわれが公の場で見られるずっと前に開発されていて、その事実を隠すため、一般消費者向けの作り話とその話の前面に立つ工作員が必要だからだ。

カルトにとって重要な科学技術がどのように「発明」され、無関係な「個々人」によって流通するようになったかを説明することが、使い走りの役割である。彼らはとてつもない金持ちになるが、重い糸がつながれている。カルトの作戦を通じて生み出された途方もないお金は、慈善事業を装った「財団」を通じ、カルトの実現目標(アジェンダ)を前進させるために使われなければならない。彼らには、莫大な免税が保証されるという付随的な利点がある。各工作員には、専門化した分野が与えられる。

ソロスはオープンソサエティー財団に資金提供するため配置され、偽の「市民革命」や大量移民、ニューウォーク(余計な問題に目覚めた)〈訳注：社会的に新たに目覚めていること。近年、米国で使われる俗語で、社会的不公正や人種差別、性差別などに対する意識が高いことを指す。「ウォーク」は「目覚める」を意味する“wake”の過去・過去分詞形〉独裁の出現を確実にした。ザッカーバーグやブリン、ペイジ、ウォシッキーはカルトの来歴と行動を暴露から守る世界的な検閲官の役割を与えられてきた。ベゾスはカルトのアマゾンによって世界の商取引を接収する手先として使われている。同社はこの「大流行」と**少なくとも**数千の潜在的競合者の破綻(はたん)から、とてつもない収益を上げてきた。一方、都市封鎖の間、彼の富は数百億ドル増えており、彼の新聞、ワシントンポストは都市封鎖を「続けなければならない」と書いた。

ビル・ゲイツは一連の役割を託されてきた。彼が資金提供するカルトの実現目標の多くの局面に関して、本書に彼が数多く登場するのは、そういうわけである。彼の最大の専門は巨大製薬企業の「保健」分野と、世界中にワクチンを打つことである。

このカルトの「慈善活動」（それは実際、彼をさらに富ませる）のためのゲイツの乗り物がビル&メリンダ・ゲイツ財団で、これは悪名高きロックフェラー財団――彼が非常に密接な家族――に基づく。十分遠くさかのぼれば、ゲイツはロックフェラーの血統に由来すると記す家系調査を見た。このカルトの偽装出先「財団」を通じ、ゲイツは１９９９年、７億５０００万ドルの最初の寄付で「ワクチン同盟」ギャビー（Gavi）を創設した。

われわれはすでに「大流行」という実現目標の全主要推進者と彼の財政上のつながり（多くはギャビーを通じて）を把握した。そこにはインペリアル・カレッジのニール・ファーガソンやクリス・ウィッティ、アンソニー・ファウチ、デボラ・バークスが含まれる。そのゲイツ財団から出ているクモの巣はとてつもなく広く、ロックフェラーが創設し、米国政府に次ぐ2番目に大きな出資者であることを通じた世界保健機関（ＷＨＯ）の支配を含む。もし、トランプがＷＨＯへの資金提供を削減するという自身の脅しを実行すれば、ゲイツは一番目になる。

ＷＨＯのテドロス・アダノム・ゲブレイェソス事務局長の口から出てくるいかなるものもゲイツが言っていることであり、ＷＨＯは偽「ウイルス」への世界規模の対応を命じる権力になっている。テドロスは事務局長に指名される前、ゲイツの出資する「世界エイズ・結核・マラリア対策基金」（略称・世界基金（グローバルファンド））の理事長で、ゲイツが出資するギャビーともう一つのゲイツ出資の機関の理事を務めていた。ゲイツは彼を所有している。同時に、フェイスブックやユーチューブ、グーグルのようなカルトの偽装出先機関は各出来事について世界保健機関（ＷＨＯ）の説明と対立するいかなる情報も、検閲または格下げする方針を取ってきた（そのために、私はフェイスブックとユーチューブから削除された）。

インターネットがどのように機能しているかが分かると思うし、これらカルトの工作員と使い走りの一団は、自らの行為と人道に対する罪の結果、終身刑に直面し、彼らのお金は無慈悲に生計を破壊された人たちに分配される必要がある。世界人口に対する慈悲と共感の欠如を見ると、彼らは全員サイコパスなだけではなく、超サイコパスに映る。しかし、その際、もし彼らがカルトの内情に通じた地位で働いていたら当然、そうなっただろう、それは必然だ。

計略を知る誰もがあきれたもう一つは、ゲイツのかみさん、メリンダ――何が進行しているかよく知っているだろう――がＣＮＮで「もうすぐアフリカでは路上に死体が並ぶだろう」と宣告したときである。アフリカはこの時点まで、アメリカ大陸に比べればほんのわずかの範囲しか影響を受けていなかったが、ゲイツ夫人はそうでないと分かっていた。彼女は、人数が少ない理由は検査（多くの人に見つかる遺伝物質を対象にする）の欠如であり、検査を拡大すれば、患者の数も拡大するだろう（まさに、それがこの検査全体の欺（あざむ）き）と述べた。

彼女のアフリカの予言を受け、ゲイツが所有する世界保健機関（ＷＨＯ）とカルトが所有する国連は、アフリカでの「新型コロナウイルス」による死者が最大３３０万人に上る可能性があり、

「大流行」の「中心地」になる可能性があると宣言した。そして、「大流行」はゲイツが所有するＷＨＯによってその最初の場所で宣言された。

　これを止める方法はないの、ねえ？　はい、あります。都市封鎖と社会的距離の確保です。西側諸国でしでかされた同じ詐欺が、今度はアフリカに投げ捨てられた。そこではゲイツの「予防接種計画」が貧しい子供を「実験」のため食い物にする。

誰のＷＨＯ（紳士録＝フーズフー）（世界保健機関）？　えーと、ビル・ゲイツ

　世界保健機関（ＷＨＯ）は非常に腐敗しており、第2次世界大戦後、ロックフェラー家とロスチャイルド家によって創設されて以来、ずっとそうだった。ＷＨＯは２０２０年3月、「新型コロナウイルス」を「世界的大流行」と宣言した。初日からずっとそうなる予定であるかのように、ゲイツは支配権を買うために数億ドル以上を譲り渡し、同様に米国疾病予防管理センター（ＣＤＣ）に数百万ドルを注いだ。ＣＤＣは米国内の「ウイルス」政策を指示し、移動する人は（しなくても）誰でも、証拠なしに「新型コロナウイルス」と診断するよう医師たちに命じている。

　そのＣＤＣは巨大製薬企業や医療保険会社、その他医療関連産業から資金提供を受けている。一方、ＷＨＯの財源もまた、世界の主要製薬企業から来ている。彼らとゲイツは一緒にＷＨＯを、世界住民のためでなく、カルトの実現目標のために経営している。結果として、この優生学思想の信奉者（ウィリアム・ヘンリー・ゲイツ）

の息子でマイクロソフトのテクノクラートは、「世界で最も有力な医師」と呼ばれてきて、自ら「保健の専門家」と名乗る。実のところ、ゲイツは私にとって少しも聡明（そうめい）であるとの印象はない。しかし、ただの表看板だから、あなたがそう思う必要もない。

ＷＨＯは世界貿易機関を含む多くのカルト作戦の本拠地、スイスのジュネーブに拠点を置く。ジュネーブは5Gが一時的に猶予されていると報じられている。ＷＨＯは国連の別働機関で現在、暴虐的なティグレ人民解放戦線（ＴＰＬＦ）の政治局メンバーであるテドロス・アダノム・ゲブレイエソスが率いる。ＴＰＬＦは数十年間にわたり、エチオピアの抑圧的なマルクス主義政府の一部であり続けている。それは市民に対する虐待で、人権団体によって広く非難されてきた。

汚職と資金の不正流用に関する多くの申し立ての中、公式の「ウイルス」の説明を提供するカルトの世界保健機関を率いるテドロスがここから現れた。テドロスはエチオピアの保健相だった間、コレラ流行を3度隠していたことが暴露された。ジュネーブに着任すると、大量虐殺したジンバブエの独裁者、ロバート・ムガベをＷＨＯの公衆衛生のための親善大使に任命した。ただし、当然ながら、彼が殺した人たちの健康のためではなく、権力にとどまるためだった。この任命はあまりに無法だったため、テドロスはすぐに撤回を強いられた。

テドロスはＷＨＯの事務局長に最もふさわしくない人間の1人だが、また彼は世界人類に奉仕するためにそこにいるのではない。彼は自分の任命を保証してくれ、ＷＨＯを創設した者――カルト――の利益に奉仕するためにそこにいる。テドロスの任命がビル・ゲイツの承認なしに行われたと考える人はいるか？　テドロスは中国と親しく、都市封鎖と社会的距離の確保を実施するために働いた。中国でのその効果を賞賛することによって、西側諸国における対策のひな形をつくるためである。

中国共産党とテドロスが同じ政策を共有するときのことも予期すべきだと思う。ゲイツの実現目標でないものは何もＷＨＯの高官によって発言されないし、テドロスの口からも出てこない。そして、そのソフトウェアのサイコパスも、この点を強調するためだけに現れて中国賛美をした。「中国は最初から多くのことをした」。その通り。彼らは厳格な都市封鎖をやった。それは初めから西洋に送り込むために計画されたものである。

ＷＨＯの運営は人類の健康に関してカルトが差配する茶番劇なのに、ゲイツはＷＨＯの支配領域を「驚異的」と表現した。その同類として区分される集団には、米国疾病予防管理センター（ＣＤＣ）の支配層を含めるべきである。ＣＤＣは世界保健機関と同様に、ビル・ゲイツや巨大製薬企業、幅広いカルトによって所有されている。

ゲイツと「ダボス」の暴力団――その「予言」

メリンダ・ゲイツはＢＢＣラジオ（ゲイツはＢＢＣに数百万ドル寄付してきた）で、自分の夫がコロナウイルス流行のため「何年も前から準備してきた」と発言した。まあ、確かに準備したのだろう。ゲイツは2015年、『テッドトークショー』に出て、多くの人々を殺し、世界経済を壊滅させる世界的大流行が起きると予言していた。その男は、現代のイザヤ〔訳注：旧約聖書に登場する紀元前8世紀の預言者〕である。

その後、中国で「感染の発生」が大衆の耳目を集める6週間前、**コロナウイルス**大流行の「模擬実験」が1％の「ダボス」世界経済フォーラム（WEF）やビル＆メリンダ・ゲイツ財団、ジョンズ・ホプキンス大学健康安全保障センターによって催された（図384）。これはイベント201と呼ばれ、主要銀行や国連、ジョンソン＆ジョンソン、中国や米国疾病予防管理センター（CDC）の職員も参加した。私が引用した米国人科学者が言ったことを思い出してほしい。「もし、完全にうその大流行に関して完全にうその恐怖を創りたいなら、コロナウイルスを使え」。

ジョンズ・ホプキンス大学健康安全保障センターは2018年、クレイドXと呼ばれる独自の「大流行」模擬実験を実施した。うその「大流行」が始まって以来、同じジョンズ・ホプキンス大学の作戦本部は、世界中のメディアが絶えず疑問も持たずに繰り返す「新型コロナウイルス」の患者と死亡者に関する全てのまやかしの数字を編集してきた。ネットワークの偽装出先機関であるジョンズ・ホプキンス大学は、絶対に巨額の資金を受け取っている……ビル・ゲイツと巨大製薬企業から。

報道の問題がそのゲイツの模擬実験と議論に挿入されたが、そこには大衆に伝えられる公的方針に疑義を呈する報道への検閲が含まれた。これらは全て、偽の「コロナウイルス発生」がニュースをにぎわしてから数週間以内に起こると思われていた。実際、「反ワクチン運動はコロナウイルスとの闘いを狂わせる可能性　専門家が警告」というような見出しが現れた。その見出しは『インデペンデント』紙（もちろん独立紙だろう?）にあった。

カルトが所有するマーク・ザッカーバーグは２０２０年3月、フェイスブックはゲイツの世界保健機関の広告を無料にし、コロナウイルスに関する「誤情報」（公式のカルトの見解に異議を唱えたり疑問を呈したものは何でも）との闘いで「虚偽の主張と陰謀論」を削除すると発表した。カルトが支配するフェイスブック上でコロナウイルス情報を探す利用者は、検索結果の上段に、彼らを公式見解に誘導するポップアップ画面を見るのが常である。「私たちは誰もが信頼できる正確な情報に必ず触れることができるようにすることに重点を置いている」と、半ズボンにTシャツの小さな男の子は言った。彼はいつものことながら、「信頼できて正確」と公式説明を同一視していた。

彼は後に、たとえフェイスブックの削除した新型コロナウイルスに関する「誤情報」に利用者が「いいねと反応するか、コメントした」場合でも、同社は彼らに警告するだろうと述べた。この異常な詐欺師は以前、フェイスブックはワクチンの安全性について疑問を抱く人を周辺へ追いやることに組織的に着手すると述べた。ザッカーバーグは絶対に投獄されるべきである。なぜなら、彼は自分がしていること、それが全てゲイツの「模擬実験」イベント２０１に従っていることを知っているからである。

カルトが支配するグーグルやツイッター、アップルは当然、同様のコロナウイルス検閲に従事し

図384：偽「大流行（パンデミック）」が大衆の耳目を集める６週間前、「コロナウイルス大流行」の模擬演習をしているイベント201でのビル・ゲイツと１％の予言者たち。

ている。そして、グーグルが所有するユーチューブは表明した。

われわれの自動化した装置は内容を審査する数人とともに、ユーチューブの安全を守るために介入する。この期間中、通常より多くの動画が削除されるだろう。それにはコミュニティ　ガイドラインに違反しない内容も含まれる。

私の脳内オーウェル語翻訳班を経由すれば、これが意味するところは、そのカルトウイルスの公式版の説明に異議を唱える可能性のある全ての情報を標的にするよう、ＡＩアルゴリズムに符号化していること。これが導いている場所――中国化する西洋――はエリートが所有する『アトランティック』誌上の2人の学者による記事で促進されていた。すなわち、ハーバード大学法科大学院のジャック・ゴールドスミス教授と、アリゾナ大学のアンドリュー・キーン・ウッズ教授である。見出しが全てを物語る。「ネット上の言論はノーマルには戻らないだろう――自由対世界規模の監視網をめぐる論争で中国はほぼ正しく、米国は誤りだった」

傑作だ。ユーチューブやヴィメオ（Vimeo）、フェイスブックは全て、「新型コロナウイルス」が存在する証拠がないことを暴いた『ロンドンリアル』での私のインタビューを削除した。ユーチューブの使い走り、スーザン・ウォシッキーはその後、私の全ての主題のユーチューブ動画の収益化を止め（その後、完全に削除した）、ヴィメオは「Ickonic」チャンネルにある七百数十本の動画を削除した。これは、他の哀れな言い訳の中でも、ワクチンの安全性について疑問を呈しているものがあったためである。

「Ickonic」は数日以内に自前の再生装置によって復元され、禁止されたインタビューはこれらデジタル幼稚園の外で一般の人々によって広範に流通させられた。さらにスペイン語やイタリア語などを含む多言語に翻訳された。これは、諦(あきら)めず、被害者ぶらなければ、可能なことである。ちなみに、ユーチューブとウォシッキーによれば、私のインタビューはこれを機に新たに導入された規則の一部として禁止された……。

> ……ＷＨＯや地方の保健当局によって説明されるように、新型コロナウイルスの存在または伝染について論争するいかなる内容もユーチューブの方針に違反する。これには、その症状が５Ｇによって引き起こされると主張する陰謀論も含まれる。

これを少しでも食らえば、独裁主義のにおいがする。ＷＨＯの説明はゲイツの説明であり、カルトの説明であり、カルトが所有するユーチューブによって反論から守られる。黄金律――もし、ユーチューブが何かあるいは誰かを売り出していたら、カルトはそれらを売り込みたいのであり、もしユーチューブがそれらを削除しているなら、カルトはそれらを消したいのだ。

われわれは、外部の情報源によって作られた「新型コロナウイルス」の別の動画を投稿したことで、ツイッターのアカウントが一時的に凍結された。さらに超シオニストの億万長者、ポール・シンガーが同社を支配した場合の検閲がどうなるかを考える。

こうしたこと全てに加え、英国陸軍の秘密第77旅団が「オンライン上のコロナウイルスの偽情報に反撃すること」に関与しているという英国の統合参謀総長、ニック・カーター大将の告白がある。この部隊は2015年、「死に至らない」形の**心理戦争**を専門とし、ソーシャルメディアを使って「情報化時代に戦う」ために創設された。

カーターによれば、第77旅団は大流行に関するネット上の「誤った情報」に取り組んできた。兵員2000人の英国陸軍の部隊は、政府の説明やゲイツが所有する世界保健機関の説明と対立する意見を激しく非難することによって、英国民の知覚を操作しようと努めている。

このようにして、急速に現れた独裁主義が機能している。偽の「大流行」は実際、集合的な人間精神に対する世界規模の心理戦争である。ゲイツと世界経済フォーラムのイベント201「予行演習」での議論は、現実に起ころうとしていることの前触れだった。だから、それを偶然の一致と考える人は皆、現実を大量にダウンロードする必要がある。

ビル・ゲイツの父親、ウィリアム・ヘンリー・ゲイツ・シニアはロックフェラーが設立した家族計画協会（内部の「預言者」、リチャード・デイ博士とつながる）の理事を務めた。同協会は優生学運動の中で誕生した。ゲイツ少年は18、19世紀の聖職者、トマス・マルサスの優生学理論を「かつて」信じていたことを認めている。

ゲイツ財団は「ウイルスと闘う」ために1億ドルの寄付を約束し、米国を「コロナウイルス」が襲った際、ゲイツ財団の資金提供した事業が患者向けの家庭用検査キットを製造していたと、『シアトルタイムズ』は報じた。ゲイツ財団の職員によれば、陽性の結果は後で人々の移動を追跡する「保健当局」と共有される。その検査はＤＮＡ試料の採取と、ＤＮＡデータベースへの新たな追加を伴う（全ての「検査」がこれを行っている）。

ゲイツは「ワクチン」にも資金提供しているが、これについては程なく触れる。ビリー少年〔訳注：童謡の曲名、避妊具の商品名〕は２０２０年3月中旬、「慈善活動にさらに多くの時間を使い」、世界的な保健や開発、教育、気候変動に取り組む——全てのカルトが尽力する——ため、共同設立したマイクロソフトの取締役を辞任した。言うまでもなく、このタイミングがコトの真相を教えている。

ロックフェラーの予言

私がさらに警戒したのは、２０１０年にロックフェラー財団が作成した『科学技術と国際発展の未来のためのシナリオ』と題する文書である。そこには、7カ月間で世界人口の20%を感染させ、８００万人を殺す非常に猛毒で致死性のインフルエンザ株の架空の大流行（パンデミック）への対応が含まれている。

悪名高い１%のロックフェラー財団によって予想され、ゲイツ財団の思い付きでもあるこのシナリオは、従業員と客の両方がいない状態が何カ月も続く空の店舗と事業所が、経済に「致命的な影響」をもたらしたというもの。この文書は「危機と曝露から市民を守る」ため、西側諸国に全体主義がどのように導入されたかを描写している。

大流行の間、世界中の国家指導者たちは自分たちの権限を変更し、鉄道駅やスーパーのような共用空間の入り口で、強制的なマスク着用から体温検査に至るまでの、隙のない規則と制限を課した。大流行が終息した後でさえ、この権威主義的統制や市民とその活動への監視はそのままで、むしろ強められた。ますます増える地球規模の問題——大流行や越境テロから、環境危機や貧困拡大まで——の広がりから自分たちを守るため、世界の指導者たちは権力の掌握をより強固にする。

第一に、もっと制御された世界をとの考えは、広く受け入れられるようになり、是認された。市民たちは安全と安定の増大と引き換えに、より家父長的な国家を求め、進んで自らの主権——とプライバシー——を放棄した。市民たちは上意下達の命令と監視に寛容であり、むしろ熱望するようになった。そして、国家指導者たちは自分たちが適切と思う方法で、秩序を課す自由裁量を拡大した。

先進国では、この強化された監視は多様な形を採る。例えば、全市民への生体認証IDや、安定性が国益に不可欠と見なされている基幹産業の一層厳格な規制である。多くの先進国では、新しい規制と協定に合わせた強制的連携が、秩序と重要な経済成長の両方を、ゆっくりだが着実に回復させた。

2020年3月中旬まで、中国の新規感染者数は、世界の残りの国々でそれが増加するのとちょうど逆に、減っていたと報告された。そして、ロックフェラー財団の『シナリオ』文書が予言していたように、中国はその権威主義的な非民主主義体制によって可能になった強権的対処が賞賛され始めた。

『フォーブス』誌の見出しはつづった。「米国にとって、中国と韓国から学ばなければならないコロナウイルスの教訓」。これは中国の都市封鎖が対応の青写真と見なされるための、あらかじめ計画された知覚上の準備だった。実際には、偽の検査と死因記録が後に続く患者数と死亡者数を決めるが、全ては、カルトが支配する中国と他の国々のカルトネットワークが画策した八百長だった。

2010年のロックフェラーの「予言」文書は、次のように述べている。

しかし、幾つかの国々は実によくやった。中国は特別に。中国政府の全市民に対する強制隔離の素早い強制と執行、および全ての国境の即時的で密封に近い閉鎖は、数百万人の命を救い、他の国々よりはるかに早くそのウイルスの拡大を止め、大流行後の迅速な回復を可能にした。『フォーブス』誌の2020年にあった記事は、中国の対応について「……これらの措置は、何百万もの人が病気になるのを防いだ」と述べている。2011年の映画『コンテイジョン』も別の驚くべきハリウッドの予言で、後に起こる「新型コロナウイルス」の事件を先取りした。これは物語の要約で、初めにコウモリがやり玉に挙がる。

香港［中国］出張から戻った直後、ベス・エムホフはインフルエンザか何か他の種類の感染で亡くなった。彼女の幼い息子は同じ日、遅くに亡くなる。しかし、彼女の夫、ミッチは免疫があるようだ。このようにして致死的な感染の拡大が始まる。米国疾病予防管理センター（CDC）の医師と管理者の誰もがこの新しい感染の程度と深刻さに気付くまで、数日が流れた。

彼らはまず、問題のウイルスの型を特定し、次にそれを撲滅する手段を見つけなければならない。この過程には数カ月かかりそうだ。伝染が世界中で数百万人に広がるころ、人々がパニックを起こすにつれ社会的秩序は崩壊し始める。

この映画の別の描写は語る。

回想すると、ベスが中国で感染する数日前、ブルドーザーが木をなぎ倒し、何匹かのコウモリが目を覚ます。一匹が豚小屋の上を飛び、バナナのかけらを落とす。それはブタに食べられる。そのブタはと畜され、料理人に調理される。彼はカジノでベスと握手を交わす。ウイルスは彼女に伝染し、彼女は最初の患者となる。

何がその日の出来事を救う？　まあ、まあ、ワクチンがある。米国疾病予防管理センターは、誰がワクチンを打つか誕生日で選ぶ。そうだ、そうだ。それで、「陰謀論者」は悪魔扱いされた〔訳注：作品では、陰謀論者がレンギョウに由来するホメオパシーが有効と紹介するが、後に詐欺行為だったことが発覚する〕。ここに、さらにもう一つのハリウッドの専制プログラムがある。だから、本当の架空のコロナウイルスの「発生」の直前に「架空の」コロナウイルスに関して開催したイベント２０１とともに、１％が大流行の道筋を描いた二つの表現があることになる。

ゲイツのワクチン

ビル・ゲイツは「大流行」詐欺における無問題－反応－解決のオチに関して、巧妙でさえなかったが、そうである必要もないと思う。数十億もの人々が疑問もなく公式説明を信じ、自分たちがどのように投げ縄で捕らえられ、刻印を押されようとしているかの全体像について何も分からずに来たからである。

彼とカルトを数十年追跡してきたわれわれのような者には、彼は明け透けだ。中国人が武漢の病気について「ウイルス」以外の原因の可能性を考えなかったのと同じように、ゲイツは都市封鎖（ロックダウン）や隔離、ワクチン以外のいかなる対応も考えなかった。彼は即座にワクチンの必要性を語り、自身の資金提供した多数の情報源を通じ、「それを見つける」ため数億ドルの拠出を誓った。

ゲイツは偽「大流行」がまだ始まる前から、現存する人類全員にワクチンを注射したがっていたと、私は最初から言ってきた。「人類を救う」ワクチン開発のための資金提供と取り組みは全て、人々を屈服させて接種を懇願させるためのさらなる心理学的なたわ言である。予防接種の開始が予定される直前に「ウイルス」の「新しい波」に引き続いて、それが「準備」される時までの。

普通に開発を続けて臨床を行うまで数年かかるのに、そのワクチンは数カ月で用意できると伝えられる。どうしてこれが可能なのか？　すでに存在しているからである。そんなに早くワクチンを「発見」して、たくさんの人に集団予防接種を始めることはできない。あるいは、懐疑的でない人ですら、どうしてそんなに早くこれが行えるのか尋ねるかもしれない。少し遅らす必要があったが、彼らはできるだけ短くしようとした。

米国のテレビ司会者で唯一、知的で勇気ある関連質問をするタッカー・カールソンは、「コロナウイルス」ワクチンについて非常に重要な指摘をした。

> 科学者はコロナウイルスに対して、定評あるワクチンや抗ウイルス薬を一つも作り出したことがない……サーズウイルスのワクチンを見つけるため、数百万ドルと10年以上の歳月を費やした。科学者たちは決してそれを開発しなかった。

その通り。だが、「新型コロナ」ウイルスが存在せず、うその診断と死亡診断書を通じて数字を修正することによってその幻想を創り出しているだけなら、ひとたびワクチンが導入された後、偽の診断と死亡診断書の方針を元に戻せば、ワクチンの中身が何だろうと効いたように見せることができる。

ソフトウェアを行商するサイコパス、ゲイツは全世界のワクチン政策を命令するために、自身を選挙で選ばれた政府の上に置いた。これはまさにテクノクラートの流儀だ。「世界全体として、ノーマルは全世界の住民がワクチン接種し終えたときのみ戻る」と、彼は明言した。ソフトウェアの行商人がそのような発言をするのを見て、その傲慢（ごうまん）さの規模が想像できるか。それは国際カルトとその工作員に広がる傲慢で自己陶酔的な精神病質性を垣間（かいま）見（み）たにすぎない。

カルトのゲイツの計画は予防接種を義務化することであり、それができない場合は、予防接種に同意しない限り、人々が元のいかなる生活様式に戻ることも阻止する。あなたは都市封鎖から抜け出したいか？　それなら、予防接種を受けるか、そのままでいよ。

こういうわけで、彼らはワクチンが製造されるまで、必死になって何らかの形で都市封鎖を続けている。これらの人々は、全くの悪魔。愛が欠けている。私は、ある「専門家」のこのような論評も見た。「老人はワクチンに対する免疫反応が弱い傾向にある」ので、老人は「2回注射針を突き刺す必要があるかもしれない」。

ゲイツがさらに要求するのは、ワクチン接種を受けた人は、科学技術が自身の身元を確証する信号を受信できるよう、刻印を入れなければならないこと。これで、私が先に強調したゲイツとギャビー［ワクチン同盟、Gavi］の「量子タトゥー」の本当の理由が分かるだろう。予防接種を受けた人と受けていない人を見分ける「タトゥー」の開発にゲイツがどのように資金提供しているか、私は説明した。その言い訳は発展途上国で予防接種した子供を特定するためだが、「タトゥー」が本当は何のためにあるかは明らかだ。全人類に「獣の刻印」を与えることである。

ゲイツはマサチューセッツ工科大学（ＭＩＴ）での研究に資金提供し、皮膚に埋め込んでスマートフォン《奴隷化誘導玩具》のカメラアプリで読み取る「目に見えない量子タトゥー」を創った。『サイエンス・アラート』(Sciencealert.com) は次のように報じた。

ワクチンに付随する見えない「タトゥー」は、赤外線の下で光る微小な量子の点——光を反射する小さな半導体水晶—で構成される型で、その型（とワクチン）は、ポリマー《重合体》と砂糖の混合体でできた高技術の分解性マイクロニードル《極小の針》を使って、皮膚に送り込まれる。

さらに、ゲイツのタイミングは、彼が予言した「大流行」と同時に起こるほど完璧だった。そのゲイツの「タトゥー」は、全員にデジタル式の身分証明を課したがっているＩＤ２０２０「同盟」と関連している。この同盟は人類の伝説的な博愛主義者であるマイクロソフトとゲイツ、ロックフェラー財団、アクセンチュア社、IDEO.org（アイディオ・ドット・オルグ）で構成される。これに、心拍数や体温、社会的距離を追跡するため顔認証カメラの製造者たちによって「開発された」（すでに開発されていた）科学技術が加わる。これは一つの説明だ。

ＶＳＢＬＴＹ社の顔認証と結合したフォトンＸの物体認承と解析は、建物に入ろうとしている高温の人を識別し、確証するための高度な審査装置を施設に提供するだろう。発熱やせき、呼吸困難は新型コロナウイルスに一般的な症状である。

複数になるかもしれないゲイツのワクチンには、さらなる都市封鎖の波のための他の病気や、不妊にする薬剤、恐らく、アメリカ新世紀プロジェクトの言葉を使えば「特定の遺伝子タイプを標的にする」何かが含まれるだろう。重大なのは、人類をスマートグリッド（地球丸ごと監獄化）（次世代送電網）に接続し、人間のＤＮＡと遺伝的特質を合成生物機械に変換するためのナノ技術によるマイクロチップまたは「スマートダスト（ホコリ状極小電子粒子）」が存在することである。ゲイツやカルトの中心部にいる他の人々はすでに生物的AIだと私が言うのはこれである。

ロックフェラーの内部者（インサイダー）、リチャード・デイ博士は1969年、ピッツバーグの小児科医たちに、予防接種プログラムで病気を接種する計画について話した。それは長い間行われており、非常に多くの子供たちが病気になる一つの理由になっている。都市封鎖が本格化し、ビル・ゲイツが自分のワクチンについて急に前面に出る前、これらを主題にした『ロンドンリアル』の私の最初のインタビューで、私は「新型コロナウイルス」ワクチンに含まれると信じているナノ技術について説明した。

数週間後、私は米国連邦緊急事態管理庁（FEMA）の元職員、セレステ・ソルムのインタビュー動画を見た。私が1990年代中盤から自著で広範に暴いてきた機関である。FEMAはカルトの百パーセント偽装出先機関で、ひとたび国家非常事態が宣言されたら、米国社会全般に対して途方もない権限を与えられる。これは2020年3月13日、ドナルド・トランプが行ったものだ。大流行の計画を含め、FEMAで数々の役割に従事したセレステ・ソルムは自身のインタビューで、偽の大流行はナノチップかセンサーを含むワクチン接種を強制するよう設計されたと述べている。

世界中の誰もが「新型コロナウイルス」の検査をしなければならなくなれば、私が説明してきた理由で、膨大な人数が陽性になるだろう。ソルムによれば、この本当の目的は「大量のDNAを刈り取ること」である。「彼らは巨大なスーパーコンピューターの中にわれわれ全員のDNAが欲しい」。一連のワクチン接種が計画されている——1回だけでなく——が、これには中絶した胎児の細胞や、10年間かけて開発された「ダーパ（DARPA・米国防高等研究計画局）のハイドロゲルセンサー」と彼女が呼ぶものが含まれる。

　これは「ゼラチン状」のナノ粒子から成り、1度注射されると「組み立て始める」。ソルムは私が先にスマートダストについて詳述した（訳注：第④巻12、14章）ことを説明している。それは体内で自己複製し、システムを組み立て、体の性質を人間から機械の形へ変換することができる。彼女によれば、ナノ粒子は細胞と融合し、体と一つになる。

「あなたは人工知能やモノのインターネットと一体になる」とソルムは述べた。「あなたは自身のコンピューターインターフェイス（接続面）になり……あなたが何と言おうとハチの巣、つまり支配体制と一体になる」。これはまさに、私が長い間著書の中で警告してきたことである。

　ソルムによれば、病気になったことに本人が気付く前でさえ、病気であることを当局に警告するという理由で、人々はこの「センサー」ワクチンの接種を受けることを余儀なくされるだろう。これがゲイツの予防接種の本当の理由で、彼はそれをよく知っている。そういうわけで彼は超サイコパスであり、残りの人生を刑務所で過ごすべきである。

　彼がテレビインタビューで、世界規模の「新型コロナウイルス」ワクチン接種（とその他）によって70万人が被害を受ける可能性があり、各国政府はワクチン製造者の免責を保証することに同意しなければならないだろうと述べたとき、さらに裏付けられた。その一文に、ビル・ゲイツの人格が象徴されている（図385）。

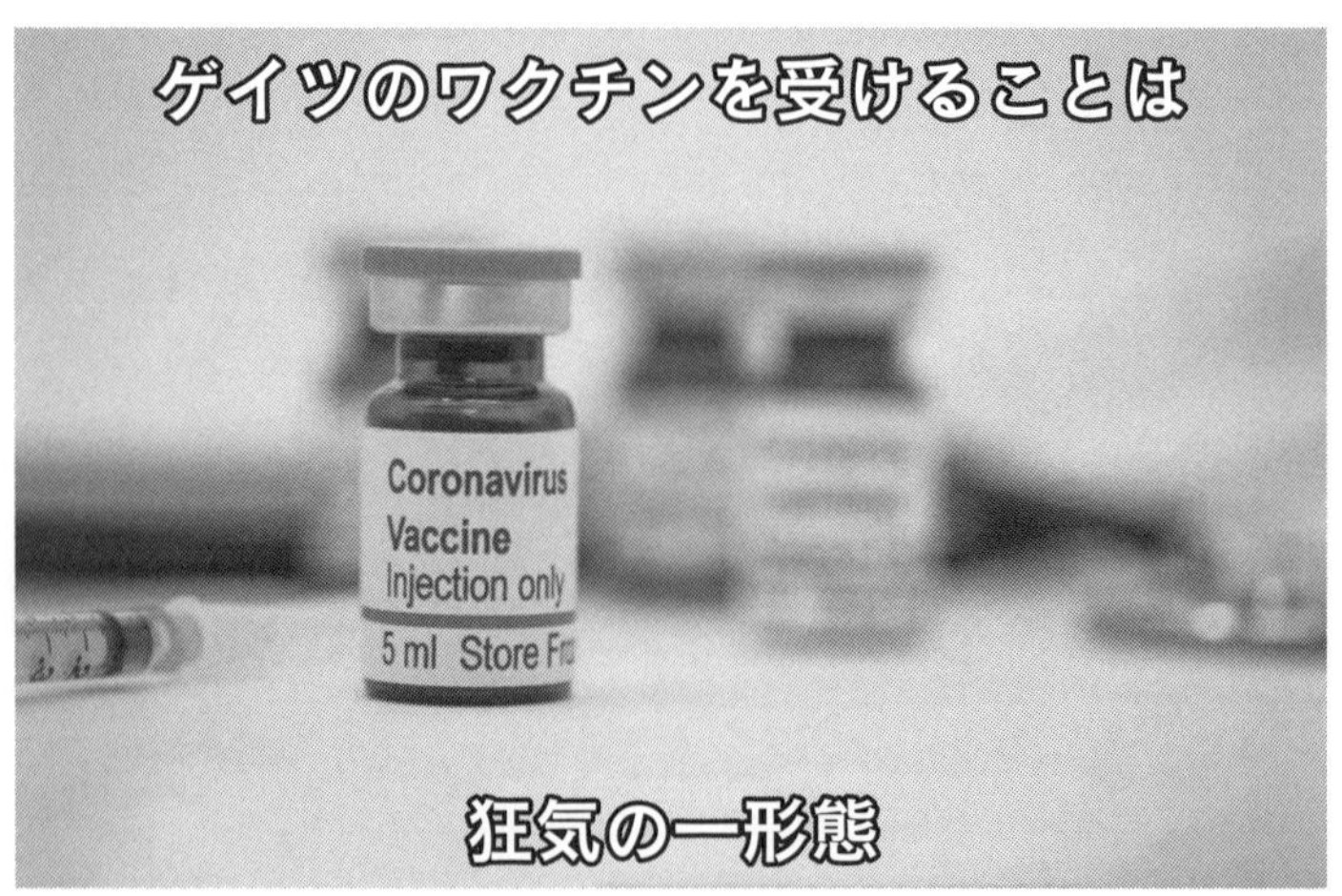

図385：まさにその通り。

ゲイツワクチンのもう一つの重大な側面は、カルトが必死に導入しようとしている、DNA免疫法または遺伝子による免疫法と呼ばれる新しいワクチン接種の技法が出現していることである。これは「DNAをハッキングする」と表現されてきた。それは手袋のように適合するので、これから目を離さないことが肝心だ。DNAワクチンは動物に使われているが、まだ人間には使われていない。

それらは「プラスミド」を注射する。これは「宿主の染色体DNAから独立して自己複製する、細菌の中に主に見られる小さな円形のDNAの破片」と定義され、体に入ると、それらは**独立して自己複製する**ことに注意してほしい。ワクチン内のプラスミドは遺伝子操作されているため、「合成DNAワクチン」という用語が使われている。それらは「ウイルス感染」を「模倣している」と描写される。

ロバート・F・ケネディ・ジュニアによるゲイツワクチン恐怖物語

私は先に、暗殺された米国司法長官ロバート・F・ケネディの息子で、元米国大統領ジョン・F・ケネディのおいロバート・F・ケネディ・ジュニアがワクチン接種の健康への影響について頻繁に声高に反対論を述べてきたことに言及した。彼の父親とJFKは1960年代、今回の偽「大流行」の背後にいる同じカルトのスパイ(課報員)によって殺された。

ゲイツによれば、トランプは2017年、ワクチンの安全性について諮問する座長に「私がロバート・ケネディ・ジュニアだと思っている人」（その尊大さ）を検討していると彼に話したという。そのソフトウェアのサイコパスは、トランプに「駄目です。それは行き詰まる。悪いことになるでしょう。やめてください」と伝えたという。世界中の全員が「新型コロナウイルス」ワクチンの接種を受けなければならないとビル・ゲイツが要求する中で、ロバート・ケネディ・ジュニアは控えめな言い方をしなかった。ケネディは次のように述べている。

> ビル・ゲイツにとってワクチンは、自身の多くのワクチン関連ビジネス（世界のワクチンID企業を支配したいマイクロソフトの野望を含む）を潤す戦略的慈善事業であり、世界の保健政策――企業による新帝国主義の槍の穂先――について独裁的な支配権を彼に与える。

ケネディは、ゲイツのワクチン計画による数十万の子供たちに対する悲惨な影響を強調し続けてきた。彼によれば、ゲイツのポリオワクチン運動は2000年から2017年の間、インドで49万6000人の子供たちを麻痺させた。これとは別に、ゲイツは1200人の少女に自己免疫疾患と生殖障害を被らせ、そのうち7人が死亡する悲劇を起こしている。ケネディによれば、彼女たちはグラクソ・スミスクライン（GSK）やメルク〔訳注：ドイツの化学・医薬品メーカー〕と同盟したゲイツのプログラムによってインドの辺ぴな村々からやって来て予防接種を受けた、2万300

0人の少女の一部だった。

これが、「反ワクチン運動に従事する人々は子供たちを殺している」と言った同じ恥知らずのゲイツである。少女たちに圧力をかけて実験への参加を迫り、親たちを脅し、同意書を偽造し、その影響への医療処置を拒否するといった非倫理的慣行を採用しているとして、ケネディはゲイツの組織を非難した。彼はインド最高裁判所での訴訟から引用していた。

ポリオ（急性灰白髄炎）は、ポリオウイルス感染症や小児麻痺としても知られるが、ワクチン詐欺の完璧（かんぺき）な例である。ポリオ麻痺は、ヒ酸塩が殺虫剤として広く散布され始め、その農産物が消費されたときに始まった。ヒ酸塩の噴霧は1892年に始まり、最初の米国のポリオ「大流行」は1894年、バーモント州で発生した。しかし、巨大製薬企業カルテル（ロックフェラー家によって創られた）は、ポリオは……「人から人へ広がり、人の脊髄（せきずい）に感染することができる」**ポリオウイルス**によって引き起こされると宣言した。

ポリオは、もう一つの破壊的毒素、DDTの導入とともに特に第2次世界大戦後、1970年代と1980年代に事実上、世界的に禁止されるまで続いた。ヒ酸塩とDDTの両方が脳と神経組織を毒し、ポリオ麻痺を引き起こす。DDTの使用が減少し、その後禁止されると、予想通り、ポリオ患者は急減した。この間に、巨大製薬企業はポリオワクチンを導入し、これが病気を減らしたと信じられた。

「ワクチンが根絶した」病気は、ワクチンが導入される前に減少していた。ワクチンがなかった猩（しょう）

紅熱（こうねつ）のような病気も、同じように減少した。アンドリュー・カウフマン医師は述べている。「ワクチンが病気を防いできたという証拠を実際に遡（さかのぼ）って探しても、それを見つけることはできない」。今日、ポリオはゲイツお気に入りの**ポリオワクチン**によって圧倒的に引き起こされている。ロバート・ケネディ・ジュニアは、次のように書く。

> ２０１７年、世界保健機関（ＷＨＯ）はポリオの世界的爆発は、広がったワクチン株であることをしぶしぶ認めた。コンゴやアフガニスタン、フィリピンでの驚異的流行は、全てワクチンと関係する。事実、２０１８年まで、世界のポリオ症例の70%はワクチン株だった。

世界保健機関は２０１４年、詐欺によってケニアで数百万人の女性を不妊にしたと告訴された。その証拠は、関与したワクチンの中身によって確認された。ＷＨＯは10年以上にわたってそのワクチンプログラムに関わったことを認めた。同様の告訴がタンザニアやニカラグア、メキシコ、フィリピンを含む他の国々によって起こされている。

これがゲイツによって支配されている機関であり、単に「大流行」を宣言し、推進するだけでなく、ザッカーバーグのフェイスブックやウォシッキーのユーチューブ、シリコンバレー、一般の主流派メディアによって暴露から守られている。ゲイツ財団は資金提供や共通の実現目標を通じ、20の製薬大手や研究所と連携している。彼は国連児童基金（ＵＮＩＣＥＦ（ユニセフ））やギャビー、他の集団の政策を指揮し、それらを使ってワクチン計画を推進し、政策への反対者を抑圧していることで非難されている。

ロバート・ケネディ・ジュニアは自身の矛先を、ゲイツとつながったトランプの「大流行顧問」のアンソニー・ファウチ博士にも向けた。彼によれば、ファウチは「米国の全世代を毒殺した」。彼は、ファウチの連邦政府での数十年の職歴における「詐欺と隠蔽（いんぺい）の膨大な遺産」を非難した。その間、ファウチは「職場の専制君主として活動し、誠実に働いてきた数え切れない医師や研究者たちのキャリアを破滅させた」。

少なくとも一例は、米国の血液供給がいかに致死的な病原菌に感染しているかを暴こうとしていた内部告発者を標的にしたこと、とケネディは述べた。彼によれば、ファウチはその医師のキャリアを台無しにし、その証拠を隠した。ケネディは、ファウチが自身の地位を使ってうまみのあるワクチン特許を獲得したと主張した。序列上、彼の下にいる医師や研究者たちは画期的な科学技術を開発した後、自らの業績の所有権をファウチが握れるようにするために追放された。

ケネディによれば、ファウチは非常に「多くのワクチン特許」を持っていて、そこにはワクチン物質を体全体に循環させるための特別なタンパク質シートの特許も含まれる。彼によれば、ファウチはこれを開発しておらず、それを創った後、解雇された他の人から盗んだ。

トニー［アンソニー］・ファウチは［この人を］解雇し、どういうわけか、その特許を所有することになった。そして、その特許は現在……そのコロナウイルスのワクチンを作るために使われている……その会社はトニー・ファウチの代理店と50／50で分け合っている……従ってファウチの代理人は、そのワクチンの半分の使用料を徴収するだろう。その代理店が徴収できる金額に制限はない。

ケネディによれば、ファウチの米国国立アレルギー・感染症研究所（NIAID）と米国疾病予防管理センター（CDC）は、実際には巨大製薬企業の子会社である。これらのいわば連邦機関は巨大製薬企業と一緒に働いているのを隠し、病気や死んでいく人々の背後で莫大な利益を生み出している。

最大の死亡原因――都市封鎖

「ウイルス」から守るという名目でわれわれの最も基本的権利を放棄するよう言われているが、都市封鎖や中止された手術・診療による死亡者の数は記念碑的に増え、継続するだろう。都市封鎖による死亡者数は、不正に「新型コロナウイルス」のせいにしている捏造数字さえよりも、はるかに多いはずである。

高齢者が治療を拒否され、蘇生措置拒否の文書に署名するよう圧力をかけられている様子をすでに説明した。しかし、致命的な影響を被(こうむ)っているのは、高齢者だけでない。病院には数百の空き病床があり、医師や医療従事者はほとんどすることもない間、他の人々は診察も治療もされないことによって、がんや心疾患を含む多くの原因で死亡しただろう。これは英国でのがんに関する例である。世界中に多くの同じ状況があり、診断と治療の欠如による他の全ての死因がなくても、同様のがんに関する数字だけで驚くべきものになるだろう。

がんの専門家は4月末までに、英国で数千人ががんの診断を見送っていたと警告した。慈善団体の王立がん研究基金は、検診スクリーニングと紹介の減少が、毎週約2700人に上ると報告した。英ロンドン大学キングス・カレッジでがん対策と世界の健康問題を専門とする教授、リチャード・サリバンは、がんにかかるより「新型コロナウイルス」に対して大きな恐れがあると述べた。知覚プログラムの威力がいかほどかを証明する。

「数多くのサービスが規模を縮小しなければならなかった。われわれは緊急を要しないがん手術の回数が劇的に減るのを見てきた」とサリバンは述べている。「今後数年間に失われる命は、目覚ましい数になるだろう」と彼は続けた。「回避できる膨大な数の死亡」があったはずだ。

王立がん研究基金の政策事務局長、サラ・ウールノーによれば、がんが疑われる人のかかりつけ医による病院への緊急紹介の数が75%下落した。「保健」について何も知らない英国「保健」相のマット・ハンコックが、その「ウイルス」にさらされる危険があるため、大流行の間、一部のがん治療は継続を勧められないと言うなんて。

サリバン教授は、都市封鎖のもう一つの結果を指摘した。病院が完全に再開したときに、病院を圧倒するであろう巨大な人波と健康上の問題である。これはまさに、病院を殺到から守る（空っぽ）として都市封鎖が回避するはずだった状況である。逆だ。日光が「ウイルスを殺す」と言いながら、人々を太陽から遠ざけていることも含めて、どこを見ても逆だ。サリバンによれば、たとえ都市封鎖が4月最終週の時点で終わったとしても、医療サービスが元に戻るには1年かかる可能性がある。これらは、がん患者への影響だけである。全ての他の未処置の病気を加えれば、世界中の病院で未処理の仕事は法外な規模になったはずである。

もう一つのはっきり予測できた結果は、人々を自宅（大抵小さな）に数週間監禁することによる心理面での影響である。最後には彼らの雇用や商売は消え去り、お金がなくなったことを知ることになる。絶望と自暴自棄によって心身の健康が破綻し、希望の欠如と無意味な感覚を通して、自殺が増えることは確実だった。これはすでに、多くのイタリア人が最も長い都市封鎖で経験した心理的外傷として明らかになりつつある。

私は食品店の店員に、都市封鎖以降、人々の態度に何か変化に気付いたことがあったか尋ねた。彼らは確かに気付いていた。「みんなまるで、自分の葬式に行くように見える」とある人は話した。この現在進行中の影響は、多くの現象と結果をもたらすだろう。カルトが分かっているように。

その間、当のエリートは都市封鎖法を無視し、バラク・オバマ元米国大統領は政府のお抱え運転手によって40マイルをドライブし、空（から）のコースでゴルフを楽しんだ。一方、彼の妻、ミシェルはビデオを通じ、国民に自宅待機を呼び掛けていた。ボリス・ジョンソンの顧問（操縦者）ドミニク・カミングスは、ニール・ファーガソン教授がやったように都市封鎖法令を侮辱した（訳注：都市封鎖中に長距離移動し、野党から「侮辱だ」と批判された）。

「ハンガーゲーム（殺し合いの飢餓管理）」の大もうけ

そのワクチンはうその「大流行」が画策されてきた一面——重大ではあるが——にすぎない。この段階に至るまで私が著書に書いてきたことを想定すれば、他の幾つかの中心的理由は、数十億人を事実上の自宅軟禁下に置く人間生活に対する都市封鎖の影響を考えると、今や明らかである。カルトの長期的実現目標の要求が次々と満たされている（図３８６）。

私は２００８年のカルト主導のリーマンショック以来、もう一つのもっと強烈な緊急危機が計画されていて、さらに莫大な数の人々を「ハンガーゲーム」社会に送り込むとつづってきた。ついに、最高の舞台がやって来た（図３８７）。

これは都市封鎖の初日から定められた結果だった。数え切れない数の商売を再開しないようにして、所有者と従業員の両方が失業するのを確実にするため、全ては冷酷に計画された。数兆ドル規模の「緊急経済対策」が発動されたが、いつものように本当に必要とする人より超富裕層にはるかに恩恵をもたらした。銀行に数十億ドルを持つ非常に富裕な大学が公金の受け取り手であり、多く

図386：私が30年近く警告してきた全てが、１つのウイルスによってもたらされる可能性がある。絶好の機会？　もちろんそうだ。

図387：私が数十年にわたって暴露してきた「ハンガーゲーム」社会の実現目標は、偽「大流行」の間、信じられない速度で前進した。カルトが「大流行」をでっち上げたのは、これが理由だ。

の人々が破産に至る間、莫大な資金を提供されイスラエルに奉仕する検閲部隊の名誉毀損防止同盟（ＡＤＬ、米国最大のユダヤ人団体）でさえ、救済資金を要求した。

もしこれが続けば、各国は破綻に向かうだろう。でも、問題ない。都市封鎖は、カルトがこれまで追求してきた「新制度」へ道を開く経済的自殺の訓練として続けられた。公式発表でその「ウイルス」が中国の外に広がるにつれ、株式市場は原油価格とともに急落した。株価が下落するとカルトは事業や資源を二束三文で買い上げ、さらに大きな支配を手に入れる。

超シオニストの億万長者、ビル・アックマンはＣＮＢＣ〈訳注：ニュース通信社ダウ・ジョーンズと米国テレビＮＢＣが１９８９年に開局したニュース専門放送局〉で伝えた。ホワイトハウスが国を閉じなければ、米国は深刻な危機に瀕し、「地獄がやって来る」と。それから彼は、国を閉鎖した事業関連の株式投資で26億ドルの利益を上げた。

地球の金持ち個人選手権をビル・ゲイツと競い合っている初の１０００億ドル長者、アマゾン最高経営責任者のジェフ・ベゾスは、新型コロナウイルス大流行が続く中で貧困にあえいでいる自分の80万人の従業員に必要最低限の援助を施すため、義援金を請うた。これらの人間は恥知らずだ。

外食産業は都市封鎖前、１５６０万人の従業員に仕事を与える米国最大の民間部門だった。この数字には、同産業に依存する食品その他の提供者は含まれていない。全てはゲイツ（カルト）の代理人たちによって禁じられた。世界的チェーンや他のカルト企業はハゲタカのように旋回し、残骸をはした金でつまみ上げ、自分たちの独占をさらに増やす。

ニューヨークに拠点を置く料理界の団体、ジェームズ・ビアード財団は、4月末をめどに自営レストランは時給制従業員の91％を一時解雇し、4月13日には給料制従業員の70％近くを解雇したと報告した。ビアードが1400の小規模および自営のレストランを調査したところ、28％があと1カ月の閉店を乗り切れないと思うと答えていたことが分かった。たとえ、それができたとしても――全ての商売が同じだが――そのような巨大な失業の中、客を再生産するためのお金がどこから来ると言うのか？

ホテルやパブ、レストラン、娯楽、スポーツは壊滅的な打撃を受け、どこも何とかして人を集めていた。人が集まったり、講演したり、相互交流する可能性のあるさらに多くの場所が失われた。まさにカルトが望むことであり、これは保健と無関係な「社会的距離の確保」によって強調された。これは政府の絶対命令による文字通り、分断統治である。

英国政府の顧問で新型呼吸器系ウイルス脅威助言者グループのメンバー、ロバート・ディングウォールはラジオインタビューで、2メートルの社会的距離規則は「どこからともなく思い浮かんだ」もので、科学に基づかないと明かした。いいや、それは分断統治に基づいており、「どこからともなく」ではなく、カルトから来た。これが、世界中で同時に押し付けられている理由であり、彼らが言われた通りにしているのは、これまでそうするよう学んできたからである。

例えば、米国メイン州では、傲慢さと愚かさで悪名高い知事、ジャネット・ミルズの意見に従って130万人が都市封鎖の下にいる。当時、メイン州では偽の診断と死亡診断書詐欺を用いても

「そのウイルスが原因で」15人しか亡くなっていなかった。メイン州の経済は破壊され、失業率は急上昇したが、ミルズは自分の給料を通常通りもらい続けた。

米国の州知事たちはカルトの意志を押し付けている独裁者になった。カリフォルニア州知事、ギャビン・ニューサムは43マイル（約70キロメートル）のオレンジカウンティ海岸を封鎖した。当時、ニューポートビーチのウィル・オニール市長は、次のように指摘した。

オレンジカウンティには３２０万の住民がいる。それは22州よりも多い。……そして、これらの人々全員のうち、このウイルスで50人が亡くなった。これはわれわれの人口の０・００１％である。われわれの地域の病院には４７５の病床がある。それらはいかなるときでも、25人を超えて治療したことがない。昨日、治療していた人は９人で、そこにある人工呼吸器のわずか１％だけが使われていた。

ニューサムは米国移民規制措置を執行しないつもりの男だが、この市長が説明した状況下で、43マイルの海岸を閉鎖する。カルトの実現目標と命令に仕えるこれらの知事たちは、一刻も早く退去させなければならない。カルトに操られた支配層の侮辱（ぶじょく）ぶりを裏付けるのは、トランプのゲイツとつながった「ウイルス」顧問、アンソニー・ファウチが、握手は過去のものとなる必要があるかもしれないが、インターネットで出会った見知らぬ人とセックスすることは問題ないと言ったことである。こうした人々は、あなた方をあざ笑っている。

国際労働機関（ＩＬＯ）は約16億人――世界労働人口の半数近く――の生計が破綻すると推定した。それは何を意味するか？　これが本当に導いているのは、ゲイツのワクチンの中身とともに、依存と支配である。休業の結果は小規模経営にとって特に致命的だった。それはカルトが自身の企業群に全ての商業や流通、製造を支配する道を開く（都市封鎖の間、繁盛したアマゾンを見よ）ために、消し去りたいものである。

私が見た数字では、従業員20人未満の企業が米国人のおよそ90％を雇用することを示していた。その結果をじっくり考えてほしい。偽られた形のそのウイルスにさえ影響されていない田舎の地域も閉鎖された。とにかく、田舎の人口を削減し、スマートシティ（高層密集監視都市）の奴隷にする計画を進めるために。4月の休業期間までに『フォーチュン』誌が報じていたのは、交代交代で出勤していた２６５０万人の米国人労働者が都市封鎖によって解雇されたということ。そして、その数は毎週数百万人ずつ上昇している。

『フォーチュン』によれば、都市封鎖の前すでにいた７００万人の失業にそれが加われば、失業者は３３００万人以上になるだろう（実際の失業率は20・6％）。それは１９３４年以降、最も高い水準になる。同様の失業率の急上昇が英国や都市封鎖した世界中の国々で起きてきた。もちろん、それはこれからも起きようとしている。それが都市封鎖の主たる理由だった。

「ハンガーゲーム」社会で大衆支配を確実にするため、カルトは独立した生計を破壊する必要がある。そして、「大流行」詐欺が意味するところは、さもなければ何年、何十年を要するものを数週間で彼らは獲得できたということだ。独立した商売や雇用、収入を奪い去れば、あなたに何が残るか。それは国家（カルト）への依存であり、私が本書の前段や、「大流行」詐欺が演じられる以前の著作で描いた「ハンガーゲーム」社会である。

ニューシステム

その計画は世界全体を支配する全く新しい中央集権的経済体制を押し付ける予定であると、私は数十年にわたって警告してきた。これは「世界を救う」ためまさにそのような体制を求める気候変動詐欺と、経済的悲劇を無限にもたらす可能性を提供する偽の大流行による経済的影響を通じて追求されてきた。これが問題－反応－解決、あるいはその「ウイルス」の場合、無問題－反応－解決である。

低所得層、つまりカルトにとっての「農奴」は自分たちの仕事を失い、家賃を払えなくなって自分たちの家を失うだろう。数週間前まで、自分が高収入で安定した職に就いていると考えていた人々も同じである。カルトのハゲタカ銀行は、２００８年のリーマンショックによる大きな後遺症と、私が先に説明した私有財産抹消目標の進展によって過剰になった家を、血眼になって再取得する準備ができている。

財産にしがみつくことができる人たちですら、自分たちが払っているものより価値が下がるのを見てきた。そうして、低い方に平等に合わされていくため、家を移ることができずに現在の持ち家に固定化されている。政府の「ウイルス」対策によって人々の商売や仕事が消えた結果、どれだけ多くの人々が「ハンガーゲーム」ピラミッドの底辺部に転落していっただろう？　**数十億人**の可能性がある。

経済的メルトダウンは「ウイルス」によってではなく、偽「ウイルス」への影の政府の計算された対応によって引き起こされた。これは、私が先に説明した自由に対する重大な影響にもかかわらず、カルトの別の野望――最低限（悲惨）を保障された収入〔訳注：ベーシックインカムのこと〕――を予想通り求めることを促した。

カルトはローマ法王の地位を数世紀にわたり支配してきており、純粋な男はヨハネ・パウロ1世（アルビノ・ルチアーニ）のように、なぜかその座から滑り落ちる。1978年、彼は就任からフリーメーソンにとって大事な33日後、毒殺された。その間、彼はバチカンからカルトの影響力を一掃しようと計画していた。彼の後を、著しく不純なヨハネ・パウロ2世やベネディクト、フランシスコが継いだ。フランシスコは都市封鎖が結果的に致命的な打撃を与えると、保障された収入をはっきりと要求した。彼が「気候変動問題」に対処するため、国際社会の変革と世界政府を要求してきたのと全く同じように。

もしフランシスコがそれを欲し、カルトがそれを欲するなら、それはカルトが彼を所有しているからだ。イタリアは最も長い都市封鎖があり、この大流行詐欺で特に打撃を受けてきた。サバタイ派フランキストの急進派や「ユダヤ教指導者（ラビ）」たちが、「救世主」が到着する前に「エドム」――ローマやイタリア、キリスト教――を滅ぼす必要性について述べたことを思い出してほしい。カルトが所有するローマ法王、フランシスコが保障された収入について述べている。

今こそ、普遍的な基本給を検討すべきときかもしれない。それはあなたが実行する高貴で重要な仕事を認め、威厳を与えるだろう。それは権利のない労働者はいないという理想（人類、そしてキリスト教徒にとっても）を保障し、具体的に達成する。

おまえは彼らのことを気に掛けてはいない。いまいましい詐欺師、フランシスコよ。ほとんど生きていけない（政府の言う通りにする限りは）「保障された収入」は、私が数十年間警告してきた、長期にわたって計画された新しい経済である、現金のないデジタルによる全体的な総合集中管理体制の一部である。

偽「大流行」の病的興奮の間、現金の手渡しは「病気」をうつす（狂気を見よ）との見地から、現金は組織的に悪魔扱いされてきた。カルトが所有し、ゲイツが支配する世界保健機関は皆に、その「ウイルス」から自身を守るために現金の代わりに接触しないデジタル技術を使うよう忠告した。それなら、キャッシュレス社会がいいだって？　あまりに見え透いている。

英国で7万台の現金自動支払機を運営する「リンク」の最高経営責任者、ジョン・ハウエルズは、その「ウイルス」が現金からカードまたはオンライン決済への移行を劇的に速めたと述べた。さらに、買い物客がカード利用に変更して後戻りしなくなるにつれ、現金は夏の終わりまでにほぼ全滅できるだろうと。

ビル・ゲイツのマイクロソフトは「身体活動データを利用した暗号通貨システム」の特許を所有する。その特許は記す。「伝統的な暗号通貨システムによって必要とされる膨大な計算作業の代わりに、データが利用者の身体活動に基づいて生成される……」暗号通貨は「中央銀行から独立して運営され、通貨単位の発生を規制し、資金移動を証明するために暗号化技術が使われるデジタル通貨」である。

代替メディアの多くが、暗号通貨はエリート体制を崩壊させる鍵だと信じていた。実際は、カルトが初めからその背後にいたのに。世界の青写真である中国は、デジタル通貨や「ブロックチェーン」（取引を記録する）システムを「試験的」に開始することでその「大流行」に対応した。カルトとロックフェラーの内部者、リチャード・デイ博士は1969年、同僚の小児科医たちに、まさにこの経済システムが到来すると語った。彼は、小児科医、ローレンス・デュナガンによって次のように引用されている。

その新システムの導入は、彼によれば、恐らく冬の週末に起こるだろう。金曜午後、全てが閉鎖され、皆が目覚める月曜朝、新システムが整ったことが宣言されるだろう。米国がこうした変化に対し準備を整えている間、皆は一層忙しく、余暇もほとんどなく、身の回りで起きていることを実際に検討し、理解する機会がほとんどないだろう。

全ての要求を満たす

「感染大流行」の後ろにいる同じ権力に操られている気候変動カルトとニューウォーク［社会的に新たに目覚めていること］は、グリーン・ニューディールや人種差別、移民の実現目標を押し付けるため、その「ウイルス」による経済破壊をうんざりするほど利用している。そして、全くばかげたナンシー・ペロシ率いる米民主党はいかなる政治資金も、多様性ある職員を雇用して炭素排出目標を受け入れている企業に頼らなければならないと言い張っている。

ニューウォークのニューヨーク市長、ビル・デブラシオはその「大流行」を「構造的な人種差別」に結び付けた。われわれはここに、本当に冷酷なサイコパスを取り上げている。産業の空洞化とカルトの新経済体制を推進するため、その「ウイルス」対策による経済的低迷を利用している気候変動カルトが見える。

ゲイツとダボスの世界経済フォーラムは、「われわれが気候変動との闘いに勝つために、新型コロナウイルスがどう役立つか」と題する、これ以上なく痛ましいほど予想通りの記事を発表した。

まさか！　その執筆者は、ジュネーブのその世界経済フォーラムで環境回復力の座長を務めたビクトリア・クロフォードだった。彼女は言う。

　われわれは身の回りで起きていることに衝撃を受けてよろめき、自分たちの新たな現実と折り合いを付けているが、この瞬間をわれわれが欲する社会と経済を再建する唯一無二の好機と捉えることができる。科学者たちの警告で、われわれは十数年を気候変動の最悪の結果から回避してもらった。このことは手遅れになる前に、気候の危機を修正する一つの機会を提供できただろう。新型コロナウイルス危機によってもたらされた数々の変更は、必要な変革のための土台を築く。

　そしてそれは、もちろん、ウイルス詐欺がしでかされた一つの理由である。マルクス主義者のテクノクラート的な「グリーン・ニューディール」をどの経済復興でも基礎にすべきとの要求がすぐに始まった。そして、ほぼずっと顔をしかめている操り人形の子供、つまりグレタ・トゥンベリは発言した。

「私たちが好もうと好むまいと、世界は変わりました。状況は数カ月前と全く違って見える。そして、恐らく再び同じようには見えないでしょう。私たちは前に進む新しい道を選択する必要に迫られつつあるの」

　おや、ならばそれはどんな道かい、グレタ？　ああ、あなたの道――というより陰からあなたを操っている大人たちの道は。「たった一つのウイルスが経済を数週間で破壊できるなら、それは私たちが長期間で考えておらず、これらの危険を考慮に入れていないことを示している」と世界のその救世主（グレタ）は言った。首を横に振れ、止めるな。

グリーン・ニューディールの看板であるニューヨークの女性下院議員、アレクサンドリア・オカシオ＝コルテスは、米国が直面した経済的荒廃を概観し、石油価格の暴落に言及した。「あなた方はそれを見て絶対に喜んでいる。これは記録的低金利とともに、地球を救うため緑の社会資本への労働主導型の大規模投資を行う好機が来たことを意味する」。その自己中心主義と自覚の欠如は驚くほどだ。

バンド、クイーンのギタリスト、ブライアン・メイは菜食主義を促進してきたので、肉を食べることをその「ウイルス」の原因として挙げた。メイによれば、彼が早くから保護的な自己隔離に入ったのは、「それが現れるのが分かった」からだという。どれだけの人が、メイが現れるのが分かっただろうか？

ニューウォークのドイツは欧州からの訪問者に対し国境を閉じたが、保護を訴える中東やアフリカからの移民たちはなお入国が許された。同様のことが当然、スウェーデンでも起きている。もらいのいい仕事にありつくため米国に入り続ける移民を止める努力は、米国人がその経済的嵐から回復するまで阻まれた。当然、そうだった。一つのカルトの実現目標が別の実現目標のじゃまになることは許されず、操られた恐怖から利益を得るため、あらゆる機会が利用された。

ジョージ・ソロスは、カルト文書に描かれる「ジャングル環境」を創造する自身の取り組みをその「大流行」が前進させるよう、囚人たちが刑務所から解放されることを要求した。そして、重罪で拘置されている数千人は釈放された。

その「大流行」に引き続いて放出が計画されたニューウォーク精神の典型は、英国人俳優のイドリス・エルバである。彼はテレビ司会者のオプラ・ウィンフリーに、地球は実際に、人類を罰するためにそのウイルスを創り出したと述べた。

われわれは世界を傷付けてきた。だからねえ、この世界が人類に反発しているのは驚くことではないんだ。ウイルスが創られたのも不思議ではない。つまり、それがわれわれを減速させ、究極的にこの世界とわれわれ自身とを別々に考えさせる……。私にとって、それが素晴らしいものであることは明白だ。これはほとんど、「おい！　おまえは俺を蹴り飛ばしている」と大声で叫んでいる世界だ。「あなた方がやっていることはよろしくない。だから、私はあなた方を取り除くだろう」と。

伝言を受け取れ。人間は**危険**だと。あまりに危険なので政府はあなた方がどの人からも6フィート離れる必要があるという。人間は恐れられなければならない。彼らは怖い。

ばかげたエルバはウィンフリーに、コロナウイルス検査で陽性になったが、症状は進展することなく「順調に回復している」とも話した。地球がウイルスで人間を除去していることと、彼が症状もなくウイルスから「順調に回復している」こととのかなり明白な矛盾は、彼を素通りしたようだ。しかし、ニューウォークの精神はそれが得意のようだ。恐らく、地球は人間の大量虐殺が下手なだけで、それをカルトに任せたのだろう。

もう一つの満たされた要求は、宗教（相互扶助に取り組んでいる全ての地域集団）に対するカルトの攻撃である。教会は法律によって閉鎖され、二度と再開しない所もある。宗教は、合衆国憲法と権利章典に正式に記された自由を通じて、絶対的力を発揮していた。しかし、それらの法典は、カルトのごろつき政治家が不法に活動する中で、カルトとその独裁的な工作員によってずたずたに裂かれた。

シークエンス（連鎖）

中国の中心にいる主なカルトは、その「ウイルス」がそこで始まったと考えられてきたとしても、誰よりもうまく「大流行」から抜け出した。出来事の連鎖を見れば、そこで始まった**理由**が理解できる。２０１０年のロックフェラー財団の「大流行」計画文書に描かれているように、「大流行」詐欺が都市封鎖対応の青写真を獲得するのに役立つことが、初めから極めて重要だった。

武漢で流行している致死性ウイルスの熱狂は、カルトが支配する中国当局によって劇的に独裁的な都市封鎖によって応えられた。人々は自宅に閉じ込められて飢え死にし、他の人は路上か自宅から出てうまくしのいだ。どうなるか誰に分かっただろうか？　中国によって発表されるその「新しいウイルス」による患者と死亡者は突然、奇跡的に減り始め、最後には**無く**なった。

著しく毒された大気のため呼吸器系疾患で悪名高い同市では、「大流行」が偽診断の結果なら、これは起こせることである。これに加え、武漢は最初の５Ｇ「スマートシティ（高層密集監視都市）」だったから、偽の健康危機を起こす力は無限である。私が偽だと言うのは、誰も死んでいないということでなく、彼らの死因であり、彼らの症状を引き起こしているもの――汚染された大気、特に５Ｇに長くさらされることから来る潜在的なあらゆるもの――として強調している。

その鍵は、「ウイルス」への最も効果的な対処方法についての知覚を設定することだった。それが西洋諸国に広がったと言われたとき、世界保健機関（ＷＨＯ）にいるゲイツの太鼓持ち、テドロスが方針に沿って直ちに中国の取った行動を賞賛し、「致死性のウイルス」が到達したときに西側が取るべき行動の仕方として中国の対応を挙げていた。

カルトのペテンにとってこれを成功させるには、世界経済と独立した生計を破壊する厳格な都市封鎖と商売の閉鎖が必要だった。これが西洋諸国に押し付けられていたちょうどそのとき、中国は経済を回復し、苦しむ西側世界に対する支配と権力をさらに獲得した。都市封鎖した武漢が、西側の都市封鎖の目標になった（図３８８、３８９）。

図388：中国で起きたことが他の国々で繰り返されるだろう——ひとたび対応の青写真が創られたら、全く計画通りに。

図389：ベニスにあふれる観光客。

全ての国に出現させることができたものを使って、西側諸国の住民と蚊帳（かや）の外に置かれたその政治家を怖がらせるために、イタリアはメディアの次の注目の的だった。この恐怖はインペリアル・カレッジのコンピューターから垂れ流されている無法な死亡者予測によって支えられた。

彼らが語らないことは、イタリアの「新型コロナウイルス」の「大流行」の中心地（訳注：ロンバルディア）が、悪名高い有毒な大気とそれに伴って起こる呼吸器系疾患、非常に高い死亡率の点で武漢と酷似していたことである。ここは最近５Ｇを導入した地域でもある。

他の原因による肺疾患を「新型コロナウイルス」とするでたらめの診断を通じて患者や死亡者が増えたので、イタリア政府は２０２０年3月9日から全国を都市封鎖した。あらゆる種類の集会は、重要で認められた移動を除き、スポーツイベントを含め禁止された。人々は検問所で書類を見せ、旅行している理由を説明しなければならない。「理由なく」外へ出たら２００ドルの罰金が科された。

その「ウイルス」を持っている（そのウイルスではなく、遺伝物質のため検査陽性になる）のを知りながら隔離を怠ったり、後で死ぬ人に「感染させた」人は誰でも長い懲役を受ける脅威がある。警察権力が、自宅軟禁（ハウスアレスト）の順守を確実にする監視ドローンを使って空っぽの道路をうろついている（図３９０）。それは――適切にも――ハリウッドの暗黒郷（ディストピア）のＳＦ映画の場面のようだ。都市封鎖した他の国々で同じ連鎖が続き、許可なく外出した人は罰金を科せられるか投獄された。

イタリアで起きたことが、都市封鎖は「われわれを救う」ためには避けられないとの信念をさら

図390：「社会的距離の確保」。

図391：こういう仕組みになっていて、その「大流行」は古典的な例である。

に埋め込んだ。そして、他の国々は中央が指令するカルトの同じ筋書きに従うように一つ一つ、ドミノ倒しのように後に続いた。

それは全て心理戦だ。医師や医療従事者に対する政府方針あるいは上意下達の指導の面があったとしても、政策をピラミッド組織の隅々まで指令するのに、どれほど少ない人々と重要な地位を押さえればいいかは驚くほどである。これはカルトのサイコパス（ごく少数）と、疑問も異議申し立てもなくその政策を実行する愚かな人々の共同作業を通じて行われる（図391）。

お金の動き依存関係を追え

世界向けの非常に多くの生産や供給が時代を追うごとに中国に引き渡されることによって、各国の経済はずっと深刻な影響を受けるようになった。主要なカルト企業が奴隷のような労働力を利用する一方、自国での仕事は消えていった。実に皮肉だが、抗生物質――96％が中国から調達されると報告された――を含む米国の薬の、ほぼ全面的な中国への依存がある。ＡＢＣニュースによれば、米国の製薬企業によって使われる有効成分のおよそ**90％**が中国から来る。もっと多いと言う人もいる。

政府に統制された（全てが）公式な中国の通信社は、その「ウイルス」が広がったとき、米国への薬物供給に対する中国の支配力を満足そうに眺め、もし中国がそれらの供給を削減したら米国がどうなるか考える記事を配信した。なぜ米国は、薬物や他の製品をわれわれが「敵」と教えられている国に頼るようになるほどばかなのか？　国民に関して言えば、ばかげているのは米国でなく、その巨大製薬企業連合（カルテル）と従順な政治家を通じたカルトの計画である。その間、カルトが支配するメディアは、中国の独裁者たちに隠れみのを与える。

ニューウォークな米国メディアその他の過激派は、その感染発生を「中国ウイルス」あるいは「武漢ウイルス」と呼ぶのは「人種差別」だと述べた。大統領候補のジョー・バイデンは、そのコロナウイルスを「外国のウイルス」と呼ぶのは「外国人恐怖症」だと述べた。中国の体制は途方もなく差別主義者なのに、中国を批判すると差別主義者になる。その問題が偽「ウイルス」だろうと「気候変動」だろうと、中国の技術家政治を擁護するニューウォーク／メディアの主題を見よ。

米国と世界の同様の依存が、イスラエルのスマート（極小）技術とサイバー技術に対して深まるよう誘導されている。そして、中国とイスラエル双方への依存は、同じ計画された結果につながっている。最終的にこの経済戦争に勝ち、そして本格的な「戦争」にさえ勝てると思われているのは、米国ではなく中国である。イスラエルから来たサバタイ派フランキストは、中国様式を基礎に置く国際社会を実現するため、組織的に米国を破壊している。

私は「中国」が勝つと思われると言うが、その国または人民のことを言っているのではない。その中国**モデル**（様式）は、カルトに何とかして応えようとする現在の中国の独裁権力ではなく、実権を握るイスラエル出身のカルトの協力で世界的に勝つよう計画されている。今や中国が西側との関係において、その「ウイルス」が中国で発生する前よりどれほど強いか見てほしい。

武漢の研究所から解き放たれた生物兵器についての主張は、中国との葛藤の火にさらに油を注ぐが、これはカルトが計画した。これは、ある時点で生物兵器の放出（あるいは60GHz5Gを使った**症状**）がカルトの計画の一部でないということを意味しない。「予言者」のビル・ゲイツは、彼が「大流行1」と呼ぶものに続いて生物兵器が「大流行2」になり得ると言った。これは留意すべき重要なことだ。

生存反応が作動した？　そう——今や、われわれは何でもできる

その「大流行」の脚本は、望まれる反応を引き出し、専制政治を支持するよう、死と未知のものへの恐怖を大衆に競わせるさらなる心理操作である。おまけに、人間の死と未知の世界に対する生来の恐れは、多くの人々にとって、最も権威主義的な対策でも、それが自分たちを死や病気から守ってくれると信じる限り、受け入れられるということである。

ひとたび「ウイルス」の病的興奮が放たれれば、大衆の恐怖とパニックの中、「人々を守る」ため異常に権威主義的な行動が取られ、出来事や行動それ自体が生命や弾みを持つので、次に何が続くか簡単に予測できた。

例えば、イスラエルはコロナウイルス患者の携帯電話が合法的に追跡できるよう法律改正した。

そして、グーグルやアップルその他の偽装出先機関は、市民たちの移動を追跡し、集会を見つけ、社会的距離の確保を強制するため、利用者の位置情報を各国政府と共有する予定だと発表した。フランスはこれを求める最初の政府に含まれ、他国が続いた。

英国や欧州、北米はじめ世界中の住民は、警察と軍隊——世界的「ハンガーゲーム」社会のため計画された組み合わせ——を通じ、国家（実際はカルトの世界政府）の全面的な押し付けに直面した。インドはそのウイルスを持つと疑われた人々に、消すことのできない手の印を入れ始めた。

ロイターの報道によれば、トランプ大統領の官邸は連邦保健当局に、首脳級のコロナウイルス会合を機密指定するよう命じた。これをロイターは「4人のトランプ政権の官僚によれば、情報を制限し、感染への米国政府の対応を妨げた異常な措置」と表現した。機密指定は2020年1月中旬、国家安全保障会議（NSC）によって明確に命令され、これがその分野の専門家の会議への参加を妨げたとの複数の政府職員による匿名の証言を引用している。

点と点が結ばれたのは、NSCが国防総省や諜報（ちょうほう）機関と一緒にその「ウイルス」への対応を指示していたことを、別の報道が明らかにしたときである。諜報機関は政府の行政官や警察権力と共に独裁的な影の政府（カルトによって所有される）を構成する。これは全面的に警告を発しなければならない。

私が数十年間暴いてきたカルトの実現目標の全ての側面を前進させるため、あらゆる機会が利用された。これには、米国で銃の購入を法的に規制して多くの銃砲店が閉店を強いられたことや、超シオニストが所有する『ニューヨークタイムズ』紙が何とかしてその「大流行」をキリスト教徒のせいにしようとしたことも含まれる。無知な政治家たちは、言われたことは何でもするカルトの代理人と工作員の後をただ付いていった。

文字通りの分断統治になった

他の人が病原菌を持っていて、それをうつすかもしれないという恐怖ほど、社会を分断するものはない。人々は「社会的距離の確保」と呼ばれるものを通じ、さらなる分断とさらなる不信に追いやられてきた。「社会的距離の確保」は「人々がお互いの接触を減らすこと」と定義され、「娯楽やスポーツ大会のような公共の場での社交を減らすこと、あるいは重要でない公共交通の利用を減らすこと、在宅勤務の増加を奨励すること」が含まれる。

住民たちはお互い約2メートル離れ、同じ家に住まない3人以上で集まらないよう指示された。忍び寄る全体主義の早足版は、ほんの数日前まで必要と思われなかったはるかに強権的な手段を通じて素早く動いたことで明白になった。私はそれを、門押し技法と呼ぶ。最初の門を押して、もし抵抗がなければ、次の門に進み、それを押す。もし抵抗がなければ、次に進み、同じように続く。

人々はスーパーの外で距離を取りながら並んで立ち、1人出ると、1人入って行った。太陽が照りつけていても、土砂降りでも、強風が吹いていても（体にいい）お構いなしに。薄情者に操られた能無しが残虐行為の次の段階をただ宣言すれば、大多数は実験室の動物のように、言われたことは何でもした。

彼らは薄情者に支配される能無しかもしれないが、**権力**の重要な地位を占めているので、われわれは彼らの言うことをしなければならない。従って、一文で表現すれば、人間が誕生して以来、人間支配の基盤がある。食料その他商品の切れた店でパニック買いする（生存反応）ように、予測できる大衆の反応が続いた（図392）。

私は、2日前は普通だった地元のスーパーに足を運んだ。私が入り口に歩いて行くと、いつもはいない客のふりをした男が私に、列の最後尾に行くよう指示した。人々の間には大きな隔たりがあり、列に気付くことさえできなかった。何の列ですか？　私は尋ねた。彼が指差し、私ができる限り遠くが見えるよう反り返ると、全員が2メートルずつ離れた行列があった。日中の静かな時間である。

この忙しい時代に、それがどのようなものか、誰に分かるものか。私は見つけるため戻ろうとしなかった。その日まで「ウイルス」ヒステリー全体でそう考えられていなかったのに、なぜ行列が突然必要になったのだろうか？　誰も尋ねていないように見えた。無条件の服従を前に、何かを押し付けるのはどれほど簡単なことか。

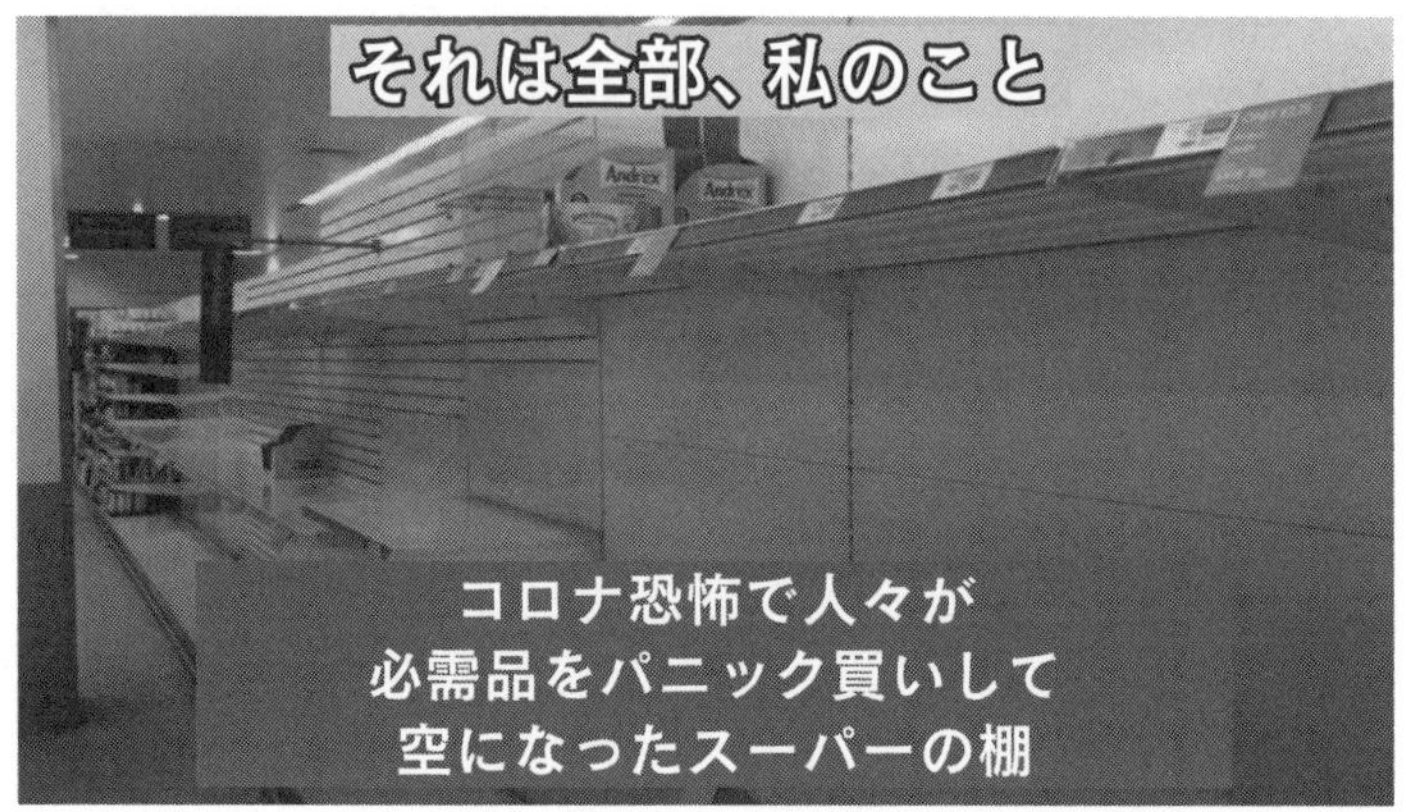

図392：ニュースがパニック買いを報じる。爬虫類脳（はちゅうるいのう）の生存本能が作動すると、何が起きるか。他の皆さんは気にしなくていい。それは全部、私のことだから……。

図393：自由を消し去る――とても簡単。（ニール・ヘイグ画）

警察軍事国家

自由や民主主義を停止するこれら押し付けを強制する過酷な法令は、数カ月あるいは1年以上続くとさえ予言された。そして「社会的距離」を確保する間、人間同士の接触を媒介するＡＩ技術で一層強力に電波とつながった関係に置くという、まさにカルトが求める方法で人々を分断した。人間は危険（「地球温暖化」を見よ）で、ＡＩ技術は安全との心理学がここでも顔をのぞかせる。

地球規模の自宅軟禁下で数十億人がはっきりと閉じ込められている間、彼らの別の通信手段（インターネット）はカルトの代理人によって管理され、彼らの好きなときに電源を切ることができることも忘れるべきではない。**それで、ごく少数の人間が世界を支配することはできない⁇** もし、われわれがヘビににらまれたカエルのように振る舞い続けるくらいなら、これは計画のある時点の一部だと過大評価しないことだ。民主主義が停止され、自由が消されたが、ねえ、何が問題なの？われわれの一部がずっと指摘していることを、われわれは経験から確実に学んできた。

警察や軍隊は、人間の権利や自由を守るためにあそこにいるのではない。彼らは残りの人類に国家（少数者）の意志を押し付けるためにそこにいる。警察や軍にも純粋な人々がいることを、私も確かに承知している。しかし、そうした人たちと並行して、権力の歯止めの利かない新時代に恍惚（こうこつ）としてきた間抜けやサイコパスがいる。携帯電話で撮られた制服姿の一部のばかどもが、人々の生活全般に対し実際に権限を与えられてきたことを考えてみよ（図393）。

警察（と一部の国々では軍隊）が道路にバリケードを設置して、人々に、どこへ何しに行くのか聞いた。それがナチス党や共産主義の脚本から直輸入されたのはもっともなことである。それが独裁主義／共産主義であり、より正確な言い方をすれば、テクノクラート独裁による「ハンガーゲーム」社会のために急速に現れた警察軍事国家だった。

通りは暗黒郷（先制プログラミング）映画から抜け出てきたドローンによって追跡された。その一部は、上空から下の国民にうるさく命じるために使われた。英国ダービーシャー州や米国ニューヨーク州などの過激派警察は、他には人っ子一人いない田舎で散歩する人を追跡するのにさえ、ドローンを使った。ニューヨークなどの米国の幾つかの州の場合、そのデータを取得できる**中国**からドローンが贈られた。

ピーター・グッドマン本部長に率いられる英国のダービーシャー州警察は、「緊急事態法」によって与えられたほぼ無制限の権力にすっかり歓喜した。グッドマンのニューウォークな知性は伝説的だが、ダービーシャー州警察の**男**声合唱団は、彼の警察隊の全ての任務から外された。団員たちが女性の団員の受け入れを拒んだからである。独特の音色を持つ男性の声だが、グッドマンが彼らを排除し続けようとする限り、何を忠告しても無駄である。

グッドマンのダービーシャー州の警察官は、青いサンゴ礁と呼ばれる美しい名所を罪で汚した。「訪問者を怖じ気（おけ）づかせて」、そこへ行くのをやめさせたのだ。私の息子、ジェイミーを制止し、最も近い人から数マイル離れて自分の犬と散歩するよう警告した。彼らは、ジェイミーがもっと多くの人がいる自分の村で犬の散歩をしたと言い張った。これは理解できないが、その意図するところは違う。果てしなく繰り返されるそのような愚行は、犬を屋内で排せつするようしつけるように、人々を無条件の服従に慣らすために押し付けられている。

イングランド内陸部にあるノーサンプトンシャー州警察ニック・アダーリー本部長のように、人々が「必需品でない」ものを買っていないかどうかショッピングカートを警察官たちに確かめさせた者さえいる。そのような訓示を垂れるのに必要な独裁級のばかさ加減は、私には思いもよらない。少なくとも、彼は即座に政治家と世論の厳しい非難を浴びた。マンチェスター警察は「危険人物」とネット上に「陰謀論」を投稿する人とを結び付けた。

英国政府は人々が家を離れることができるのを、1日1回、買い物や運動をするためのできるだけ短時間のみと定めた。もし他の誰にも近付かないなら、どうして、1日10回外で運動することが1回外出するより「危険」になり得るのだろう？　もちろん、そうではない。これを理解するのに、どれだけの思考力が必要だと言うのか？　1人で車で出掛けることが誰かに「ウイルス」をうつす可能性があるという発想は全くとち狂っているのに、人々は自家用車で「不要な」外出をしてはならないと告げられた。

全てのばかげた言い訳は、従順に仕向けるためにすぎない。私はいつも好きなときに外出してきたので、制服、つまり黒っぽい装束の人に尋ねた。誰からも2メートル以上離れて1人で出掛けることが、2メートル以内に1回近付くより、どうして危険なのか説明してくれと。なぜ危険が増すのか、合理的で知的で、信用できる説明を彼らがしてくれれば、私はそうするのをやめると伝えた。私はまだ待っている。

「自由なドイツ」の警察は、都市封鎖に対する異議申し立て書を連邦憲法裁判所に提出したとして、バーデン＝ヴュルテンベルク州南部の医療弁護士ベアテ・バーナーを逮捕した。それで彼女は、精神科施設に収容された。ナチスは消え去っていない。彼らは服装を替えているだけ。今でも。

これが、権力狂いのサイコパスと間抜けどもに制服を着せたとき起こることである。権力狂に独裁権力を与えたら、彼らはそれを利用して極端にやることをカルトは知っている。サイコパスは当然、他人に対して権限を持つ地位に引かれる。行儀正しく純粋な警察官がいる一方で、非常に多くの制服姿のサイコパスが世界中にいる。

このことは都市封鎖中、はっきりした。行政当局とその警察官たちはネットワークを構築することによって、国民が「都市封鎖法を侵害した」人を誰でも通報できるよう、さらに踏み込んだ。まるで悪名高き、旧東ドイツ共産党のシュタージ（秘密警察）のように。

これはどこにでもけしかけられた。ばかげた独裁的なロサンゼルス市長、エリック・ガーセッティは、外出禁止令を「破った」人を「密告する」ことを住民に促し、それを実行した人に報奨金を支払うことを約束した。彼は自身のナチスまがいの命令に従わなかった人たちを「追跡して捕まえる」ことについて話した。

これらいずれの人も忘れてはならないし、人権だけでなく、独立した生計を抹消してきたガーセッティやグッドマン、アダーリーなど非常に多くの政治家や役人、警察官は責任を問わせ、職から去らせなければならない。彼らは全員、最も基本的な自由と権利を委ねられないことを示した。人類の大半が「入力」に反応するソフトウェアのプログラム同然で、非常に多くの人たちが自分たちの自由の消去を主張しており、近所の人たちが独裁の全くささいな部分でも違反すると、躍起になって通報していた。隣人が自宅の庭に出たと通報した人さえいた。あなた方はそのような行為を全く気に掛けるべきではないが、自由を要求しているはずの人でさえ、その破壊を助けたがっているならば、自由が実際どれほどもろいか分かるだろう。モーフィアスの出番だ。

このマトリックスは支配体制だ、ネオ。その体制がわれわれの敵である。だが、中に入って見回せば、何が見える？　ビジネスマンや教師、弁護士、木こり。人々の真の心こそ、われわれが守ろうとしているものだ。だが、われわれがそれを成し遂げるまで、これらの人々は支配体制の一部であり、そのためにわれわれの敵になっている。あなたは理解しなくてはならない。こうした人たちのほとんどは、プラグを抜く用意ができないことを。彼らの多くはあまりに慣れ、希望を失ってその体制に頼っているので、それを守るために戦うだろう。

目下の出来事の間、まさに見せられたことではないか。ある女性が、毎週の医療従事者への集団拍手に参加しなかったことを近所の人たちにフェイスブック上で「名指しされ、恥辱を受けた」様子をメディアで語った。医療従事者の大半は空に近い病院で、やるべきことを探す仕事に毎日精を出していたのに。彼女によれば、「私の息子との嵐の夜」の後、その（仕組まれた）拍手の機会を逃したことに気付いた。そして、「もし私か私の家族が病気になっても、国民保健サービスを使う資格はない」と言われた。

何という大ばかの集まりか。もし彼らに何か言ったら、あなたが権威ある地位にいる限り、彼らはそれを信じるだろう。全ての意識(コンシャスネス)はいつでも利用可能だが、利用した人はまだあまりに少ない。

メディアが独裁を可能にする（ドイツでやったように）

責任が問われなければならないもう一つの集団は――その詐欺が失敗していなければ――主流派メディアである。恐怖と混沌(こんとん)はカルト支配の通貨であり、「ウイルス」宣伝がその無限の広がりを引き起こした。人々が「危険」に関して**信じる**ものは、全てメディアの内容であり、メディアはいつものことながら、住民を怖がらせるために展開されている。

私は「展開される」と言ったが、刺激もなく、調べもせず無知なまま仕事をする場合、ほとんどは「展開する」必要もない。私が聴いたある男は、世界中で一般的なメディアのやり方の典型だった。その病的興奮の間、私はカーラジオを2回つけ、マイク・グラハムと呼ばれるやつが司会を務める英国の「トークラジオ」局の番組を聴いた。彼は自らの地位を**マイク・グラハム独立共和国**と名乗った。

続いて起こることを考えると、「支配体制の側ではない」という意味で、なぜ「独立」なのか不思議に思った。2回ダイヤルを合わせたうちの初回、グラハム氏は、「新型コロナウイルス」は「世界がこれまで見たこともない最強の健康危機」であると告知した。それは黒死病が起こしたことも含むのだろう、グラハムさんよ？ それは、欧州の全人口の60％まで死滅させたが。全くのたわ言だ。

2回目に彼の声を聴いたとき、グラハムはすぐに、自由の消滅に対して泣き言を言う人々に熱狂的に説教をし始めた。そして、都市封鎖を押し付けるための軍隊に話が及んだ。もしそれが、政府がどうしても起こると言っていることなら、われわれはそれをただ受け入れるべきだと、「独立」したグラハム氏は表明した（図394）。

これは数カ月前、予防接種してない子供たちを学校に行かせるなと言うのを私が聴いたのと同じ野郎である。CNNの元司会者で、自分の中だけの伝説、ピアーズ・モーガンは、英国は「命を守る」ため都市封鎖しなければならないと叫び声を上げた（彼はいつも叫ぶ）。なぜなら、専門家が言っていることだからと。

モーガンさん、これら専門家とは誰だ？ 彼らの素性は？ 彼らは実現目標を持っているのか？ 彼らは誰とつながっているのか？ 彼らがその「ウイルス」に関して言ったことは、思慮のない感

図394：どのように少数者が多数者と世界的メディアを支配するのか。

情より本当に事実を解明するのか？　そのような疑問は彼の「私は正しい」自己陶酔を裏切らなかっただろうが、生計と自由の点で、住民たちにとっての結末は全く悲劇的なものになった。

しかし、モーガンとグラハムは平気だろう。なぜなら、彼らは、私がここで宣伝と定義した「重要な仕事」をやるよう政府に指名されたのだから。モーガンとグラハムは、自分たちが「ジャーナリスト」であるという永遠の幻想に生きている（彼らの職業の大半と同じく）。だから、われわれは彼らの自己欺瞞（ぎまん）を放置し、続けさせるのが一番だ。

マスコミに入る人々はジャーナリストになってはならない。マスコミに入る人々はジャーナリストに**なる**ことができないのだから。ジャーナリストにふさわしい人は、マスコミに入らない。彼らは全てに疑問を持つ。代わりに、これまた何も疑問を抱かない膨大な世界人口を知覚的に刷り込むことに貢献するえせ「ジャーナリスト」がいる。

政府の宣伝を繰り返す商人よりずっと邪悪なのは、主流派メディアの外部で本当のジャーナリズムに従事しようと意欲する人を中傷・監視するために、メディアの中で活発に働いてきた人たちである。英国放送協会（ＢＢＣ）は最悪の部類に含まれ、衝撃を与えることはほとんどなく、誰も自身の考えを持っていない。

その法人は強制的な年間「受信料」で賄われる。だから、国民は政府のこの部門への資金提供を強制され、同じ国民にあらゆる公式見解を刷り込んでいる。受信料を支払う人は、自身の知覚プログラムにお金を払っているので、やめるときだと考えるかもしれない。まず第一に、どんな適切な定義でも、ＢＢＣや主流派一般で働いていたら、断じてジャーナリストであるはずがない。とりわけ、ＢＢＣのような機関では。

適正なジャーナリストは全ての主張と情報に目を向け、それらが精査に耐えるかどうか検討するために調べる。そうした調査結果はその後、偏った解釈や検閲なしに伝達される。対照的に、ＢＢＣはジャーナリストを雇っていない。彼らは政府説明を訳も分からず繰り返す人たちを雇う。

ＢＢＣや他の主流派「ジャーナリスト」は明確に制限された条件の範囲内で活動しなければならない。それは、彼らが調査または追究、伝達できない莫大な可能性が存在することを意味する。そうすると、放送または新聞に載る前にその情報が遮断されることになる。もし、生中継で何からうっかり漏らしたら、経歴の自殺行為になるだろう。

私が「公式の」や「政府の」見解という言葉で意図することも定義しておいた方がいい。ＢＢＣがしばしば主張するのは、右翼と左翼の両方から偏重を責められるが、一方への制度的偏重に対する非難は正当化できないというもの。おや、だがそれは**可能だ**。私はＢＢＣが制度的にある**政治**政府（時の政権）に偏っていると言っているのではなく、**永久**政府つまりカルト政府に偏っていると言っているのだ。

しばしばカルトの説明は、時の政権と偶然一致するだろう。公式な「大流行」説明の無条件な繰り返しのように。しかし、ＢＢＣは**政治**政府と対立することもある。ブレグジット（英国のＥＵ離脱）をめぐるボリス・ジョンソン政府や、気候変動について人前で奴隷のように同じことを言わないずれの政府のように。

ＢＢＣは主流から外れた見解を検閲または過小評価する間、カルトの実現目標――永久政府を通じて画策される――の一側面も推進してこなかったとは考えられない。

これら全ての要素が、その「ウイルス」ヒステリーの間、『ロンドンリアル』での私のインタビューをユーチューブが消したことについてのレオ・ケリオンと称するＢＢＣの「ジャーナリスト」による報道に集約された。まず第一に、彼は、その会話の比較的小さな部分にすぎない５Ｇに焦点を当てた。そして、私が言ったことを、５Ｇの影響に抗議してその塔を破損したとされる人々と結び付けようとした。

その際、ケリオンは、５Ｇとその「健康上の危機」は関係があると私が「誤って主張した」と言った。これは、彼が敢えて知ろうとしなかった空の病院のさなかで起きていた「危機」だった。それが「誤って」いたかどうか、彼は知る由もなく、いつものように自分の「考え」を体制側の情報源に同調させただけである。

もしケリオンがその主題を適切に調べ、自身の持つ「偽ニュース」を見抜いたとしても、ＢＢＣでそれを言うことは決して許されないだろう。もし試みたら、彼は馘になるだろう。彼はそれを知っているので、片目を住宅ローンに向けながら、良い子のように振る舞っている。

その間、政府の放送規制者である情報通信庁は、５Ｇとその「ウイルス」が関係する可能性についてただ議論をしただけでも、放送局に脅しをかけてきた。なぜか？　利害関係が存在するからだ。

それが理由である。ケリオンのような人たちは、自分たちが立ち上がり、政府が指名した情報通信庁の最高経営責任者で検閲と自由剝奪の守護神、メラニー・ドーズをあがめ忠誠を誓うのをやめることなど、夢想だにしないだろう。ケリオンは良い子で、完璧なＢＢＣの有用人材だ。言われたことをやり、自分の立場をわきまえている。

しかし、最も卑劣なのは、「ＢＢＣがなぜその動画が許されたのか尋ねた後、ユーチューブが規約を変更した」という彼が説明したやり方である。彼は尋ねた。「なぜその動画が**許された**のか⁇」。公的に出資された放送局で働く、曲がりなりにもジャーナリストが、言論の自由を検閲する役割を演じた⁇　異常である。表現の自由を検閲しようとしたり、なぜそれをやらないのか尋ねたりする人は、ジャーナリストという存在に近付くことすらできない。本当のジャーナリストは、皆——彼らが同意しない人たちも含む——のために自由を要求する最前線にいる。

ＩＴＶ（**独立**テレビ、私は読者をからかっているのではない）として知られるＢＢＣの「競合者」も同じようなことをした。それによれば、「ＩＴＶニュースがフェイスブックに連絡して程なく、その動画は誤情報規則に違反したため削除された」。それはたまたま同時に起きたことなのだろうか？　えせジャーナリストは真のジャーナリズムを黙らすのを手助けする。ＩＴＶはＢＢＣの方針に倣った。そして「フェイスブックはユーチューブに続いて、コロナウイルスと５Ｇを関係づけている陰謀論者、デーヴィッド・アイクの動画を削除した」。

その記者は、この主題についてどんな調査をしたのか？　何もしてない。「誤情報」であることを、ITVやフェイスブックはどうやって知ったのだろうか。フェイスブックが回答した。「世界保健機関（WHO）はわれわれに、新型コロナウイルスに関してどんな誤情報が実社会に害を及ぼす可能性があるかについて、明確な助言を提供している」。笑わずにいられるか？

各新聞も全く同じように事実を覆い隠した。そこにはロンドン『サン』の「ジャーナリスト」、シャーロット・エドワーズも含まれる。『サン』はルパート・マードックに所有され（マイク・グラハムの「トークラジオ」と同じく）、オーストラリアのマードックの新聞は、移民大臣のデーヴィッド・ケールマンによって私の同国への入国が禁止された際、主要な役割を演じた。ケールマンは、私がそれまでの数え切れない講演旅行で、何も悪いことをしていないことを「自分で」判断したと認めている。

エドワーズによれば、私は「コロナウイルスワクチンにはナノ技術によるマイクロチップが含まれるだろうとの間違った主張」をした。エドワーズ女史は、その発言が間違いかどうかの手掛かりを持っていない。私はその主題を30年間調べているが、彼女はそれを30秒も調べていない。これは、主流派メディアが真のジャーナリストを雇わないことの、さらなる確証である。彼らは間違いなく、マードックと一緒に何でもすることによってしか決して雇われないだろう。

それから（ゲイツと通じた）コムキャスト傘下のNBCUが所有する米国のCNBCは、その介入がスポティファイに私の「ウイルスインタビュー」の動画を削除する気にさせたと自慢した。「ちっぽけな私」を止めるためだけに、「全能のエリート」たちがこれだけのことをしている。

あらゆる段階で、彼らは私を信頼し、私の仕事に非常に多くの支持を取り付けていた。一方で、彼らが必死になって私の全ての痕跡(こんせき)を消し去ろうとしたとき、実際に1人の男に対してこうした行動に出ることが、彼らが少しも「強大」でないことを示している。悪がどれだけ束になっても、一つの開かれた心に打ち勝つことはできない。

ユーチューブとフェイスブックから追放――連続

「ジャーナリスト」検閲官の傑作的な「公表」は、ロンドン『ガーディアン』ウェブ版の、ニック・コーエンと呼ばれるイスラエルに取りつかれた男だった。彼は姉妹紙『オブザーバー』にコラムを書いている。これらは滑稽(こっけい)に名付けられた『インデペンデント(独立)』と共に、最もニューウォークな英国の新聞である。『ガーディアン』と『オブザーバー』はあらゆる**永久**政府の見解を採用し、それを絶対的真理のように繰り返している。自らを「急進的」で「左派」と触れ込んでいるのに。『ガーディアン』グループの資金提供者の中にビル・ゲイツがいる。彼はBBCや米国のABC、米公共ラジオ局（NPR）、その他幾つものメディアにも金を渡している。このニック・コーエンの野郎は、何の証拠もないのに、私が公衆衛生にとって危険であり、ユーチューブやソーシャルメディアから追放すべきだと言った。それから、典型的な『ガーディアン』／『オブザーバー』様式で永久政府の見解を繰り返し続けている。

彼は自分の意見を言う権利を与えられた。しかし、他の人たちが同じ自由を与えられるべきだと全く考えない。彼が私のものを削除したいと思っても、私は彼の自由に発言する権利を支持する。誰かが正当性について尋ねたら、われわれのどちらが独裁権力の代理人か？

コーエンは私が言ったことを「有害なうそ」と表現し、英国の放送局がやったのと同じ方法で、政府の検閲官、情報通信庁にユーチューブを検閲する権限を与えるよう要求した。彼はまた、「ウイルスは存在するか」と題した私の動画がまだ国民に見られるのを許されている事実を嘆いた。それを書いているその男は、「ジャーナリスト」という奇怪な印象の下にいる。

『ガーディアン』や『オブザーバー』を買っている人は、真剣に考えない方がいい。新聞が生き残るため苦闘している理由は、ずっと広大な範囲の大衆が主流派の新聞やメディアの本当の役割をよく知ったのと、世界を知る点でそれらを超越したからである。その時代は終わり、それらは自らの死刑執行人になってきた。それを自滅と呼ぶのではないか。

別の一つの論点は、カルトの資産であるウィキペディアと、「大流行」の間、「フィリップ・アンドリュー・クロス」として知られる「悪名高き」ウィキペディアの「編集者」による私のホームページへの執拗(しつよう)に記録された訪問に関係する。その「人々の百科事典」のたわ言に魅了されるな。ウィキペディアはごく少数の人々によって操作されている。あるインターネットの記事は、「クロス」を次のように説明した。

彼は1年365日、昼夜、それに取りつかれたウィキペディア編集者でネット上のストーカーである。彼のアカウントは個人の追跡と政治的報復のために使われる。しかし、多くの放送局やBBC国際放送のラジオドキュメンタリーの記事を含め、2018年春時点で彼の活動は抜群の知名度があるにもかかわらず、彼は今なお、毎日のように人々を迫害している（あるいは、人々が彼のアカウントから迫害を受けるのを許している）。

書いていた時期、フィリップ・クロスのアカウントは15年間に15万9607項目の膨大な量のウィキペディアを編集してきた。信じられないことに、そのクロスのアカウントは2013年8月29日から2018年5月14日までウィキペディアの編集を1日も休まなかった。クリスマスの5連休すら……。

よろしい、私がその「ウイルス」の説明に異議を唱え始めたら、「クロス」のやつら（明らかに2人以上）は私のページに取りつかれたようだ。一例を挙げれば、それについてニック・コーエンが「アイク追放」の自身の記事をツイートした後、そのことが私のウィキペディアページに加筆されるまでたった19分しかかからなかった。

彼らは実に滑稽なのに、自分では非常に賢いと思っている。私はちょっと笑っただけ。試行錯誤を経て、いつの日か彼らがもっとしっかりすることを期待する。コーエンは典型的なニューウォークな自己欺瞞と倒錯でツイートした。「デーヴィッド・アイクを追放する**自由**な主張」（私の強調）。私が滑稽といった意味が分かっただろう。

世界陰謀の研究を私くらい長く続けていれば、繰り返されるパターンと連続を認識する。コーエンの記事は、私を主流派のプラットフォームから削除させることを狙った何かの始まりのように感じられた。コーエンは超シオニストで、至る所に反ユダヤ人主義を見て、イスラエルについて彼らが抱く考え方で、ユダヤ人たちを攻撃してきたと見なす。ネットニュース『カナリア』〈訳注：英国に拠点を置く左派メディア、「たれ込み屋」の意〉は、そうした行動からコーエンを「鼻持ちならない憎しみの子鬼」と呼んだ。

「反ユダヤ主義者」の烙印は、真実に近付きすぎたことを暴露している人を黙らすために絶えず使われている。そして、それはユダヤ人を憎んでいるカルトのサバタイ派フランキスト人脈の証しである。コーエンのような人たちはサバタイ派フランキストに奉仕していることを自覚しているなどと、私は言っていない。彼がそれを知るほどの知性あるいは認識力を備えているとは、私は絶対に信じられない。

しかし、イスラエルのサバタイ派フランキスト政府に対する批判者に「反ユダヤ主義者」の烙印を押す自身の強迫観念で、彼のしていることがこれである。彼らが奉じている実現目標に関する知識レベルは、関与によってゼロから全てまでさまざまだが、同じことをしている全体として一つの巨大なネットワークが存在する。

コーエンが私をユーチューブから削除しろと要求したすぐ後で、ソーシャルメディアのプラットフォームが同じ目的を達するため、デジタルヘイト対抗センター（CCDH）と呼ばれる奇妙な集団によって「運動」を始めた。これはその商号に米国のつづり“Center”〔訳注：英国のつづりでは“Centre”〕を使っているが、英国の私的な有限責任企業として登記されているほぼ無人の機関である。

CCDHは、私には大きな危険信号である超シオニスト、ピアーズ財団によって資金提供されている。同財団の後援者は、ほとんど知られていない「著名人」で至る所に反ユダヤ人主義を見る性格のもう1人の超シオニスト、レイチェル・ライリーだ。ピアーズ財団は2010年に反ユダヤ人主義の研究のため、ピアーズ研究所を設立し、超シオニストのチャールズ&リン・シュスターマン財団と資金調達で提携している。リン・シュスターマンはロスチャイルドとして生まれた。

この「デジタルヘイト」の能無しの一団の別の出資者は、ジョージ・ソロスと彼のオープンソサエティー財団に関係する「解放された慈善活動」である。解放された慈善活動は、主に中道左派拡張主義者の移民政策を支持する集団に出資する、ニューヨークに拠点を置く左翼［ニューウォークな］支援者の共通関心団体と説明されている。ここまで本書を読んだ読者は、衝撃を受けないだろうと思う。

デジタルヘイト対抗センターと米国の重大な関係は、「英国」企業の名前にある“Center”のつづりが説明する。解放された慈善活動の事務局長、タリン・ヒガシは、ソロスのオープンソサエティー財団の諮問委員会の委員で、移民と「難民問題」を専門にする。

さらに、英国で標的を黙らす作戦のために「反ユダヤ人主義」を使っているもう一つは、「憎悪なき希望」である。おや、これはもっと正確には「希望なき憎悪」と呼ばれるべきだ。彼らは皮肉にも、憎悪をこちらに投げ付けることによって私を検閲させようとしてきた。

彼らはデジタルヘイト対抗センターの声高な支持者である。全くの偶然で、希望なき憎悪が解放された慈善活動によって資金提供されてきたことが、あなたは理解できる……？　さらに、デジタルヘイトの資金提供者には、バロー・キャドベリー・トラストやジョセフ・ラウントリー慈善信託、ローラ・キンセラ財団が含まれる。

ニック・コーエンの『オブザーバー』の記事の後、デジタルヘイトはどれだけ多くの人が、「大流行」についての私の情報をユーチューブやソーシャルメディアで見たか「報告書」を出し、私が消されることを要求した。彼らは「３０００万」と推定したが、その数にしては低すぎる。「報告書」は正確さと情報操作において無法なものだ。

それらの入力情報を知る者の中には、ロンドン大学キングスカレッジのダニエル・アリントン博士やマンチェスター大学のロブ・フォード博士、「シグニファイ」と呼ばれる所から来たジョナサン・セビレ、ブリストル大学のシオバイン・マクアンドリュー博士がいる。マクアンドリューはデジタルヘイト対抗センターの取締役だ。

シグニファイは「倫理科学データ企業」で、「倫理学」には彼らが同意しない人々を黙らすことも含めるべきだと、明らかに信じている。そして、「ＡＩとビッグデータが社会の共感を打ち立て、よりよい製品と政策を招来することを世界に示す」ことをはっきりと欲している。一方で、人々を自宅待機させることに執着しているように見えるセビレは、発言や意見の自由に全く関心がないことを世界に示している。

デジタルヘイトのやじ馬連は次に、ハッシュタグ#DeplatformIckeを使って私を全ての主流派インターネットから追放すると表明した。彼らは自分たちが「反ヘイト」機関だと主張しているのに、大流行詐欺について私が言っていたことで私を標的にした。うわっ、なぜ？　もちろん、どんな手段や言い訳を使ってもとにかく私を黙らせたい主人に仕えるためである。

ほぼその直後、デジタルヘイトが請願に８００の署名を集めた（すごい！）と哀れなほど得意になっている間、フェイスブックは75万人のフォロワー（5年間続けた総体へのひどく極端なシャドーバン［隠れ禁止］と抑圧にもかかわらず）がいる私のページを除去し、ユーチューブは私のチャンネルと全ての私の動画を削除した。そうやって彼らは、１００万に近い登録者がそれらを見ることを拒否した。

その請願は、いずれも『恥ずかしい体』と称するテレビシリーズに出ていたテレビの「著名人（セレブ）」医師、クリスチャン・ジェッセンやドーン・ハーパー、ピクシー・マッケナだけでなく、英下院議員ダミアン・コリンズのような知の巨人によって署名された。これは単に「恥ずかしい」と呼ばれるべきではないか？

これは２０２０年３月13日、マスコミ報道で、イタリア人は「長いシエスタ（昼寝）」を取るための口実としてコロナウイルス大流行を利用していると発言したのと同じ、クリスチャン・ジェッセンである。彼はその「ウイルス」について述べた。

「その大流行は、現実よりも報道の中で生き延びると考える……インフルエンザのことを正確に考えれば、猛威を振るわなくてもインフルエンザは毎年、数千人を死亡させると私は言っているのだ」。彼は補足した。「これは実際、悪性の風邪のようなもの。正直になろう」。

それから彼は、私をその「ウイルス」の危険性を控えめに演じたとして追放する請願に署名する。そう、言葉は私にも役に立たない。ほとんど知られていないテレビの「著名人」で、デジタルヘイト団体の後援者、レイチェル・ライリーは私が追放になったニュースについてツイートした。

そのヘイトの唱道者がオーストラリアから追放された。大きな会場は彼を拒んだが、まだソーシャルメディア機関は彼に拡声器で伝える（そして利益を懐に入れる）ことを許している。フェイスブックは今日、とうとう彼を削除した!!

彼女はいとおしい女性で、とても優しく、人権を守り、自由の存在を情熱的に信じている――自身のため――。彼女が言及した他の追放は、同じ世界的ネットワークによる同じうそと偽情報の結果であると、彼女はもちろん言わなかった。

何かを要求するために設立され、それから彼らが要求したことを獲得するほぼ無人の機関のお決まりのやり方を、私は何度も見てきた。独裁主義を容易にするユーチューブのウォシッキーは、彼らが私の数十年分の動画を消したのは、「苦情」を受け取ったからだと述べた。おや、ウォシッキー女史よ、あなたがご存じのものが来ていたということですか？

フェイスブックによれば、私は「身体的危害を引き起こす可能性がある健康に関する偽情報」を投稿することによって、その「コミュニティ規定」（心底腐ったゲイツのWHOの見解に反するいかなる人も削除する）に違反した。それは「ウイルス大流行」が始まる6週間前、ゲイツ財団によって運営されたイベント201の文言そのままである。

アイクを黙らす「デジタルヘイト」ネットワーク

現在、私の仕事を支持する世界中で少なくとも数億の人々は当然、激怒し、デジタルヘイト対抗センターのツイッターページは混雑している。支持者は、イムラン・アーメドに名目上率いられたその機関を調査し始めた。彼らのホームページには、アーメドの画像群と、彼と一緒のレイチェル・ライリーの自撮り画像があるだけの「わが人々」のページが含まれる。

その機関は多くのコネを持っており、その取締役（彼らは変更し続けている）の2人と最高責任者のアーメドが、キール・スターマー「率いる」英国労働党と非常に近い関係のある人たちであることを市民ジャーナリストが暴いた。先に述べたが、スターマーはイスラエルに屈服し、その歓心を買う言説によって生活している。

その集団によってデジタルヘイトの取締役の1人に指名されたのが、モーガン・マクスウィーニー。自身が指導者になる企てで、スターマーの選挙運動本部長に就いている。マクスウィーニーは有限責任会社「共に労働党」の中心的人物である。同社は「労働党の党員や支持者、政治家に貢献する集団」で、デジタルヘイト対抗センターと同じ住所（ロンドン、イーストフィンチリー、パークロード、ラングレーハウス）に本拠を構える。

指導力のないひ弱な前任者、ジェレミー・コービン（背骨が抜かれている）の間、英労働党は超シオニズムとサバタイ派フランキストに乗っ取られた。「共に労働党」の指導的立場の取締役は、超シオニストのトレヴァー・チン。彼はトニー・ブレアやラス・スミース、リズ・ケンドール、トム・ワトソン、キール・スターマーのような超シオニストのごますり労働党人士への資金提供者である。

労働党はさらに、シオニストのジョン・ランスマンやジェームズ・シュナイダー、アダム・クルーグがつくった「モメンタム」と呼ばれる集団に支配されている。「モメンタム」はまた、私を黙らせる運動や、ロスチャイルド家に対する批判や暴露は反ユダヤ主義だと主張するビデオを制作する運動を展開してきた。世界的なエリート銀行一家を暴露することは、労働者階級の代表と思われている集団にとって立ち入り禁止区域なのか？

ただし、現実に何が進行しているか分かると思う。私に言わせれば、「団体」だ。実際、私が言及したこれら全ての「団体」は、「デジタルヘイト」を含め、私的な有限責任企業である。

もう1人のデジタルヘイトの取締役は、英国首相の首席顧問を3年間と、労働党の首相、ゴードン・ブラウンのスピーチライターを歴任したカースティ・マクニールである。不運にも、彼の演説を幾つか聞いたことがあるが、彼女はどう考えても、いま一つである。彼女は現在、セーブ・ザ・チルドレン英国事務所の政策・弁護・運動常任理事と、ホロコースト教育信託の理事長を務める。

「最高責任者」のイムラン・アーメドが、「3度の選挙と2回の国民投票を含む8年間、労働党の各政治領域を横断して、労働党の古参政治家たちの政治顧問として働いてきた」ことが判明している。彼はウォラシー選出の下院議員、アンジェラ・イーグルと共に、『新しい農奴制』と題する本を書いた。そこには、支配体制に逆らう人たちへの検閲が含まれているはずである。

デジタルヘイト対抗センターの登場は、さらに繰り返しのやり方を伴った。その最初の言及は予想通り、２０１９年9月18日、『ガーディアン』紙に次の見出しで現れた。「ネット上の荒らし（トロール）に対処する最善の方法、レイチェル・ライリーのように彼らを酸欠にせよ」。もう一つがＢＢＣのウェブ版に現れたが、同じく予想通りだった。

1人の解説者が述べた。「主要な報道機関が実績のない無名のＮＧＯに興味を持つことは、間違いなく注目に値する。それは、ＣＣＤＨが有力者との縁故関係を明らかに持っていることを意味する」。まあ、ほんの少しだ。それは世界規模の巨大な検閲網の一部にすぎない。これについてもっと知りたければ、「あとがき」を見よ。

BBCなどは私との議論を設定することも返事を求めることもなく、この烏合の衆の私への攻撃を許した。同じことが、私が述べたことについて何から何まで激高する主流派メディア全般にも言え、多くの動画が削除された。回答の権利さえなく、私は故意に攻撃され、悪魔化されることを許した。彼らはジャーナリストの仮面をかぶった、何と意気地のない、屈従した人々か。

英国の脳〔訳注：BBCラジオの人気クイズ番組名〕、すなわちトークラジオの「独立した」マイク・グラハムは、私が大流行詐欺とその世界支配の目標について話したことに対し、「デマを飛ばしている」と私を攻撃した。当然、彼は私と議論しなかった。ルパート・マードックと情報通信庁のメラニー・ドーズは彼の尻をピシャリとたたいたことだろう。

主流派メディアが視聴率の低下にどれほど鈍感で、無意味になってきたかを示すなら、その「ウイルス」と、それが詐欺である理由について私が『ロンドンリアル』でやった3回目のインタビューが世界中で多くの視聴者を獲得した（100万人以上と言われる）ことを挙げよう。そのときはユーチューブでない発信元を通じ、ストリーミング配信〔訳注：インターネットに接続した状態で映像や音楽などをダウンロードしながら順次再生できる配信方法〕した。

皮肉にも、そのインタビューはユーチューブでも生配信され、そのプラットフォームで世界一の生配信視聴者を獲得したらしい。その日、スーザン・ウォシッキーはいらいらを立て直す前に、とても大きな声で叫び、パンツのマチを引っ張ったことだろう。

次に、超シオニストと労働党が占拠したデジタルヘイト対抗センターはもう一つの「報告書」を作成した。それは、私を**インタビューした**『ロンドンリアル』その他は同様に削除すべきとし、他のユーチューブチャンネルにある私に関する全ての動画も削除することを求めている。

誰もが独裁主義？　この道はオーウェルの「アンパーソン（非実在者）」（存在が全ての記録から抹消されている誰か）に通じる。このようにしてカルトは私を怖がっているが、無理もないことだ。私は彼らの一番の悪夢で、必死になって私を黙らせようとして、毎日そのことを裏付けている。

ネオコンのニュースガード

デジタルヘイト対抗センターは、ツイッター社に私のアカウントを除去させることができなかった。それで、「ニュースガード」と称するもう一つの支配層による偽装検閲機関がやって来た。私は次のメールをニュースガードの「返事の早い副編集長」、ケンドリック・マクドナルドから受け取った。そのようなばかげた肩書きを笑い終えると、私はその内容を読み始めた。

　私の名前はケンドリックで、ニュースサイトの信頼性と透明性を評価するサービス、ニュースガードの記者をしています。私たちが接触を図っている理由は、新型コロナウイルスの偽情報であると気付いたものを多くの閲覧者と共有してきた高いフォロワー数のツイッターアカウントを呼び物にする記事を、私たちは配信しているからです。

5G技術とコロナウイルス拡大を誤って結び付けたとニュースガードが評価した投稿に基づいて、私たちはデーヴィッド・アイクのツイッターアカウントを加えています。

もし、デーヴィッド・アイクが公表を前提とした意見を返信にお持ちか、あなたが彼の代理としてそれをお持ちなら、できるだけ速やかに知らせてください。私たちは5月7日木曜日の朝（東部標準時間）、記事を公開するつもりです。

私は「記者」または「ジャーナリスト」でいることとニュースガードで働くことはその用語において矛盾し、両立することは絶対不可能だと指摘した。私がツイッターに投稿したことが偽情報であるという「証拠」を、情報源と共に送るよう彼に頼んだ。「当局が言った」ことを「情報源」として受け入れるつもりはない。2カ月近くたち本書が印刷にかかろうとしている今、私はまだ待っている。

米国人のゴードン・クロビッツとスティーブン・ブリルが共同でニュースガードを設立した。クロビッツはかつて『ウォール・ストリート・ジャーナル』の編集者とダウ・ジョーンズの執行副社長を務め、現在は外交問題評議会（CFR）とローズ奨学生米国協会の役員である。

私は本書序章で、CFRについて、ロンドンに拠点を置く円卓会議の秘密結社ネットワーク内にあるカルトの偽装出先機関として言及した。ローズ奨学生は、円卓会議の創設者で、南アフリカを略奪したロスチャイルドの代理人、セシル・ローズにちなんで名付けられた。オックスフォード大学へのローズ奨学金は、大人になったらエリートに仕えるよう都合良く抜擢された人たちに授与される。ビル・クリントンも彼らに含まれる。

ゴードン・クロビッツは、共通のイデオロギーと人事でネオコンのアメリカン・エンタープライズ研究所と密接な関係があり、9・11と「テロとの戦い」でアメリカ新世紀プロジェクトと関係がある。スティーブン・ブリルはシオニストの弁護士でジャーナリスト、そして企業家である。

彼とクロビッツは「偽ニュース」を止めるためにニュースガードを創設したと言うが、本当の目的は、公式説明を刻々と吐いている本当の偽ニュースを暴くホームページを中傷し、悪者扱いすることによって、本当の偽ニュースを守ることだ。それ故、ニュースガードは私を攻撃目標にして、空しい脅しをかけた。

ニュースガードがジェームズ&ジェームズと呼ばれる英国・ノーサンプトンにある業務遂行会社に接触した翌日、ジェームズ社は突然われわれに、契約を解消すると告げてきた。同社は5年間、何の問題もなく、私の本を顧客に配達してきた。彼らは住所さえ書かれてない電子メールを、どこからともなくわれわれに送ってきた。「親愛なるジェイミー」とあるが、私の息子は彼らと丸5年間、直接仕事をした。

そのメールは「最高経営責任者」、ジェームズ・ハイドからだった。ジェームズ・ストラチャンと呼ばれるもう1人の男と共同経営者を務める。そこにはこう記されていた。

> 担当者様
>
> 私たちは英国内で自由に発言する権利を尊重していますが、私たちの仕事はデーヴィッド・アイクが抱く見解を支持しておらず、そのような見解を持つ者、すなわちデーヴィッド・アイクの著書全般と関わることを望みません。

自分たちの製品（この場合は本）を5年間配達して突然、「われわれはあなたの抱く見解を支持していないので、そのような見解のあなたとは全面的に仕事をしたくない」と告げてくる会社と、どれだけの顧客が取り引きしたいだろうか。それなら、なぜ彼らは5年間このことを考えず、四方八方から私と私の仕事を黙らせようとする戦闘の最中にだけそうするのか？

なるほど、この質問自体がはっきり答えている。少数者に多数者の支配を許しているのは、この2人が全く意気地がなく、誠実さに欠けるからだと告白している。本書『答え（ジ・アンサー）』（THE ANSWER）は出版されてなかったし、どの道、彼らはその内容がどんなものか全く知らない。だから、彼らは実際に**5年間**配達してきた本の見解を「支持していない」のだった。圧力が彼らにかかったので、彼らは単純な自己利益から、太陽に照らされた雪玉のように消えてなくなった。話はそれだけだ。

彼らはそれに関して、誠実でいることすらできなかった。ほんの2、3週間前、ジェームズとジェームズはロイズ銀行グループの一角、LDCと呼ばれる会社から1100万ポンド（約15・5億円）の出資を確保していた。ロイズ銀行グループの会長は、保守党の上院議員で、情報通信庁の役員を務めるノーマン・ブラックウェルである。情報通信庁はCEOのメラニー・ドーズを通じ、私を黙らせ、5Gに曝露させようとしている。5Gを熱狂的に促進しながら、その批判者を検閲するのは、途方もない利益相反だ。

これら2人のジェームズのやつらは、自分たちの会社は個人的に賛同した本などの製品の注文だけを処理するつもりだと本気で言っているのか？　恐らく、他の潜在的顧客たちは、それが自分たちの取り引きしたい相手の態度だろうかと問うかもしれない。

私は「私たちは自由に発言する権利を尊重しているが」という言葉に続きそれらを破壊する手助けが起こるたびに、お金が入って来たらよかったのにと思う。彼らは残りの人生を、今のその決断と共に生きなければならないのだろう。彼らに幸あれ。私には助けられないから。

私がカルトの絶対的命令によって四方八方で追放されたり削除されたりしていた同じ時期、とても素敵な人、すなわち、ロシアの放送局RT（旧称：ロシア・トゥデイ）のポリー・ボイコが再び出演していた。「数日後」放送するために私をインタビューしてから7カ月後のことで、それは決して日の目を見なかった。彼女はRTのホームページに記事を書き、数カ月も前のわれわれの面会について説明していた。しかし、そのインタビューは依然、割愛している。

彼女は、支配層が実際に私を脅したことを信じることができず、どういうわけか、支配層が逆上して私の作品を削除していることも無視していた。ボイコのひいきにしているくだらないもののうち、最も忘れられない一文はこれである。「……隠れたクモの巣がわれわれのあらゆる活動を操っている話から、ワクチンの危険性まで（ちなみに、ワクチンに何の危険性もありません）」。

そうした言葉が実際に「ジャーナリスト」によって書かれた。症状を立証するのにばからしいほど高い障壁があるにもかかわらず、米国でのワクチン訴訟だけで、ワクチンによる障害と死亡への補償としてすでに42億ドルが支払われているのに。紳士淑女よ、このような人たちが、世界で何が進行しているかをあなたに伝えている。そうなの？　私も泣きたい。

対照的に、ロンドンライブと呼ばれる一つの主流派テレビ局が、英国でその「大流行」の恐怖が始まったとき私が『ロンドンリアル』でやったインタビューを流した。そのときはまだユーチューブは消していなかった。なるほど、主流派メディアにいる彼らの同僚「ジャーナリスト」や、ニック・コーエンにとても愛されている検閲者の情報通信庁は、「撃て」と叫んでいる間、ささいなことにとてもいらいらすると同時に散り散りに逃げ出しているため、活動できなかっただけである。

情報通信庁は、ロンドンライブ局が「そのコロナウイルス大流行に関して潜在的に有害な内容を」放送したことで「制裁を科した」。それによって彼らは、私のインタビューが虚偽の公式説明――情報通信庁はそれを守るために存在していて、ニック・コーエンも明らかにそう――に関して潜在的に有害な内容を実際に広めたことを示そうとした。

政府の検閲官は述べた。「アイクがこうした見解を持ち、表現する権利があることを情報通信庁は認める［認めてない］が、それらは視聴者に深刻な危害を引き起こす危険があった。放送された当時、視聴者は特別に影響を受けやすかったかもしれない」。それはどんな危害だろうか？　おお、検閲の神様、メラニー・ドーズよ。彼女は答えない。

情報通信庁によれば、私の発言によって、「人々をそのウイルスから守るための公式の健康上の助言の背後にある動機に疑いを投げ掛けること」――「ジャーナリスト」のコーエンも強調していた方針――は「特に憂慮される」という。誰も決して、官僚の動機に疑問を投げ掛けてはならない。たとえ、彼らの行為が数十億人の生命と生計を破壊したり、彼らの度重なるうそが子供たちをひどい目に遭わせたとしても。

ドーズ女史と情報通信庁よ、その一文であなた方は、ご自身とその仕事の本質について、われわれが知るべき全てを明かした。同じことがゲイツやザッカーバーグ、ブリン、ページ、ウォシッキー、アップル社のレビンソンとクック、マスク、ソロス、ベゾス、いまいましい多くの連中に当てはまる。

触れるべきもう一つのことは、「代替（オルタナティブ）」メディアの一部と主張される、釣り記事（クリックベイト）サイトの役割である。それはでっち上げた「記者」を使いながらでっち上げた人々を引用して記事を捏造（ねつぞう）し、支配層に仕える「事実検証者たち（ファクトチェッカーズ）」によって自らの信用を容易に落とされる。そうすることで、多くの人の目から見れば、純粋な代替メディアの信用が落ちる。

その最悪の二つは、ロサンゼルスに拠点を置くYournewswire.comとNewsPunch.com（同じ人たちが所有する）である。後者は存在しない「バクスター・ドミトリー」と呼ばれる「記者」が書いたとする、故意の捏造記事群であると判明した。人類が直面していることを想定すると、それらサイトの所有者がこんなことをしているのは、私の理解力を超えている。

次は何？

早く目覚めなければわれわれはここからどこへ行くのかという疑問は、その「大流行」詐欺が中国全体で発生するずっと以前に本書で先に詳しく説明されている。ここでは、その「ウイルス」詐欺との関係で「次は何か？」に焦点を当てるつもりだ。

2020年の初めから、世界規模のオーウェル的悪夢の多くを確保してきたカルトは、世論圧力や都市封鎖への抵抗、その詐欺の本質に関する一層集積した暴露が最も思い切ったやり方を足止めするときでさえ、できるだけ多くの自分たちの新しい警察軍事国家を保持することを望むだろう。「違法な活動を助長する」との理由でユーチューブや巨大IT企業が抗議者の足跡を監視していることに大衆が抗議するのを避けるため、彼らは人々が集まるのを確実に制限しようとするだろう。カルトはその法律を作り、後にそれらへの異議申し立てや、それを収録したビデオも禁止する。続いて、その「ウイルス」の「新しい波」が、とりわけゲイツのワクチンが世界中に押し付けられる準備が整う直前に起きるだろう。

これらは中国で再び発生する可能性さえある。カルトが所有する中国の「研究者たち」は、彼らが決して分離していないその「ウイルス」が「ちょうどインフルエンザと同じように毎年、波となって戻ってくる」のを繰り返すだろう言った。それなら、われわれは永久に都市封鎖していた方がいいでしょう？　次に来る「波」が、都市封鎖に抗議する人たちのせいにされているのを見よ。その「ウイルス」は他の株に変異しているので、その「ウイルス」から「回復すること」が免疫を持ったと推論できず、「その病気にかかった」ことがある人も含め全員がワクチンを接種しなければならないという主張を聞くだろう。

人々に「新型コロナウイルス」への免疫は備わらない。なぜなら、「新型コロナウイルス」は存在しないから。その検査は体の中に「病気」ではなく、遺伝子情報を探しているのに、どうして陽性だけ出ないようにできようか？「病気」でない遺伝子情報に対する免疫を、どうやって発達させられるのだろうか？　あなたが存在しない「ウイルス」を発明したら、状況をどれだけ制御できるか考えてほしい。

ゲイツはすでに、自身の傲慢な発言でカルトのその戦略を明かしている。人類全てが、長期にわたり計画し、入念に準備し、ゲイツが資金提供した有毒な代物とナノチップを注射しない限り、「ノーマル」には戻れないと。彼のこの〝ワクチンを打つまで通常に戻さない〟は、ペンシルベニア大学の世界戦略担当副学長で、滑稽にも医療倫理・保健政策学部長のエゼキエル・エマニュエルから支持されてきた。

エマニュエルの父は、爆撃と脅しで１９４８年にイスラエルを誕生させたテロ集団、エツェル（ユダヤ民族軍事機構）のメンバーだった。彼の弟は、前シカゴ市長のエマニュエル・ラームで、バラク・オバマ大統領の昔からのスヴェンガーリ（他人の心を、とりわけ邪悪な目的で意のままに操ろうとする人）〔訳注：ジョージ・デュ・モーリアによる１８９４年の小説『トリルビー』に登場する催眠術師より〕である。

エゼキエル・エマニュエルはまた、老人が可能なだけ長く生きていることに不満なようだ。彼は、ワクチンが見つかるまで都市封鎖は続けなければならないと述べた。「実は、われわれに選択の余地はない」。米国のテレビ司会者、タッカー・カールソンは見事な返答を伝えた。

> うその長い歴史を持つ人、エゼキエル・エマニュエルのような政治工作員が、「実は」と一文を始めたら、たぶん構えるはずだ。文を「われわれに選択の余地はない」で結んだら、怖くなるはずだ。

ゲイツに資金提供された、インペリアル・カレッジのニール・ファーガソン教授は恐ろしく不正確なコンピューターモデルの予測で都市封鎖を促した。都市封鎖を終わらせる圧力がちょうど高まっていたとき、ファーガソンは都市封鎖が後退させられるのを止めようと努め、さらなる「モデル」を作成した。

ファーガソンは愛人の訪問をめぐって馘になる前の4月末、もし高齢者を封じるだけの段階的な都市封鎖が実施されれば、英国ではその年末まで、少なくとも10万人が死亡する可能性があると述べた。彼によれば、死亡者数に大きな増加が見られなくても、病気にかかりやすい人が都市封鎖を続けている間は、若い人や健常者を職場に戻すことは不可能であるという。

「ニール・ファーガソン教授は、その殺人ウイルスに対するワクチンが発売されるまで、ある程度の社会的隔離は続けられる必要があるだろうと述べた」と『メールオンライン』は報じた。都市封鎖を確保するのにちょうどいいタイミングでのこの男の見通しの悪い予測と、その後の後退を止めるための試みは、単にばかだからと言い逃れできない。だから、彼は自身の「モデル」が創った絶対に悲劇的な身体傷害と人道破壊について、公開で独立した大衆尋問に付されなければならない。

同じことはカルトに支配されたジョンズ・ホプキンス大学の働きにも言える。ゲイツの「模擬実験」イベント201に参加し、自身の実験であるクレイドX〔訳注：2018年、ワシントンDCで開催〕を行った。そして、偽りの死亡者数を露骨に、恐ろしくお粗末に、世界中のメディアと社会に流布した。

ゲイツ一味は、決して存在が証明されていない「ウイルス」から「われわれを救う」ため、ワクチン接種の圧力をかけている。仮にその存在を受け入れたとしても、それは驚くほど死亡率が低く、死亡診断書と数字の修正によってのみ可能だ。ゲイツを通じて演じられているカルトの集団予防接種計画が成功するには、こうした情報をカルトメディア機関によるさらに厳しい検閲を通じ、世界人口の大多数から遠ざけておかなければならない。

「我ら人民」〈訳注：米国憲法前文〉が広めてくれたおかげで現在、世界中で推定数千万人に視聴されている私の削除された動画は、その邪魔（じゃま）を手伝ったし、本書はさらに貢献するだろう。どうか、その動画と本書の情報を、できるだけ多くの人たちに広めてほしい。

食料支配

全体管理のためのカルトの計画でもう一つの重大な側面は、世界的な食料不足を操って、自分たちが全ての食料の分配と、誰が食べるかを命令することである。これは無条件の水準の服従によって決定される。だから、ゲイツ財団が「食料安全保障」の取り組みで英国国際開発省と提携している（資金提供している）ことは、どれだけ元気づけられるか。ちえっ！

食料不足の下準備はすでに順調に進行中で、自営農家の仕事をなくしたり、土地から追い出したりすること――その「大流行」による都市封鎖が多数の人にもたらすこと――も含まれる。農家はレストランやホテルの閉鎖によって自分たちの市場を失ったが、他のサプライチェーンや市場は彼らに交代させせないだろう。同時に、空腹の人々がたくさんいて、その数はさらに増えている。

テキサス州サンアントニオでは、フードバンクから何か食べる物を得ることを望みながら、一度の機会だけで1万台の車が徹夜で行列を作った。フードバンクは世界中で他の需要があるため、需要をすでに処理できなくなっていた。農家が零落し、人々が飢えるにつれ、木々や大地には理不尽が生まれていた。ある農家は言った。「われわれは太平洋沿岸から大西洋沿岸まで、収穫された野菜を廃棄することを強いられている」。

空腹というよりむしろ、飢餓を通じて大衆の依存と支配を創造するために、全ては冷徹に計算されている。人体を科学技術やAIと融合させるワクチンなどからのナノチップのおかげで新しい合成人間が出現するので、最終的に「食料」は人工的に合成され、厳密に配給されるよう計画されている。

研究室で製造された人工「食肉」を促進するため、カルト「食品」の巨大企業、タイソン・フーズと提携しているのは誰だと思う？　その通り、ビル・ゲイツだ。レストランやカフェ、他の自営食品店に照準を合わせながらの協調した攻撃は、「食料」を管理し、変質させるこの試みの一部である。

加えて、5Gがある。5G送信の出力は、それが一層広がり5G装置が普及すればするほど、ますます急激に増大していくだろう。人の健康と心理への影響は、同じ割合で拡大するだろう。深刻になる可能性のあるこれらの影響は、「ウイルス」――「新型コロナウイルス」など――と呼ばれ、さらなる都市封鎖を正当化するのに使われるだろう。

私は今なお、心の中で、それにさらされた人々が、病院のベッドや巨大な死体置き場で非常に増えていると思っている。その「ウイルス」が5Gを正当化し始めていないうちから。恐らく、それは全て恐怖をふっかけるためにすぎない。つまり、それは存在しないかもしれない。60GHzのような特定の周波数の5Gは、人の健康と心理を荒らし回る潜在力を持つ。人々は、5Gのスイッチが切られることを要求しなければならない。ノーという返事を受け入れては駄目だ。

カルトがいちかばちかの勝負に出ようとしているのは、大流行だけではない。彼らが完全支配へのゴールライン目掛けて疾走（しっそう）しようとするとき、衝撃や抗議、あらゆる種類の懸念（けねん）があるのはもっともだ。しかし、われわれは彼らよりずっと大きく、ずっと力強くなれる。われわれは絶対にその選択をしなければならない。

非常にはっきりしたことを述べると、われわれの奴隷根性と協力しない平和な大衆革命が緊急に求められている。本当は「緊急に」は、われわれが反応しなければならない速度として控えめな言い方だ。これを書いているとき、都市封鎖への抗議や抵抗は高まり始めている。しかし、われわれは何が起きたのかについて本当に独立した調査を要求し、関わった全ての人の責任を問い、彼らの残りの「人」生を監獄に送るくらいのことはしなければならない。それ以下のことを受け入れては駄目だ。

超シオニストの米国民主党下院議員、アダム・シフは、9・11の後で起きたのと同じやり方で、いかなる調査も乗っ取ろうとすでに動き始めた。そのときは攻撃に関わった人たちが、自分たちへの「調査」も取り締まった（『**引き金**』を参照）。シフは今回、これが起きないことを教えられる必要がある。邪魔するな。

ゲイツは投獄されるだけでなく、彼の莫大な有り金を没収し、彼や彼の代理人に生命と生計を破壊された人たちの間で分け合うようにすべきである。人民は『レ・ミゼラブル』の中のように、まさに「歌うべき」秋(とき)であるだけでなく、大声で叫ぶ秋(とき)である。平和的に、そう。ただし、われわれの奴隷根性と協力せずに**大声で叫べ**。それ以下のことをするつもりはない。

※「ウイルス」の最新情報は「あとがき」を参照のこと。これは最終章より先に読まれるのが最善である。

あとがき

本書が印刷に入る直前、私が「大流行」詐欺を暴露するのを黙らせようとする体制側のやけくそぶりは、さらに新たな水準の異常さに到達した。英国下院議員のダミアン・コリンズは、私が公式説明に異議を唱えるのを**違法**にすることを要求した。独裁政治の定義からすれば、なかなか上等な考えである。

保守党国会議員で、元下院デジタル・文化・メディア・スポーツ委員長のコリンズは私を黙らせることと、ゲイツとカルトの支配する世界保健機関（WHO）の公式説明——WHOの説明は、世界中の政府や黒スーツの技術官僚（テクノクラート）によってオウムのように繰り返されている——への異論を黙らすことで、明らかに頭がいっぱいである。

1人の男がその「大流行」について、世界の行政組織全体や世界の主流派メディア全体、カルトが所有する巨大IT企業全体と違う意見を持っているからと言って、なぜダミアン・コリンズはその男に、そこまで取りつかれたようにささいなことでピリピリするのだろうか？ **1人の男だ！** 分かった。私が本当のことを話していて、それが全ての存在の中で何より恐れているものだからか？ コリンズは私と討論できた。それが「自由主義世界」と考えられているものである。しかし、彼はしなかった。なぜなら、彼は意気地なしだから（図①）。

彼は私を黙らせ、自分の意志を世界中の膨大な数の人々に押し付けたいだけ。彼らは私が言わなければならないことを聞きたいのに。コリンズが恐れているのは、他人が**意見を述べる権利**らしい。なぜそうなると思うか？ 私のような「ネット上にしつこく偽情報を広めている」人々を止めるた

図①：アイクを黙らすことで頭がいっぱいのダミアン・コリンズ下院議員。

め、彼は新たな「法的要件」を求めた。それは当然、何が「偽情報」であるかを当局が決めることを意味する。『1984年』のどこかで読んだ気がする。

「もし、こうした情報をしつこく繰り出す放送局あるいは集団、個人があれば、公衆衛生上の緊急時にその種の悪意あるソーシャルメディアの乱用は犯罪になるべきである」と、あぜんとするほど傲慢(ごうまん)な男は言った。彼は人が何を見て、何を見ないかを自分(コリンズ)が決定すべきであると信じている。

その「大流行(パンデミック)」に関する私の見解が法律に違反すると彼が訴える——ナチスドイツで起きたことや、中国で起きていることと酷似する——前の2020年3月30日、彼はすでに「インフォテージョン(Infotagion)」と呼ばれる「事実検証サービス」(すみません、腹がよじれる)という組織を発足させていた。「その大流行の間、間違った考えを撲滅するため」である。いいや、公式説明に疑問を呈する情報を標的にするためだ。

すでにすっかり信用を落とした世界保健機関(ゲイツ)のたわ言だけを国民に聞かせることによって、やつれ果てた男がここにいる。これはコリンズとインフォテージョンの「事実検証」の一例だ。

主張:健康に良い食べ物と運動は、「新型コロナウイルス」に対する自然免疫をつくることができる。

答え:誤り。病気の保菌者との接触を避けることが、感染を防ぐ唯一の方法である。

免疫系はわれわれを病気から守るために存在するのだとすれば、免疫系を強化することが**全ての**病気に対して防御になり得ないとの考えは、明らかに狂気に近い。そのような提案が誤りと主張され得る恐らく唯一の理由は、公式見解があなたに、都市封鎖と社会的距離の確保のみが感染を防ぐと信じてもらいたいからである。

従って、この例に限れば、コリンズは「偽情報」を止めるためではなく、ゲイツ－WHO－政府の公式方針を守る中で、それを流布するためにインフォテージョンを運営している。

このことは、コリンズの、政府が支援するインフォテージョンのホームページで確認できた。そこでは、初めにそれが「独立して」いて、次にその情報は「WHOや英国、その他の公式政府の助言に由来する」と表明している。信じられない。「独立して」いて**かつ**、あらゆる公式説明をただ繰り返している。

インフォテージョンはマーケティング会社、アイコニック研究所と「協力して」創設された。アイコニック研究所は顧客に、「LGBT（性的少数者）と消費者は今までよりずっと目立っており、18～25歳の半数までが、完全には異性愛者ではないと言っている」という事実に応えることを促している。アイコニック研究所は、リアム・ハリントンやジョン・クインラン、サム・アサンテによって創られた。

自由の敵、コリンズは言う。「偽情報は人々を殺す可能性がある」。そう、殺せる。偽情報によってどれだけ多くの人が死亡し、さらに多くの人が死のうとしているか。コリンズが感染から守るために決断した都市封鎖は、その偽情報が導いた。免疫系を強化することは病気に対する防御にならないとの主張より明白な偽情報があるだろうか⁇

コリンズによれば、彼はインフォテージョンを発足させるため、デーヴィッド・セフトンの導きでアイコニック研究所に入った。セフトンはアングロ・アフリカ石油&ガスでの自身の地位〔訳注：取締役会長〕に関する「うわさと市場投機」をめぐり、アイコニック研究所の社長を辞めた。アングロ・アフリカ石油は２０１９年７月に辞めている。ジャーナリストのトム・ウィニフリスは２０２０年初めに次のように記した。

> ……デーヴィッド・セフトンはぞっとするような未申告の利益相反や非常識な支出などの問題について、このホームページで暴露された後、アングロ・アフリカ石油&ガス（ＡＡＯＧ）を辞めさせられた。今は［２０２０年］１月30日で、関係者（インサイダー）との取り引きなどの問題に関連した、誤解を招く取引所の情報サービス（ＲＮＳ）の発表に関する重圧の後、私は再び、彼に勝利し始めた。このときは、アイコニック研究所（ＩＣＯＮ）に関してだった。
>
> アイコニックは今日、シェフィールドで年次総会を開いている。誰も厄介な問題を質問しに来ないことを何かが保証していた。セフトンは再選に向かっていたが、クリスマスを過ぎて会社を

去る決断をした。取締役会長を辞めた後は、直接の影響もなくなる。今は社外取締役ではないばかりか、それ以来、お金も未来もない。言い換えれば、全く問題がない。

ダミアン・コリンズは、超シオニストが資金提供する労働党に占拠されたデジタルヘイト対抗センター（CCDH）の要求で、私をフェイスブックやユーチューブから追放する署名に参加した1人だった。労働党と、コリンズが属するボリス・ジョンソンの保守党は政治上の「敵」に見えるが、カルトの全ての目標――一つには、厳しい検閲――においては、彼らは全面的に一致しているように見える。

ロンドン大学キングスカレッジの社会・文化・人工知能に関する上級講師、ダニエル・アリントン博士も、私の著作物を違法にしろと訴えているコリンズに関する同じメディアの記事で引用されている。アリントンは、私をフェイスブックとユーチューブから削除したデジタルヘイト対抗センターの「報告書」を手伝ったことで知られる。

彼は「調査」を引き受け、「コロナウイルス陰謀論」を信じる人たちが都市封鎖規則を侮辱する傾向がより強いことが分かったと述べている。彼が「調査」を引き受けた⁉　脳細胞が一つでもあればそれを彼に話し、手間を省けた。

アリントンは「著名人」よりもむしろ、私を黙らせることに集中した。著名人の一部がその「大流行」についての公式説明に疑問を呈す見解を投稿したとの指摘があった。そこには英国人ボクサーのアミール・カーンが含まれるが、アリントンは彼らのことをあまり苦にしなかった。

私はアミール・カーンのような者が言うことを取り締まりたいのかどうかよく分からない。しかし、それなら、デーヴィッド・アイクあるいは『ロンドンリアル』（陰謀論サイト）のような者がいる。彼らの商売はネット上で公開される内容を創作することで、それを現金化できる。ほう、アリントン。実際、われわれが公開のプラットフォームに投稿した動画で、私はお金を得ていない。たぶん、あなたは自分で事実検証できたはずだ。ダミアン・コリンズはなぜ、その「大流行」に関する私の情報を黙らせることで頭がいっぱいなのか？　この本の中で、詳細に「大流行」のことを読んだはずだ。

この男が何者で、誰とつながっているのか？　彼が英国下院議員だとすれば、これらは正当な質問である。議員は自由と民主主義を守っていると考えられるからだ。しかし、明らかに両方を軽蔑(けいべつ)している（図②）。

彼のフォークストーンとハイズ選挙区の有権者は自尊心と、次の選挙で彼にショックを与える独自の自由を教示することを望む。そして、国民があらゆる機会にこの露骨な自由の敵を非難することを。

図②：私と私の著作物に対する検閲の戦いを完璧に描写した、オーウェルからの引用。

コリンズは7年間、「国際広告代理店」M&Cサーチに勤務した。もっと正確に言えば、サーチ&サーチの競合相手として1995年に創設された〝スピンマシン作戦〟に従事した。サーチ&サーチはマーガレット・サッチャー首相と保守党のため、誤った解釈を与える選挙運動を展開した〔訳注：サーチ&サーチはモーリスとチャールズのサーチ兄弟が1970年に始めた広告代理店だが、2人は1995年に同社から去り、M&Cサーチを立ち上げた〕。

M&Cサーチの最高経営責任者と共同設立者は、超シオニストのデーヴィッド・カーショーである。彼はまた、長期にわたる激しい反アイクの『ユダヤ人新聞』の取締役会のメンバーを、笑うべき編集者のスティーブン・ポラードと共に務める。同紙は、投資家の事業連合体によって買収される前の2020年4月に任意的清算手続きに入った。

ダミアン・コリンズと彼の「インフォテージョン」はカーショーのM&CサーチおよびアイコニックS研究所と「協力」し、その「ウイルス」に関する「偽情報」を標的にしてきた。それは常として、ゲイツの世界保健機関（WHO）を通じて売り込まれるカルトの説明に反する全ての情報を意味する。

読者は、米国の超シオニストの新保守主義者、あるいは「ネオコン」が本書に実に多く登場してきたことに気付いただろう。私の他の幾つかの著作、特に『**引き金**』では最も顕著に、膨大な長さにわたってこれを暴いた。

サバタイ派フランキストのネオコンのクモの巣は、アメリカ新世紀プロジェクト（PNAC）やそれと密接に提携するアメリカン・エンタープライズ公共政策研究所を生んだ。ダミアン・コリンズは、イスラエルをあがめている英国ネオコンの機関、ヘンリー・ジャクソン協会の役員で、その原則表明に署名している。特別会員のメンバーには、英国政府の大臣、マイケル・ゴーブや超シオニストのアダム・レビンとアラン・メンドーサがいる。

レビンは「ローフェア」〔訳注：武器を用いずに法律を悪用して敵と戦争すること〕作戦を展開する「イスラエルのための英国弁護士」の理事である。これは、ボイコット・投資撤収・制裁（BDS）運動を促進しているパレスチナ人の支援者を、規制団体に苦情を訴えたり、法律行為で脅すことによって狙い撃ちするもの。

コリンズは明らかに、ひいきにしている友達が何人かいる。ヘンリー・ジャクソン協会の国際的後援者の中には、アメリカ新世紀プロジェクトの主義に忠実な超シオニスト、ウィリアム・クリストルや共同出資者のリチャード・パール、元CIA長官のジェームズ・ウールジーがいる。読者がどこまでご存じか分からないが、ダミアン・コリンズが操り、私を攻撃対象にしている一味の像は、幾分示せたと思う。それ故、私の情報は何ら驚くに及ばないはずである。

「ヘイト」検閲ネットワーク

デジタルヘイト対抗センター（CCDH）が、フェイスブックやユーチューブから私を追放したのは自分たちだと公言した（そうすることに合意する前、両者とも不平を鳴らし、叫んでいたと確信する）後、市民ジャーナリストと私のホームページの訪問者たちは、コリンズが支持するこの団体を調べ始めた。なるほど、クモの巣は資金提供者や支持者、各協会と共に、いかに大西洋の両側に広がっていることか。

　ＣＣＤＨの取締役名簿の中に、米国民主党に中心的影響を与えている1％のためのニューウォーク（余計な問題に目覚めた）の偽装出先機関、アメリカ進歩センターから来たサイモン・クラークがいる。その創設者で初代の代表と最高経営責任者は、政治を巧みに操ることで悪名高い、ジョン・ポデスタである。彼はビル・クリントン大統領の首席補佐官で、２０１６年の大統領選挙でヒラリー・クリントンの選挙対策責任者を務めた。

　彼らが付き合う仲間で誰か分かった人は？　アメリカ進歩センターの主要な投資家には、ジョージ・ソロスやシオニスト仲間のピーター・ルイス、スティーブ・ビング、ハーバート・サンドラーが含まれる。アメリカ進歩センター上席研究員のサイモン・クラークは、アイクを標的にしている憎悪なき希望（希望なき憎悪）の取締役会のメンバーである。憎悪なき希望は、ダミアン・コリンズが懸命になってやったのと同じやり方で私を必死に追放し、デジタルヘイト対抗センター（非常にヘイト）を支援した。

　彼の妻、ダイアナ・ショー・クラークは、イスラエルのロビー団体で米国政治家の資金提供者である「Ｊストリートのための国民財務委員会」の議長である。「デジタルヘイトの取締役、サイモン・クラークは、ブレント・スコウクロフトの「国際経営コンサルタント会社」スコウクロフトグループの顧問を務める。スコウクロフトは、極右大統領のジェラルド・フォードと「父」ジョージ・ブッシュの国家安全保障問題担当補佐官だった。

スコウクロフトは憎悪に満ちたサイコパスのフォードやブッシュに仕えたことに、どれほど不平や訴えを持たねばならなかったことか？　スコウクロフトは私のこれまでの著書に数多く登場した。彼は絶対的に悪名高いキッシンジャーアソシエーツの副代表を務めた。超シオニストでネオコンのヘンリー・キッシンジャーは、自身の成人期の事実上全てをカルトの代理人として過ごし、驚くレベルの戦争犯罪人だった。

サイモン・クラークがそのような人々と付き合っている一方で、アメリカ進歩センターやデジタルヘイト対抗センターのような「左翼」「進歩的」と自己規定する機関と密接に関わっているのを奇妙だと思うのは、私だけだろうか？

これはさらに、クラークのリンクトイン〔訳注：世界最大級のビジネス特化型ＳＮＳ〕の自己紹介文が、「極右の過激主義を撲滅するアメリカ進歩センターの仕事を始めた」と公言していることと関係する。そうであれば、なぜ、ブレント・スコウクロフトに率いられた会社との親密な関係から、彼に父ブッシュやヘンリー・キッシンジャーのような右翼テロリストの仕事を与えられたのか？　彼らは圧倒的に巨大な規模で、非白人諸国に死と破壊のテロを起こした責任を負う。

私はデジタルヘイト対抗センターのほかの中心的人物たちに、同様の質問をするかもしれない。

この本の本文で、その団体（有限責任企業）にはイムラン・アーメドやカースティ・マクニール、モーガン・マクスウィーニーのような労働党の「左翼」（冗談）の人間に加え、検閲に取りつかれた学者が含まれていると述べてきた。しかし、私を黙らせるとなると、これら労働党の活動家たちは右翼保守党のネオコン下院議員、ダミアン・コリンズと一党独裁国家（英国）ではっきりと全面合意している。

　コリンズが私の情報とそれを表現する私の権利を違法にするよう求める一方、デジタルヘイトは私を全てのインターネットプラットフォームから削除させるだけでなく、他の情報源にある私への全てのインタビューの削除を求め、私をインタビューした人たちも追放された。とにかく私を支持すると思い切って口にした歌手のロビー・ウィリアムスのような有名人は、インターネット上のヘイトの御用商人たちによって虐待の標的にされた。

　支配体制に仕える者たちは、私を恐れている。なぜなら、彼らは真実を恐れ、こうして私が言わなければならないことを聞こうとする人がいると思うだけで、いらいらが募って収拾がつかなくなるからだろう。

　だからもう一度、なぜ？　だから再び、コリンズの場合と同じ答えが戻って来る。彼らは「強力な」全てのコネにもかかわらず、1人の男の意見を恐れている。なぜなら、その「ウイルス」に関する公式説明があまりに欠陥だらけで矛盾するため、最も激烈な検閲のみ、その説明が悪魔扱いされるのを防げるからである。

私に対する検閲に非常に熱中してきたデジタルヘイトの取締役、カースティ・マクニールは、ゲイツ財団から来たキャロリン・エッサーと共に、「世界繁栄のための連合」と呼ばれるゲイツ出資の団体の役員に就いている。エッサーは「ビル&メリンダ・ゲイツ財団の欧州と中東における伝達方略の計画と遂行の責任者」である。世界繁栄のための連合は、ソーシャルメディア上で集団予防接種を強要し、ワクチン反対派を抑圧している。

では、なぜゲイツがその機関に資金提供しようとするのか、なぜカースティ・マクニールが私のような人間を検閲したがるのか、私には見当がつかない。マクニールは欧州外交評議会のメンバーだが、そこの主な資金提供者はジョージ・ソロスのオープンソサエティー財団である。彼女はまた、ホロコースト教育信託の理事でもある。

デジタルヘイトの他の取締役は、ブリストル大学の学者、シオバイン・マクアンドリュー博士や、元英国副首相首席補佐官で現在フェイスブックの世界情勢・情報伝達責任者のジョニー・オーツ、デジタルヘイトの資金提供者、バロー・キャドベリー・トラストの移民計画部長のニック・クレッグとアイシャ・サランである。

サランはまた、バロー・キャドベリーが資金提供し「アイデンティティーと統合、移民と機会」に焦点を当てているシンクタンク、「英国の未来」の理事も務める。英国の未来は、ソロスのオープンソサエティー財団やフェイスブック、BBC、欧州委員会、デジタルヘイトの出資者、「解放された慈善活動」から資金提供または「同種のもの」を受け取る。

デジタルヘイトはまた、超シオニストのコミュニティー・セキュリティー・トラスト（CST）ともつながっている。これは英国のユダヤ人を反ユダヤ人主義や関連する脅威から守る慈善団体で、絶えずこうした脅威を膨張させ、イスラエルやシオニズムを批判するユダヤ人を攻撃対象にしている。その人々と資金提供者を相互照会すると、巨大な迷路のようだ。

デジタルヘイトに資金提供するのは、超シオニストのピアーズ財団と、ニューヨークを拠点とし、ジョージ・ソロスと関係する前述の、解放された慈善活動である。解放された慈善活動の英国プログラムディレクターはウィル・サマービルで、ワシントンDCにある移民政策研究所（MPI）の上級政策分析員やシェフィールド大学の客員教授も務める。

彼はもう一つ、英国の未来に関係している。サマービルは内閣府の英国首相の戦略班である人種平等委員会と、公共政策研究所（IPPR）で働いたことがある。強力なコネがあるとの語句は、内閣府に短期間いた以上のものがあると考える。

デジタルヘイトは、労働党が支援しているとされる有限責任企業「共に労働党」とその取締役のトレバー・チンと、共に密接な関係にある。チンは超シオニストの実業家で、貧困にあえぎ、虐げられた人に大げさに同情していると私は確信する。チンはイスラエル政府の英国プロパガンダ部門である英国イスラエル連絡研究センター（BICOM）の執行委員会メンバーである。

デジタルヘイト対抗センター（CCDH）（以下、デジタルヘイトと略称も）の創設時の取締役、モーガン・マクスウィーニーは、イスラエル中心主義のキール・スターマー労働党党首の選挙運動本部長で首席補佐官であるとともに、共に労働党の事務局長を務める。共に労働党の所在地は、ロンドン、イーストフィンチリーにあるデジタルヘイトの建物と同じになっている。純粋な労働党員は、自分たちの会費が資金になっている「政党」が乗っ取られていることに気付くべきである。

デジタルヘイトを後援する、ほとんど知られていない「テレビの著名人（セレブ）」はレイチェル・ライリーだ。彼女は絶えず「反ユダヤ人主義」だと非難する人を雇い、人々を悪者扱いし、黙らせている。彼らは一緒になって私の情報と発言の自由を攻撃対象にした。私が数十年にわたる「狂人」として追放された後、彼らがしたことはどれも、私の著作物を見る新たな人々の数を劇的に増やした。私があまりに激しく検閲の対象にされたとの理由からである。それなのに、彼らは私に損害を与えたと信じている（図③）。

その攻撃はさらに増し、ハッカーが私のサイト（Davidicke.com とIckonic.com）の停止を同時期に試みた。続いて、ペイパルがその超シオニストの社長兼ＣＥＯダニエル・シュルマンと一緒に、私のアカウントを失効させた。これは、ガザとヨルダン川西岸のパレスチナ人にそのサービスの利用を禁止したのと同じペイパルである。しかし、ヨルダン川西岸を不法占拠したユダヤ人には、その利用を許している。

それは人種差別だとか何とかではない。攻撃が四方八方から来て、そうすることが続くだろう。これが、専制政治について本当のことを言うと起こることだ。これが終始続いている間、一つ良いことがあった。誰かがウィキペディアのデジタルヘイトに関するページを編集した。驚いたことに、

図③：（左から右へ）モーガン・マクスウィーニー（デジタルヘイトと労働党）、イムラン・アーメド（デジタルヘイトと労働党）、ダミアン・コリンズ（インフォテージョンやヘンリー・ジャクソン協会、保守党）、カースティ・マクニール（デジタルヘイトや労働党、セーブ・ザ・チルドレン、世界繁栄のための連合）、レイチェル・「あなたは反ユダヤ人主義」・ライリー（デジタルヘイト）。

本当に真実を伝えていた。今もそのままの形で残っていたら、一読をお勧めする。デジタルヘイトのことが次の通り、完璧に説明されている。

この組織は競合する政治関係者に対してインターネット検閲が実施されるよう運動を行い、彼らが自分の意見を一般の人々に提示できないようにユーチューブやフェイスブック、アマゾン、ツイッター、インスタグラム、アップルのような「ビッグ・テック」(大手テクノロジー企業)に働きかけて、個々人を「プラットフォームから追放」する。

実に正しい。しかし、「競合する政治関係者」は、競合する**政党の**「関係者」を意味しない。それは世界の出来事に関して競合する見方を意味し、ネオコンの保守党員、ダミアン・コリンズと労働党の「左翼」(再び冗談) 党員たちがみんなで、私に敵対する遊び場のいじめっ子集団をつくっている。

ツイッターに「アイクは削除されなければならない」との記事を作った職業的な検閲者、ニュースガードのときと同じ背景を思い出させる。ニュースガードは、デジタルヘイトやダミアン・コリンズのインフォテージョンと同じ意図で、超ユダヤ主義者のネオコン米国人、ゴードン・クロビッツとスティーブン・ブリルによって共同設立された――彼ら全員が代理し、必死で守ろうとしている公式説明に反する人たちを黙らすために。

英国政府の「反ユダヤ主義」（イスラエルのサバタイ派フランキスト体制への批判者を検閲し、悪魔扱いするため、反ユダヤ主義の中傷を使う）に関する常勤「顧問」は、元労働党下院議員のジョン・マンである事実を追加する。彼はＤＮＡまで超シオニストである。

これらの人々や機関には、共通の主題や行動様式が存在するに違いないが、そんなものが見えるものか。ただし、あなた方には見えると確信する。これらの人物や機関がこの同じ巨大なネットワークに組み込まれてないなどということは決してない。そのネットワークには、偽装出先機関作戦として展開されている多くの「慈善団体」が含まれる。

デジタルヘイト対抗センターから来たイムラン・アーメドは、サラ・カーン〔訳注：英国の女性人権活動家。イスラム教徒〕率いる英国政府の過激主義に対抗する特別委員会の運営委員に任命された（アーメドはたくさん「対抗」するように見える）。それは自身を「独立した」と称するが、もちろんそれはいつものたわ言である。「反ヘイト」と名乗りながら本当はその標的にヘイトを浴びせることによって、検閲を押し付けるためである。デジタルヘイトと仲間たち、それにダミアン・コリンズによる私についての憎悪に満ちた批評を見よ。

このやじ馬連が公式説明への全ての異議を黙らせようとしていた間、医師や葬儀屋たちは、死亡診断書が「新型コロナウイルス」が原因だと偽られていると報告し続けた。「新型コロナウイルス」は全く関係していないのに。公式のうそを暴露した長い実績がある「プロジェクトベリタス」〔訳注：非営利の調査ジャーナリスト組織〕は、このことを確認した葬儀屋と話をした。

ニューヨーク州ウィリストン・パークの葬儀屋は述べた。「基本的に今、われわれの机で目にする全ての死亡診断書に新型コロナと書いてある」。接触したあらゆる業者が「新型コロナウイルス」は水増しされていて、ニューヨーク州では確認の検査（これは何の役にも立たない）があろうがなかろうが、全ての死亡が新型コロナとして記録されていると証言した。

シェーファー葬儀場のジョセフ・アンティオコは述べた。「彼らは自分たちの病院に来る人々の多くの死亡診断書に、新型コロナを書き入れていた。これらの症状を抱えていたら、どんな種類でも。呼吸器不全や呼吸器障害、肺炎、インフルエンザ……」。まさに、その通りだ。そして、私がここで暴いている検閲のクモの巣は、世界がそれを知るのを止めるために働いている。死亡診断書は彼らについて何と書いているのか？

英国政府の世界規模の心理作戦「チーム」

英国の内閣府は「英国連合の首相と内閣を支える」英国政府の省庁で、２０００人の職員を有し、「他省庁を通じて政府目標の振り分けを調整する」。いいだろう。それなら、その目標の一つは、英国民と多くの世界の国々の人々の行動を操ることであるはずだ。なぜなら、内閣府は「技術革新慈善団体」の国立科学技術芸術国家基金（Ｎｅｓｔａ）と一緒に、行動洞察チーム（ＢＩＴ）の共同所有者だからである。

これは「ナッジユニット」という用語としても知られる。超シオニストのキャス・サンスティーンと、オバマ大統領の助言役だったリチャード・セイラーによる２００９年の著書『実践　行動経済学』（原題“Nudge: Improving Decisions About Health, Wealth, and Happiness”）（日経ＢＰ）に由来する。

「行動経済学」と呼ばれるものの提案者であるセイラーは、内閣府の行動洞察チームの「学術界の協力者」である。行動洞察チームの役割はその標的を「ナッジ」〈訳注：原語は“Nudge”―相手が望まれる行動を取るように、肘でそっと突くという意味〉すること。今回の「大流行」詐欺に関してまさに主要な役割を果たしてきた。

行動経済学の発展における他の主要な名前は、超シオニストのダニエル・カーネマンとロバート・J・シラー。３人とも〈訳注：もう１人は２０１７年受賞のリチャード・セーラー〉行動経済学の研究でノーベル経済学賞を受賞している。行動経済学は「個人や組織の意志決定における心理学的、認知的、感情的、文化的、社会的要因の影響」を研究することと定義される。カルトの全くのたわ言で、それは行動を操作、つまり「ナッジ」するための心理学的要因を研究することを意味する。

政府の中心にある**有限責任企業**、行動洞察チームは２０１０年に創設され、幾つかの大学と一緒に世界規模で活動する。そこには、ハーバードやオックスフォード、ケンブリッジ、ユニバーシティー・カレッジ・ロンドン、ペンシルバニアの各大学が含まれる。

同チームが自慢するのは、世界中で2万人の公務員と専門職従事者の「行動洞察」を鍛えたことや、現在まで750以上の事業を運営していること（そこには数十カ国における400の無作為化比較試験が含まれる）、その仕事が昨年だけで「31カ国に広がった」こと。BIT（行動洞察チーム）はニューヨークに事務所を持ち、「米国とカナダの全域で市とその諸機関および他の提携先と共に働いてきた。稼働した最初の年、25を超える無作為化比較試験を運営した」。

この「仕事」は人間の行動を操ることと関わり、今回の「大流行」中に行われたことの中核に存在してきた。行動洞察チームは標的となる人々に「心理作戦」攻撃を加える。心理作戦は「個人や集団、外国政府の知覚や態度に影響を及ぼすよう設計された軍事行為」である。

その後、その「ウイルス」詐欺が加熱状態に突入していた2020年3月、欧州や中東、アフリカの大流行戦略の発展を手伝うため、国防省で6年の経験があるレイチェル・コイルがBITの新しい取締役に指名されたのは、いかに適切だったか。英国陸軍サイバー心理作戦部隊の秘密第77旅団は、そのような重要な地位に自らの人員が配置されたことに恍惚（こうこつ）となったのは間違いない。両方の狙い――肘（ひじ）でそっと突（つつ）くことから異常な検閲に至るまでの全てによって、国民を要求された通りに行動させること――が同じだとすれば。

コイルは諜報（ちょうほう）と防衛畑出身の古参の人士で、中国とのサイバー戦争――このクモの巣の欺（あざむ）きに異を唱えた罪で、私をインターネット上から削除することを含む用語――を専門とする。行動洞察チームは、ロンドン大学キングスカレッジの客員教授、デーヴィッド・ソロモン・ハルパーンに率いられる。彼は「緊急時科学諮問会議（SAGE）の一員として、行動変革に焦点を当てながら英国政府の新型コロナウイルスへの対応を監督……」してきた。彼はやったに違いない。

行動操作ネットワークの中心人物は、マーク・セドヴィル内閣官房長官。彼は国家安全保障担当首相補佐官も務め、各関連組織のピラミッドの頂点に座る。インターネットサイト『UKコラム』は週3度の放送で幾つかの優れた仕事をし、セドヴィルと彼の行動洞察チームを外務省や国家安全保障会議、政府通信本部（GCHQ）、MI5、MI6、第77旅団、緊急対応部隊と結び付けた。緊急対応部隊は「誤報や偽情報を含む緊急の問題を見つけるためデジタルトレンドを監視し、最善の対策（検閲とうそ）を見極める」。これが、繰り返しになるが**内閣府**に置かれたメディア監視部隊の「仕事を支援する」。

このクモの巣には、軍事作戦「jハブ」が含まれる。これは国防省と戦略司令部のための「技術革新センター」で、**国民保健サービスのための「症状追跡」に関わっている。**軍は最終的に、いわゆる「融合原則」――私が先に説明した「ハンガーゲーム」計画に沿った、軍や警察、政府諸機関の融合――を通じて、起こることを制御しようとしている。

英国政府の放送検閲者である情報通信庁とBBCも、検閲でこのネットワークにつながっているだろう。検閲は、国民が見ていい情報を制御する。彼らは必死になって、情報通信庁の検閲権限をインターネットに拡大している。世界の終わりのような「コンピューターモデル」を都市封鎖の正当化にちょうどいいタイミングで作成したインペリアル・カレッジ・ロンドンが、この同じネットワークにつながっていないことなど、本当に考えられるだろうか？

ちなみに、中国政府はインペリアル・カレッジの「モデル化」災害にかき回されていない。そして、都市封鎖の間、同大学は中国の大手テクノロジー企業、ファーウェイと取り引きする5年間の協定に署名した。「同大の西ロンドン工科キャンパスには、ファーウェイの室内5Gネットワーク装置と『AIクラウドプラットフォーム』が設置されているのが見える。おまけに、その中国企業がインペリアル・カレッジの冒険的試みを促進する企業家精神コンテストの後援者になっている」。

内閣府を通って英国政府から出た情報統制と行動操作のクモの巣はとてつもなく巨大で、どの主要国も同じようになっているだろう。米国は2015年、オバマ［詐欺師］大統領による大統領令を通じ、社会・行動科学チームを創設した。

さらに「大流行における専門的助言」を提供するため、新たに英国の**内閣府**と関連した合同バイオ・セキュリティー・センター（JBC）がある。その役割は、公式に次のように説明される。新型コロナウイルスを特定し、その発生に対応する——「例えば、感染レベルが上がった地域で学校や職場を閉鎖することによって」——ため、感染の発生について即時の分析を提供し、感染急増への対応を政府に助言する、独立した（冗談が続く）分析機関。

報道によれば、それは合同テロ分析センターに拠点を置く。ここは「テロの脅威レベル」を判定するため機密情報を分析する所だ。安全保障および対テロリズム局の局長で、次のMI6長官の有力候補と報じられたトム・ハードが、私がこの後すぐに説明する接触‐追跡作戦を監督する新たな部隊を率いるよう任命された。トム・ハードはボリス・ジョンソンと一緒に、上流階級のイートン校とオックスフォード大学に進んだ。

私がこの相互に関連するつながりについて説明してきたものが、永久政府あるいは影の政府である。それらは今日ここにいるが明日は消え去る政治家を超え、ずっと上で全てを運営している。これと比べたら、ジョンソンのような首相たちは、「大流行」詐欺の間、われわれがはっきり見たように、はした役の、本当に周辺的な役者にすぎない。

〔訳注：日本でも2017年に関係省庁や地方公共団体、産業界、有識者などで構成される「日本版ナッジ・ユニット（BEST: Behavioral Sciences Team）」（事務局は環境省）が結成され、健康診断の早期受診や低酸素化への行動変容などに導入されてきた。2020年には「新しい生活様式（ニューノーマル）」促進のために展開されていることが、環境省のホームページで確認できる。「帰省を控えて」ではなく「オンライン帰省を」、「外食しないで」はなく「飲食は持ち帰り、宅配も」といった言い回しのほか、スーパーのレジにある身体的距離を確保させるための仕切り線やエスカレーターの足跡模様、消毒液に誘導するための矢印テープなどもこの心理学に基づく〕

「肘（ひじ）でそっと突（つつ）く」、というより背中をピシャリとたたく

このネットワークに由来する組織心理学的操作の完全な例は、緊急時科学諮問会議（ＳＡＧＥ）

の「行動科学小グループ」によって政府のために用意された論文に見つけることができる。SAGEはゲイツとズブズブの関係にあるグラクソ・スミスクラインの元役員のパトリック・バランスと、ゲイツが資金提供する政府首席医務官、クリストファー・ホイッティが共同代表を務める。ホイッティが「ウイルス」政策を運営する間、ジョンソン首相は彼に言われたことを何でもやった。

2020年3月、「議論」のために発表されたその論文は、都市封鎖の間、行動を制御するための基本的な実現目標である。「説得」という見出しの下に、次の文章が含まれている。

人が感じる脅威のレベルを、無頓着な人々の中で増大させる必要がある。社会的距離を確保する感情的なメッセージを増やすため、選択肢に対する痛烈な評価を使いながら。これを効果的にするには、人々が脅威を減らすために取ることができる行為を明確にすることによって、彼らを勇気づけることも必要だ。

恐れと脅威の主題をめぐるそのような心理的計略は、「大流行」が始まってから、常に容赦(ようしゃ)なく使われてきた。すでに書いたように、偽「ウイルス」、あるいはたとえあなたがその存在をまだ信じていたとしても圧倒的多数の者には少しも危険でないウイルスの恐怖が、ある水準の監視体制――**もちろん**中国――を模写した「接触追跡」を装って、大人数を即時に監視する体制の構築に利用されている。

これは、その「ウイルス」が「致死性」で、あなたを守るため自分の携帯電話による追跡が必要との知覚操作に基づいて作られる（行動操作）。携帯アプリはあなたが接触した人を追跡し、彼らの中に「新型コロナウイルス」を調べない検査で「新型コロナウイルス」陽性者がいなかったかどうかを見るために展開されている。

それから、「接触追跡者」軍から政府の作戦隊員があなたの自宅を訪ね、「新型コロナウイルス」を調べない検査をあなたにするだろう。そして、もしあなたが、多くの人が体の中に持っている遺伝物質のため陽性になれば、当然のこととして、あなたは自己隔離を求められるか、強制隔離されるだろう。

この制度は、ずっと過激になるにつれ、子供たちを家族から取り上げるように計画されている。それはカルトの別の目的を満たす。検査の目的でないものに反応して陽性と診断された人々とあなたが接触したと主張するだけで、誰でも簡単に標的にできる。私が話したタンザニアのパパイヤやヤギはきっと身震いしている。

それは全て長く計画されていて、全欧州市民向けの「共通ワクチン接種カード／パスポート」を導入する欧州委員会の提言は、２０１９年末の完璧なタイミングで出された。カルトが所有するグーグルやアップルなど大手テクノロジー企業は、接触追跡を可能にしている。なぜなら、彼らは人間の健康とともに、米国の接触追跡機関の一つを大変気遣っているからである。

「パートナーズ・イン・ヘルス」はクリントンの娘、チェルシーを理事に擁し、ビル＆メリンダ・

ゲイツ財団やジョージ・ソロスのオープンソサエティー財団が公式パートナーに名を連ねる。「国民新型コロナウイルス検査行動計画」を詳細に述べた2020年4月発表のロックフェラー財団の報告書は、全国規模のDNAデータベースの創設と、全ての米国人に対する大量検査・追跡を求めている。

何てことだ！　多くの人がまだ、何が進んでいるのか分かっていない。良くても無知、主流派メディアのふ抜けな手先だ。人々が明白な事実にどれほど盲目かは、驚くほどである。

「ウイルス」詐欺はもう一つの「ネコちゃん、こっちこっち！」であり、自由をさらに極端に消し去るのを正当化するため、作り話は絶えず変更されている。最初、彼らが言ったのは、都市封鎖が「流行曲線を平らに」するために必要ということだった。しかし、数字の操作を通じて封鎖が起きると、今度は「治療またはワクチン接種」があるまで「普通」に戻ることはできないと言われた。

人類の歴史で、他に病気と称されるもので、健康な人の隔離を伴ったことはない。しかし今は、「治療またはワクチン接種」があるときのみ、都市封鎖が止められる。彼らが意図するものは、とりわけ住民たちをスマートグリッド（地球丸ごと監獄化）に接続するためのワクチンである。「ネコちゃん、こっちこっち！」は行動操作であり、これは社会的距離の確保や、人々が法によって従うべきだと考えている全ての細かな規則に関して見られる。ほとんどは法的強制がなく、政府が推奨しているにすぎないのだが。

警察は都市封鎖法を破ったとして、人々に罰金を科したり、逮捕したりしてきた。しかし、そのような法律は存在せず、強制する権限もないまま自分たちが取り締まっていたことを認めざるを得なくなった。これが、疑問を持つことも自分で調べることもなく、言われたことをするときに起こることだ。

これを書いている1週間前の都市封鎖中、ボリス・ジョンソンが告知した。あなた方は自宅に不動産業者あるいは住み込みのベビーシッター、掃除人は入れていいが、両親や両祖父母は駄目だ。親や祖父母を1度に1人上げるのは構わないが、両方一緒は駄目。公園で彼らと会うことができるが、庭ではできないと。その理由は、英国保健相のばか者ハンコックによれば、庭に行くのに家を通り抜ける可能性があるからだ。彼らは途中で不動産業者やベビーシッター、掃除人と擦れ違うと思うのだが。

私は非常にたくさんのそのようなばかげた矛盾を並べることができる。政府の空っぽの頭から大きなうねりとなって押し寄せる、理解できないナンセンスを。しかし、間抜けな官僚が奇怪な狂気を押し付けている間、行動洞察チームや世界中の同様のネットワークの水準でアホらしい作法があった。

われわれは、子供たちが幼少期から自分の友達を恐れ、接触しないよう慣らさせられている異様な姿を見ている。線で仕切られた遊び場にとどまるよう強制されている間、マスクした親たちは彼らを迎えるため2メートル離れた×印から、同じく2メートル離れて行列を作っている（図④、⑤）。

図④：カルトの精神病質（サイコパシー）と、人間の隷従の何という証左か。

図⑤：自尊心はどこへ？

それは、疑問を持たない親や教師たちによって押し付けられている児童虐待である。サイコパスが選ぶことを何でもするよう、偽「大流行」を使っている連中の要請に基づいて。「それは決まりだから」というのは、少しも理由になっていない。子供たちは、非道によって人間らしさを奪われている。彼らは子供も大人も飼い慣らされた動物のように、細かい命令に従うようしつけている。

笑うべき明らかに矛盾した規則があるのに人々がまだそれらに従っていれば、全体的な無条件の服従に近付いていることに気付くかもしれない。実際に、人類は広大な地域ですでにそうなっている。今や、われわれは「シャボン玉」――本書で先に書いたことからすれば、いかに適切か――として公然と知られる小さな孤立した集団の中にいたまま、奴隷にされる見通しだ。少数者による多数者への押し付けへの対抗手段はこれだ。「くそ食らえ！――われわれはそれをするつもりはない」。

その計画は、ゲイツの「新型コロナウイルス」ワクチンにとってかつて人類に解き放たれたことのない技術――合成物質が進入するよう合成DNAと電磁パルスを使って細胞を開くDNA操作――を使うこと。合成人間の実現目標に関して私が本書で先に述べたことを仮定すれば、これは、そのワクチンは自己複製するナノ技術が含まれるだろうという私の主張と一致する。

そのゲイツワクチンを接種することと、それを子供たちが受けられるようにすることは、狂気の新たな定義になるはずだ。英国政府は、そのゲイツワクチンの強制を禁止することを拒否してきた。一方、ジェフリー・エプスタインの友達（ゲイツのよう）で法的擁護者の超シオニストの弁護士、アラン・ダーショウィッツは、米国にそのワクチンを拒否する権限はなく、連邦あるいは州政府が義務化すべきだと主張した。

彼は、強制ワクチン法を強制する州政府の権限を支持した1905年のジェイコブソン対マサチューセッツ訴訟における最高裁判決を引用した。カルトが所有するその最高裁は、個人の自由は州政府の権力によって無効にされると命じた。その法廷は衝撃的にも、医療の世界に予防接種が「無効または有害でさえある」と信じている人もいることは「取るに足らない」と判定した。

州政府は対立する医学的理論を選択したり、決定を「決断できる資格を持ち、影響を受ける場所に住む人々で構成される委員会」（同じものであるカルトと巨大製薬企業に支配されている）に付託する権限を持っていた。裁判所は、その執行が「実質的に公衆衛生または道徳、安全につながり、基本法で保障された権利の明らかな侵害でなければ」妨げないのが常だった。危害を加える可能性があるワクチン接種を強制されることは、「明らかな権利侵害」でないのか？ **異常である。**

その裁判所はまた、**強制ワクチンが公共の福祉を促進するだろうというのが州当局の信条である限り、そのワクチンが実際に効くかどうかは取るに足らないことであり**、そのような強制は**合理的で適切な警察権限の行使**であると判定した。それは「地域社会が住民の安全を脅かす伝染病から自らを守る権限を持つという最優先の必要性」に属する――そして、脅威が明らかでない場合でも。米国の皆さん、これが最高裁の先例です。さらに自分のワクチンをみんなに打とうと準備したままのサイコパスのゲイツがいる。

「アウトサイダー」（笑）のドナルド・トランプは、そのワクチンが整い次第、たぶん早ければ2

020年12月には分配できるよう軍を展開していると発表した。一方、英国政府は臨床検査を基に、早ければ9月にも集団予防接種に至ることができると述べた。その速度は、ワクチンの提案者でさえ、どのようにしてこれが可能なのか疑問を抱いている。子供や大人に致命的な障害を起こしてきたワクチンは、開発に数年かかるのに。

その答えは、「大流行」が始まって以来私が述べてきたように、ワクチンは準備ができていて、それを使う口実が展開される前に待機していたということ。存在することも病気の原因であることも決して証明されていない「ウイルス」に対するワクチンが数カ月で開発できるという見解は、「新型コロナウイルス」を調べないPCR検査とともに明らかに詐欺である。

存在が示されていないし、それが病気を引き起こすことが示されていないから、それを検査できない。しかし、数カ月でワクチンを見つけた。これはナンセンスであり、歴史的規模のうそだ。彼らは明らかな信用のずれを克服するため、その「大流行」とワクチンの間の遅れをできるだけ延ばそうと努めている。しかし、彼らは長く待ちすぎるのを恐れている。なぜなら、遅延が長くなるほど、より多くの人々がその「大流行」が始めから終わりまで巨大な詐欺だったことに気付くだろうから。

もし十分な人々がワクチンを拒否した場合の計画Bは、ワクチンを打つまで誰も都市封鎖規則から外れることを許さないことである。皆がワクチンを接種するまで「通常には戻らない」とのマントラ（お題目）をわれわれが聞いてきたのは、そういうわけだ。ゲイツの脚本によれば、その「ウイルス」はあまりに致死的で人類は危機に直面しているから、恐らく安全性は急ぐために譲歩されるべきかもしれない。ゲイツは自身のブログに次のように記した。

> もしわれわれが完全なワクチンを設計できるのなら、それが完全に安全で、100%効くようにしたいだろう。あなたに生涯の保護を与えるには1ダースが必要であり、保管するのも輸送するのも簡単なはず。私は新型コロナウイルスワクチンがこれら全ての性質を持つことを望む。しかし、現在のスケジュールを考えると、望めないかもしれない。

ワクチンが何か、何が含まれているか正確に知っているなら、いまいましいうそつきだ。ワクチンが登場する同じ時期に、彼らは単に診断方法を変え、死亡診断書から「新型コロナウイルス」を消すように書くことによって、ワクチンが効いているように見せることができる。しかし、きっと彼らはまた、インフルエンザのときのように変異してさらなる予防接種を必要とする「ウイルス」の継続的な「波」を用いて、これを数年にわたって長引かせるだろう。

彼らは嗅覚(きゅうかく)障害あるいは味覚障害を含む新たな「症状」を加えることさえして、さらに多くの人々に自分たちが「感染した」と思わせている。他の原因なのに。来週には、新しい症状が30秒に2回、出ているだろう。ストップウォッチが支給されそうだ。

それから、話すことは「そのウイルスを広げる」と告げている「調査」があった。「閉め切られ

た環境で、普通に話すことが空気ウイルス感染を引き起こす高い可能性」があるので、家にいよ、

さらに口を閉じよと。

このあとがきを書き終えようとしている今、破滅した企業や雇用、夢とともに、その大流行詐欺の経済的結末——初めからはっきりと分かっていて計画された——が露(あら)わになりつつある。治療や診断の遅れを通じ、死んでいく人々の数が上昇し続けている。さらに、自殺や薬物乱用、児童や家庭内虐待のせいで。

ある研究によれば、向精神薬の処方が急上昇してきた一方、米国人の3人に1人が不安やうつ症状を示している。社会は崩壊に向かっている。なぜなら、それが全体の構想だからだ。スタンフォード大学のマイケル・レヴィット教授によれば、都市封鎖は命を救えず、命を犠牲にしてきた(絶対確か)可能性がある一方、ニール・ファーガソンは死亡者数を「10または12倍」過剰に見積もっていたと指摘する。ファーガソンの悪魔的政策により、皮肉にもこの見積もり通りになるかもしれない。

早期に都市封鎖した英国は、全く都市封鎖しなかった国に劣らず、概して悪影響を被(こうむ)った。JPモルガンの投資戦略立案者(ストラテジスト)、マルコ・コラノビッチによれば、都市封鎖はその「大流行」の進路を変えられなかった。代わりに、「数百万人の生計を破壊した」。知られていないのは、これが初めから計画されていたことである。珍妙な主流派メディアの記事でさえ、都市封鎖の(計算された)狂気を終わらせることを求めているように見える。

米国では、州知事の絶対的命令によって独裁的支配が押し付けられてきた。これは50人程度の人々が、3億3000万人の生活を指令し続けていることを意味する。その権限を乱用する彼らは1人残らず（非常に多く）、馘（くび）にしなければならない。

こうした全ての点から問う。人類が服従している限り、世界はばからしいほど少数の人々によって支配されているという意見は、まだ退けられるか？　あるいは、彼らの実現目標は悪の奥の院によって画策されているという意見はどうか？　否定はもはや不可能だ。

われわれはこの目で世界的独裁を見ており、まばたきしてはいけない。政治家や主流派「ジャーナリスト」が現実を見ていないことが分かるだろう。彼らは問題であって、答えではない。**我ら人民**がこれをやっつけなければならない。さもなければ、誰もしない。さあ、**行こう！**

●デーヴィッド・アイク著・高橋清隆訳『答え』各巻案内

David Icke "THE ANSWER", 2020.8.13 英語版

第①巻　人類奴隷化を一気に進める偽「ウイルス」大流行（パンデミック）［コロナ詐欺編］

序章

著者が30年来論述主張してきたことが、「新型コロナ」騒動の現実に直面してどうにも否定できなくなってきた。「陰謀論」は大衆を真相から遠ざけるためにCIAが常用する手垢（てあか）にまみれた誑（たぶら）かし宣伝用語。人類はメディア情報によって近視眼にさせられ、ピラミッド監獄下の区画化された檻（おり）の中で働き、全体がまるで見えない。無限の意識から切断され、職業や宗教、性別などに規定される存在（レッテル）を自己だと思っている。

どのようにそれは行われるか／クモ／死のカルト／永久政府（＝「影の政府（ディープステート）」）が本当の政府／カルトの戦争／心を解き放つ／偽の自己認識

第15章　彼らはどのようにして偽の「大流行（パンデミック）」をやりおおせたのか？

この本の85％は「新型コロナウイルス」（COVID-19）の「大流行」前に書いた。ここでは「新型コロナウイルス」が存在しないことを説明したい。公式でも半公式でも、自然あるいは中国のウイルス研究所由来

のウイルスが存在し、感染性の肺炎を起こしたとしている。これを裏付ける証拠はなく、都市封鎖によって独立した生計を破壊し、カルトが牛耳る政府への依存を強めるためにうそをついたと考える。「ハンガーゲーム」社会に誘導するため。

英国で最初に新型コロナ感染症と診断された1人は、イタリア旅行から戻った男。BBCが報じた。彼は頭痛と関節の痛みがして病院に行ったが、それまでにインフルエンザの症状は消えたと証言している。「死ぬ」とはお笑いだ。あるドイツ人記者が英国のコロナの救急病院にカメラを持って訪ねたが、空だった。同じことをした英国人は、真実を暴露するのを妨げるため逮捕された。英国政府は木曜夜に病院前で医療従事者に拍手を送る行為を奨励している。しかし、中は休暇を命じられた職員が多いためがらがらで患者もなく、医師が机を指でたたく。〝病院ダンス〟のビデオを撮っているのは暇だからで、密になっても感染は聞かない。

米ニューヨークの医学者、アンドリュー・カウフマンは「新型コロナは存在しない」と明言する。中国の研究者が一握りの最初の患者の肺から取った単離してない遺伝物質は、無数の人々の体内にある細菌や真菌その他生物にも見つけられるものだと指摘している。また彼は、新型コロナはエクソソームのことではないかと提起する。エクソソームは細胞に化学的や電磁的な毒素が入ってきたときに細胞外の余剰スペースに排出する。

PCR検査を発明したノーベル賞学者、キャリー・マリス博士は、「これは感染症の診断に使ってはならない」と言っていた。彼は2019年8月に亡くなっている。

公式見解／クモの巣——米国・カナダは中国に数百万ドルを渡し、大流行詐欺を調整／事実なき宣伝／空の「戦場」病院／おめでたい拍手人／詐欺がどう働くか、医師が説明／「致死性ウイルス」は自然免疫系の反応／ウイルスに「感染」できるか？／詐欺がどのように働くか、科学者が説明／

数字と「予測」はどこから来る?／「誤差」の喜劇／悪魔のゲイツ／人々は「新型コロナウイルス」でのみ死ぬ／「それはコロナ、ばかな——常にコロナ」／医師や専門家は思い切って言った／老人殺し／聡明な医師と専門家が一致、大衆はだまされた／わざと弱めている自然免疫力／5Gはいかが?／5Gと酸素／事例研究／肺の症状は「ウイルス」によって起きない

第16章　ビル・ゲイツはなぜサイコパスか

ビル・ゲイツは世界の「保健」産業をカルトが命じた通りに喜んで熱心に実行している工作員である。世界保健機関（ＷＨＯ）はロックフェラーとロスチャイルドによって第2次大戦後創られて以来、心底腐りきっている。２０２０年3月の新型コロナウイルスの「パンデミック宣言」の発表も常套手段だった。ゲイツは数億ドルをここに注ぎ込むとともに、数百万ドルを米国疾病予防管理センター（ＣＤＣ）に出して同国のウイルス政策を差配している。それで医師たちは、患者が運ばれてくると、エビデンスなしに〝新型コロナ〟と診断している。

メリンダ・ゲイツはＢＢＣラジオに出演し、夫がコロナの感染爆発に備えて「何年も準備していた」と発言した。ビルは２０１５年、『テッド・トークショー』に出て、世界的な大流行が起きて多くの人々が死に、世界経済が壊滅的な打撃を受けると予言していた。中国で「感染爆発」が起きる6週間前、１%が運営する世界経済フォーラム（ダボス会議）が開かれ、コロナウイルスの大流行をシミュレーションしている。「イベント２０１」と呼ばれるもので、ビル&メリンダ・ゲイツ財団とジョンズ・ホプキンス大学が主催した。ゲイツは「大流行」が始まる前から、人類全員にワクチン注射を接種したいと語っていた。

ロバート・F・ケネディ・ジュニアは次のように述べている。「ビル・ゲイツにとって予防接種は、多くのワクチン関連ビジネス（世界のワクチンID企業を支配したいマイクロソフトの野望を含む）を潤す戦略的慈善事業であり、世界の保健政策――企業による槍(やり)の穂先(ほさき)――に対する独裁的な支配を彼に与える。ゲイツは2000年から2017年の間インドで、ワクチン接種により約50万人の子供を麻痺(まひ)させ、1200人の少女を不妊にし、7人を殺している。ワクチン接種のために2万3000人が村を出た。

誰のWHO(紳士録＝フーズフー)（世界保健機関）？　えーと、ビル・ゲイツ／ゲイツと「ダボス」の暴力団――その「予言」／ロックフェラーの予言／ゲイツのワクチン／ロバート・F・ケネディ・ジュニアによるゲイツワクチン恐怖物語／最大の死亡原因――都市封鎖／「ハンガーゲーム(殺し合いの飢餓管理)」の大もうけ／ニューシステム／全ての要求を満たす／シークエンス(塩基配列)（連鎖）／お金の動き依存関係を追え／生存反応が作動した？　そう――今や、われわれは何でもできる／文字通りの分断統治になった／警察軍事国家／メディアが独裁を可能にする（ドイツでやったように）／ユーチューブとフェイスブックから追放――連続／アイクを黙らす「デジタルヘイト」ネットワーク／ネオコンのニュースガード／次は何？／食料支配

あとがき

「感染爆発」について、私の暴露を黙らせようとする体制の捨て身の攻撃は、この本が印刷される直前、新たな段階に到達した。英国議会の保守党議員ダミアン・コリンズが、公式見解に反する違法なものだと言ってきた。コリンズは下院デジタル・文化・メディア・スポーツ委員会の前委員長で、何かに取りつかれたように、うそを暴こうとする私を黙らせようとして、ゲイツとカルトの所有するWHOの言説を世界中の黒スーツを着た政府やテクノクラートのようにおうむ返ししていた。

「ヘイト」検閲ネットワーク／英国政府の世界規模の心理作戦「チーム」／「肘でそっと突く」、というより背中をピシャリとたたく

第②巻　ホログラム世界の投影機、「心」が攻撃されている［世界の仕組み編］

第1章　現実とは何か

われわれは無限の宇宙とつながった一つの存在だが、個々の体が経験する認識を生きている。五感で捉える現実は、波動領域にある情報を脳が解読したホログラムの電子信号にすぎない。「物理的」現実が幻想であることを支配カルトは知っていて、われわれの現実意識は狭い領域に閉じ込められる。映画『マトリックス』で脳をコンピューターにつながれ水槽に浮かぶネオのように。時間は存在せず、光の速さは人間の肉体が知覚できる限界にすぎない。しかし、多くの臨死体験者が語るように、われわれの意識は無限で、何にでもなれる。

この「神」とは何か？／幻想を解く／聞くための耳？　味わうための舌？／幻想である混乱／彼はあなたの後ろにいる！／脳は情報処理装置／時間？　何の時間？／光の速さ？　それは歩行者／証拠はどっさり／信じているものがあなた

第2章　われわれとは誰か

本当は無限の「私」のほとんどは、カルトの情報操作によって乗っ取られている。開いた心は拡張された意識に接続されているが、閉じた心は五感の殻の中で、科学や学術、メディアなどあらゆる主流に命令される。チャクラは無限意識と「自己」をつなぐ。「第三の目」と呼ばれるチャクラは第六感を司るが、カルトは水道水や歯磨き粉に混入されたフッ化物によって脳梁の間にある松果体を石灰化することで、機能を止めている。宗教が抑圧する前の古代人は、経絡を刺激することで、チャクラを開くことができた。人間の電磁場は地球の電磁場の縮図であり、脳の活動はわれわれのホログラム現実の宇宙とそっくり。

全一／無は全部／「人間」とは何か？／「邪神」／波をくれ／原子という神話／われわれは「物質的」現実をどのように創っているか／ホログラムの幻想／電子的現実／言葉の中に

第3章　何が不思議？

私の説明で現実を見通せば、いわゆる人生の不思議は氷解する。心・身は水面の2つの波紋の干渉と同じく、体の周波数と心の周波数が干渉した振動に過ぎない。両者の波動の均衡が崩れた状態が病気だ。主流派医学はこの原理を無視するため、外科的な切除を繰り返す。心の波動は知覚に規定されるので、カルトは情報を重視する。5Gは直接振動を乱す。私は「爬虫類人」説で笑われたが、人間の狭い視覚領域に現れる周波数とそうでない周波数があることを述べたもの。王権神授説やギリシャ神話の「ネフィリム」は、両方の領域を行き来する存在の血統を描く。恐怖や敵対などの低次元の感情の引き金を引く爬虫類（レプティリアン）脳の名は、この名残である。

遺伝子の悪霊／薬漬けにする［そして注意をそらす］／信じれば見える／生まれつきの勝者？ 生まれつきの敗者？ それとも心が全てを決める？／人間関係の［波動］場／あなたに取りついているものは何？／姿形を見せる波動場の血流／本当のはずがない？ いいえ、本当です／私もちょうど同じことを考えていた／わっ！ 何という偶然／個人的に言えば／人生設計／超常現象が完全な正常［「正常」でないものが正常］

第４章　愛とは何か

愛は無償に与えられるべきもので、求められてはならない。男女の肉体要求を超えた、無限で無条件の愛だ。私は30年来、人間社会を差配するサイコパスを暴露してきたが、彼らを憎んではいない。人を憎むと憎む相手になり、闘えば闘う相手になる。反対運動がどこでも起きているが、憎悪の連鎖を生むだけ。ハートのチャクラは一つの無限意識の入り口。頭は考え、心は知る。われわれの思考や感情は集合意識の領域に放出され、われわれはコンピューターがWi-Fiと相互作用するようにこの領域と相互作用する。カルトはその原理を知っていて、われわれを低い波動レベルに抑え込むため、ナチスや９１１のような暗いニュースを流す。

反ヘイト反愛情／愛のない「お金」／ブランド物の愛／愛の源泉／心—全一（ワンネス）への入り口／愛は人間「愛」を超えている／知性の監獄／大丈夫だよ、心配しないで／愛を科学する／心に従う／心—脳—腹／初めから／愛に帰れ／水は話を理解する／今こそ、みんな一緒に……／地球規模の感情／愛—最高の力

第5章　われわれはどこにいる

全世界はあなたの思考と切り離された物理的構造物だと思っていないだろうか。ボン大学のサイラス・ビーンのグループは、現実を映画『マトリックス』に描かれた立方体の格子構築物のシミュレーションとして提示した。われわれはプラトンの「洞窟の寓話」のように、壁に映る影（シミュレーション）を現実と信じているのかもしれない。サイマティクスは音や固有の振動が創る形象だが、この世界は、人体を含めた世界の内側での定常波、すなわちホログラムと言える。数字や図形もまた波動を発振する。カルトはそれを知っていて、人類の潜在意識に低い周波数を送る。六芒星や黒い立方体は土星の象徴で、人間の心を閉じ込める。

定常波の現実／「私は光です」。分かった。でも、どの光？／シミュレーション科学と数字／電撃的な宇宙［シミュレーション］／誰がシミュレーションを創ったか／また来いって？　うーむ、遠慮します／カルトの吸血鬼とエージェント「スミス」／異星人はどこにいる？／占星術の倒錯／グノーシス派は知っていた［そして彼らだけではない］／アルコーンの虚構現実／ソフトウェアのアルコーン／シミュレーション現実を模倣したコンピューター現実／自らの監獄を解読する

第③巻　地球温暖化と反差別運動は飢餓社会建設の口実［偽の社会正義編］

第6章　知りましょうよ

人生で最も重要な要素は知覚である。知覚したものを信じ、それが行動様式を決め、われわれの経験するものになる。それは教育によって仕込まれ、メディアによって促進され、科学や企業群、医薬、政府、そして大衆の信念体系の基礎になる。カルトはわれわれの現実の本質を知っていて、知覚をハイジャックしている。教育カリキュラムは彼らの代理人であるロックフェラーやビル・ゲイツらによって作られ、思考を左脳偏重にすることに重点が置かれている。その費用も個人に負担を押し付け、何十年も学費返済を迫られている。逃げたくなる子供には精神障害の烙印を押し、リタリンなど向精神薬の投与を促進する。メディアは大資本が援助する偽の草の根運動も宣伝する。気候変動やトランスジェンダー、ポリティカルコレクトネス、反人種差別など。ウィキペディアも不明の500人の者が独占編集し、金銭を要求する事件まで起きている。インターネットはカルトが人類管理の目的で作ったもので、最終的には全ての情報をネットに移す予定。検閲ができるからだ。

ダウンロードが始まる／「教育」──組織的プログラム／遊び時間？ 遊び時間って何？／知覚のロボトミー／狂気に通わせる／郵便切手の画一社会／ソフトウェアとしてのメディア／偽「草の根」プログラム／洗脳の森を守る代理人／少数者による、少数者のためのメディア／悪魔のピラミッド──メディアの最終段階／シリコンバレーによる検閲／魔法使いの呪文／常に波動場に戻ろう

第7章 われわれはどう操られているか

日々の出来事を真に知るには、カルトの目的を知る必要がある。偶然と思われている出来事が計画されている例を挙げる。サバタイ派フランキストとして知られるカルトは、イスラエルを牛耳っている（彼らはユダヤ人ではない）が、サウジアラビアの偽「王家」だ。アメリカ新世紀プロジェクト（ＰＮＡＣ）にも浸透し、９１１事件を起こした。ビン・ラディンではなく。少数者が多数者を支配するために村をなくし、国家を創ってきたが、究極の形が世界政府。悪辣（あくらつ）で無慈悲な警察と軍が１％の超特権階級を支え、マイクロチップを埋め込まれた残りの民衆が奴隷として働く。これが「ハンガーゲーム（殺し合いの飢餓管理）」社会。その一環としてジョージ・ソロスが出資し、「アラブの春」や東欧の崩壊を進めた。目的を早く達成するため、大量の移民を欧州や北米に送り込み、文化・伝統を破壊するとともに、農奴が住むマイクロアパートを建設している。

問題を創れば解決策を押し付けられる／カルト映画／ハンガーゲーム（殺し合いの飢餓管理）社会／『ハンガーゲーム』――現実の映画／地球規模のブラック工場／彼らを都市に集めよ／路上生活者（ホームレス）収容都市／所得を保障し、管理する／カルトの銃略奪／国境を開け／抜き足、差し足／集団保護／多ければ多いほど楽しい／占拠の連鎖／ソロスの資金／「ソロスの春」戦略

第８章　なぜ生活排出ガスを悪魔化するのか

「新たな覚醒（かくせい）」はカルト宗教で、「人為的な気候変動」との語句は神学である。この場合の悪魔は二酸化炭素。教義がひとたび主流で保証されたら、「格好良く」常識になる。俳優のディカプリオはプライベートジェットで温暖化防止賞を受け取りに行った。セレブはカルトの宣伝に使われる。英国のヘンリー王子とメーガン妃が「財政的に独立した」のは、気候変動カルトに利用されたから。ヘンリー王子はロシアのいたずら者２人が暴露したテープの中で、グレタ・トゥーンベリに気候変動詐欺の脚本を自身の考えなく一語一語繰り返している。クイーンズランド大学のジョン・クックは気象学者の97％が気候変動人為説を信じるとの情報を拡散したが、彼の調査報告書全文１万１９４４ページを見れば、66・４％が中立の立場を取った。今より暖かい中世温暖期が１０００年前に始まり、16～19世紀の小氷河期を経て今に至るのが真相。テムズ川が凍っている絵が描かれたクリスマスカードが今もある。

カルトの教義とその多くの顔／ニューウォーク（余計な問題に目覚めた）なカルト［文字通り］の気候変動セレブ（著名人）／途方もないうそ／続きを聞かせて／神話をでっち上げる／でっち上げた神話を守る／生活排出ガス／CO_2が多すぎ？　いや、足りない／気温上昇はCO_2の結果でない――あべこべ／カルトの説話――人類は敵／気候変動カルトの菜食主義――そう単純ではない

第9章　なぜ「気候変動」が担（かつ）がれてきたか

気候変動詐欺は2003年のイラク侵攻同様、無問題―反応―解決の手法で「ハンガーゲーム（殺し合いの飢餓管理）」社会への口実を与え、極端なオーウェル的支配のための実現目標に寄与した。大きなうそほど信じられる。世界政府を創るという解決策には地球規模の問題が必要で、最終目標は新型コロナ詐欺と不可分だ。警察・軍事政府は、悪い人間からその他の「善良な人間」を守る名目で登場する。気候変動カルトは電気自動車を推進するが、リチウム電池に使うコバルトを採掘する炭鉱では、4歳からの子供が防具もない環境でただ同然でグローバル企業に働かされている。世界政府の母体になるのが国連で、トロイの木馬としてカルトによって創られた。アジェンダ21は1992年のリオ地球サミットでマリウス・ストロング（ロスチャイルドとロックフェラーの代理人）によって発表された。同文書には、次の項目も含まれる。

- 私有財産の廃止
- 家族単位の「再構築」
- 子供の国家による養育

・空いた土地への人々の大量入植
・上記の全てを遂行する大規模な地球人口の削減

16歳のグレタ・トゥーンベリは国連で演説する前、世界経済フォーラム（ダボス会議）に出ている。彼女のメンター、ルイーズ・マリー・ノイバウアーはビル・ゲイツとジョージ・ソロスが出資した「ワンムーブメント」の要人。グレタとその両親が「反ヘイト」のヘイト集団、アンティファのTシャツを着ていた（写真あり）。

環境保護の悲惨な結末――「地球に優しい」おかげ／気候変動カルトが億万長者からどのように生まれたか／ある内部者（インサイダー）は語る／国連の2つの呪い（のろい）／アジェンダ21／2030アジェンダ／さあ、グレタさんの登場です［ちょうどいいタイミングで］／白熱する詐欺宣伝

第10章　新たな覚醒（かくせい）は起きているか

中国はEUと米国、日本を合わせた以上の二酸化炭素を排出しているが、公に非難されることはない。ニューウォーカー（被害妄想狂）は怒るべきではないか。そうならないのは、世界政府のひな形だからだ。国中に張り巡らされた監視カメラの整備には、カルト所有企業のグーグルやIBMが関わる。カルトは中央集権独裁を選挙で選ばれないテクノクラート（技術官僚）にさせたい。カルトは社会主義の宣伝にマルクス主義の名を用いず、ニューウォーカーの名を考えた。KGBは3世代にわたる社会主義の浸透を実行した。実際、米国の世論調査では、18～24歳の61％が社会主義を容認すると答えている。ニューウォーカーは被害感情が旺盛（おうせい）で、人種・性など何でも差別されたと訴える。カルトがポリティカルコレクトネス（政治的公正）やSNSの普及で犠牲者を増やしたのは、検閲を通じた国家保護を促進するためだ。

「資本主義」はカルテル化／ニューウォーク（余計な問題に目覚めた）はどのように創られたか／再教育は効いている／狂人のためのエンターキー（気分を害されたと訴えれば、力は他者へ）／秩序立った狂気／滑稽（こっけい）さの暗部／「私は正しい」という専制／全てから私たちを守って／確かなものを求めて／なぜ事実がそれほど危険なのか／組織的検閲／あなたは誰？　私はLGBTTQQFAGPBSM（細分断・統治）／偽の「社会正義」／言語破壊と自己検閲

第④巻　心を開き、トランスジェンダーもAIも無効に［世界の変え方編］

第11章　なぜ白人か、なぜキリスト教徒か、なぜ男性か

ニューウォークネス（被害妄想症）とポリティカルコレクトネス（政治的公正）がカルトにより仕掛けられたものであることは、両者共通の目的を見れば分かる。

・世界権力の集中（ニューウォークが地球を気候変動から救うために求めた）
・カルトとその人類への実現目標に対する批判と暴露への検閲（ニューウォーク（余計な問題に目覚めた）がポリティカルコレクトネスを通じて要求した）
・さらに小さい自己同一性に認識を奴隷化すること（ニューウォークがアイデンティティ政策を通じて促進した）

など。

被害者意識からの告発が横行すると、白人で成人男性であることが最も悪いことになる。この倒錯は問題にされない。職場では女性に対し、一言一句、気を使わなければならない。スーパーボウルの広告には、「有毒な男らしさ」と掲げられた。子供に影響する。カルトは性のない人類を求めている。全ては「ハンガーゲーム（殺し合いの飢餓管理）」社会に誘導するためだ。

より肌の白い男性が標的／ポリティカルコレクトネス（政治的公正）の聖域／ウォーク《目覚めた狂気》は笑い事でない／♫イエスの十字架を戸口から外し♫／有害な男らしさ／「反ファシズム（アンティファ）」独裁と億万長者同盟

☆カラーグラビア　ニール・ヘイグ〈ギャラリー〉

第12章　われわれはどこへ向かっているか（われわれがそれを許した場合）

われわれは人工知能（ＡＩ）として知られる合成人間という結末に誘導されている。それには「スマート（奴隷誘導化）」テクノロジーとトランスジェンダーが関わる。テクノクラシーは単一文化の世界を目指してあらゆる国境をなくしているが、男女の生物的境界をなくすことも含まれている。テクノクラシーとは社会工学。国際決済銀行（ＢＩＳ）は現金廃止による単一の仮想通貨を導入しようとしている。ビル＆メリンダ・ゲイツ財団は世界の学校でＩＴ教育を導入するための資金を提供している。彼らは人より機械に話し掛けるようになるだろう。元グーグル重役でシリコンバレーにあるシンギュラリティ・ユニバーシティの共同設立者のレイ・カーツワイルは人間の脳とＡＩを接続し、５Ｇのクラウドにアップロードするプログラムを２０３０年から始めると唱える。最終的に人間の肉体は処分される計画だ。

隠れたるより見るるはなし［中国の故事］／イスラエルの世界的テクノクラート／サイバー空間の軍事支配／内部者(インサイダー)のドノヴァンは知っている［当然］／悪魔の遊び場(シリコンバレー)と「教育」支配(地球丸ごと監獄化)／AI「人間」／シミュレーションの中でシミュレーション／人を愚かにする「スマート」グリッド（次世代送電網）／最「先端」技術は初めからそこにあった／ネコちゃん、こっちこっち……／トロイの木馬、インターネット／イーロン・マスクは仮面(マスク)の裏で／悪魔化(デーモナイズ)する民主主義(デモクラシー)／「サイバー(仮想)」空間―最後の未開拓地［自由の終わりに向け］／5Gがあなたの街にやって来る／ヒト生物学を解明する／電波が世界に環境難民を生む／子供にスマホを与えれば？／カリフラワー状の血液／5Gは兵器／空からの毒／AI世界軍／暗黒郷(ディストピア)の未来像

第13章　トランスジェンダーヒステリーの真相

「生物学的な」合成人間に性はない。合成遺伝子工学は急速に進展したが、支配カルトの地下倉庫にすでにある技術を提供しただけ。ビル・ゲイツの「ウイルスワクチン」はこれを加速するよう設計されている。トランスジェンダーを叫ぶ病的興奮は、あらゆるものを合成に導く忍び足だ。「世界を救う」菜食の圧力は、「ウイルスヒステリー」での操作された食糧難によってさらに促進されるだろう。学校でもメディアでも強調されているトランスジェンダーは性をなくした合成人間に現在の人間を取って代わらせるため。D・ロックフェラーの盟友、リチャード・デイ医師は1969年、「セックスのない出産が奨励されるだろう」と計画を明かしている。どうしてユニセックスの服が並んだのか思い出してほしい。学校や警察、軍の服装も中性化している。女子スポーツは女性らしい体型をなくしている。

性別を混乱させ、性別を融合する／子供への野放しの生体実験／文書には……／それは「差別」？　はい、その通り／促進と規制／人騒がせなばか者（ハリー・ポッター）／シュタージ［秘密警察・諜報機関を統括する省庁］が近付いている／一つの陰謀は多くの顔を持つ／親たちを黙らせよ、教師を洗脳せよ

第14章　新世界交響曲とは

われわれの現実の基礎は振動の波に書き込まれた情報であり、それらの周波数が情報の性質を表現している。憎しみは遅く稠密な周波数である一方、愛や喜び、感謝は早く、高く、広がりのある周波数を生み出す。『マトリックス』や『すばらしい新世界』は前者が支配する。スマート（極小）技術やWi-Fiは人間の周波数に干渉し、AI依存症にすると同時にAI機器の周波数に人間の周波数を同化させるために放出されている。カルトはわれわれの生活の至る所に波動の操作を押し付けている。ピラミッドと万物を見通す目の類いは、子供向けのテレビ番組や漫画にあふれている。象徴は隠された言語で、カルトは自分たちの周波数を人間のエネルギー場に送信している。

波動は覚醒しつつある／世界はあなたの心の反映／自分の周波数は自由に操れる／デジタル依存症にする／仮想「人間」／誰がマトリックスを創っている？　われわれだ／AIと脳が同期―何てスマート！／くだらぬワクチン、くだらぬ食品、くだらぬ飲料、全部くだらない／ワクチンで免疫（イミューニティ）？　いや、訴追を免責（イミューニティ）／集団免疫は問題？　いや、違う／ワクチンの波動／ワクチンでナノチップを人体へ／ワクチン接種を監視する／マイクロプラスチックはどこにでも／「人口が多す

ぎる」／波動を支配する

第17章　何が答えか

支配体制それ自体は、本当は複雑ではない。その基礎は、人間の知覚と感情を低い振動状態に制御することである。われわれが高い波動状態に拡張すれば、シミュレーションの外側を認識するレベルと再接続できる。

自己認識として幻想のレッテルを貼（は）ると、悲劇的な結末が待つ。自分がそのレッテルであるとの信念が、感覚の制限に反映する。人にあなたは誰かと尋ねると大抵、自分の性別や人種、職業、年齢、出身地などを答える。しかし、あなたは異なる経験をしている同じ全てだ。見えない殻の中に自身を閉じ込めておかず、殻を破れば、一つの無限の意識があなたに話しかける。

われわれはどうすれば、人類の終わりであるポストヒューマンを回避できるか？　人類を超えればいい。われわれが誰かを思い出し、その自己認識で自分を生きよう。自身を変えれば、人生が変わる。十分な人間がそうすれば、「世界」が変わる。「時間」や「進化」は幻想だ。心を開いて英知と対話する人は皆、いつもそこにいる。

心《マインド》を閉じれば、知覚は閉じる／偽りの自己を解明する／恐怖は支配の方法／第1段階、第2段階／カルトは潜在意識的知覚を狙う／真実の波動／心（ハート）を一つに／心からの愛は人間愛を超え—全一（ワンネス）に接続／心は「支配体制」が無力なことを知っている／無限の不確実性の中に確実性を探し求めて／己を愛せば、世界を愛せる／心（ハート）を脅す？　無理だ／心は独立独歩／心を開けば、全一（ワンネス）にな

デーヴィッド・アイク

1952年４月29日、英国のレスター生まれ。1970年前後の数年をサッカーの選手として過ごす。そののちキャスターとしてテレビの世界でも活躍。エコロジー運動に強い関心を持ち、80年代に英国緑の党に入党、全国スポークスマンに任命される。また、この一方で精神的・霊的な世界にも目覚めてゆく。90年代初頭、女性霊媒師ベティ・シャインと出会い、のちの彼の生涯を決定づける「精神の覚醒」を体験する。真実を求め続ける彼の精神は、エコロジー運動を裏で操る国際金融寡頭権力の存在を発見し、この権力が世界の人々を操作・支配している事実に直面する。膨大な量の情報収集と精緻な調査・研究により、国際金融寡頭権力の背後にうごめく「爬虫類人・爬虫類型異星人」の存在と「彼らのアジェンダ」に辿りつく。そして彼は、世界の真理を希求する人々に、自らの身の危険を冒して「この世の真相」を訴え続けている。著作は『大いなる秘密』『究極の大陰謀』（三交社）『超陰謀［粉砕篇］』『竜であり蛇であるわれらが神々（上）（下）』（徳間書店）『今知っておくべき重大なはかりごと』（ヒカルランド）のほかに『ロボットの反乱』『世界覚醒概論――真実が人を自由にする』（成甲書房）など多数。

高橋清隆　たかはし きよたか

1964年新潟県生まれ。金沢大学大学院経済学研究科修士課程修了。ローカル新聞記者、国交省広報誌編集に従事。2006年、植草一秀教授逮捕の報道に疑問を抱き、調査報道を開始。マスコミ報道は全て民衆をだますためにあり、それを担うのがジャーナリストであることに気付く。以来、自らを「反ジャーナリスト」と名乗る。

『週刊金曜日』『月刊 THEMIS（テーミス）』『Net IB News』などに記事を掲載。著書に『偽装報道を見抜け！』（ナビ出版）、『亀井静香が吠える』（K&K プレス）、『亀井静香―最後の戦いだ。』（同）、『新聞に載らなかったトンデモ投稿』（パブラボ）。『山本太郎がほえる～野良犬の闘いが始まった』（Amazon O. D. ――「ネクパブ POD アワード2020」優秀賞受賞）。

ブログ『高橋清隆の文書館』

http://blog.livedoor.jp/donnjinngannbohnn/

e-mail: urepytanopy@yahoo.co.jp

答え 第1巻 [コロナ詐欺編]

第一刷 2021年7月31日

著者 デーヴィッド・アイク

訳者 高橋清隆

発行人 石井健資

発行所 株式会社ヒカルランド
〒162-0821 東京都新宿区津久戸町3-11 TH1ビル6F
電話 03-6265-0852 ファックス 03-6265-0853
http://www.hikaruland.co.jp info@hikaruland.co.jp

振替 00180-8-496587

本文・カバー・製本 中央精版印刷株式会社

DTP 株式会社キャップス

編集担当 小暮周吾

ISBN978-4-86471-770-0

ヒカルランド　好評既刊！

地上の星☆ヒカルランド　銀河より届く愛と叡智の宅配便

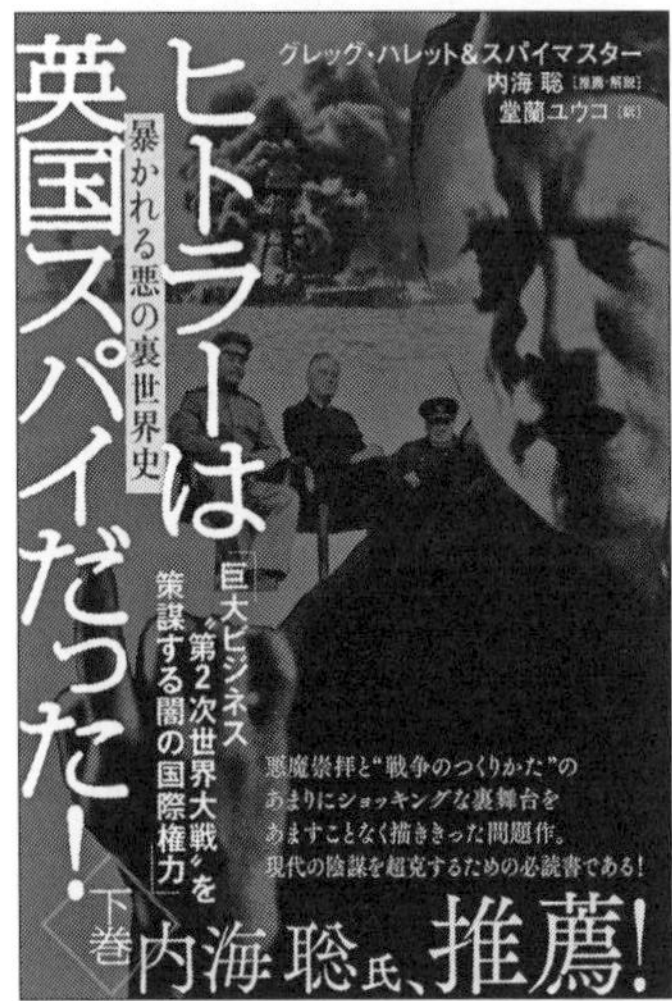

ヒトラーは英国スパイだった! 下巻
著者：グレッグ・ハレット＆スパイマスター
推薦・解説：内海聡
訳者：堂蘭ユウコ
四六ソフト　本体3,900円+税

内海聡氏、推薦！

悪魔崇拝と〝戦争のつくりかた〟のあまりにショッキングな裏舞台をあますことなく描ききった問題作。現代の陰謀を超克するための必読書である！

戦闘の激化とともに国際諜報戦もまた熾烈を極める！　ダンケルクのダイナモ作戦、真珠湾攻撃、イギリス王室のスキャンダル、ナチス最高幹部の影武者たち……仕組まれた戦争で流されつづける無辜の民の血を、世界支配者たちの罪深き欲望が嘲笑う。「アドルフ＝英国工作員」第2次世界大戦とその後の歴史の謎はすべてこの公式で解ける！欧米陰謀史の大家、グレッグ・ハレットが送る今世紀最大の衝撃、完結編！

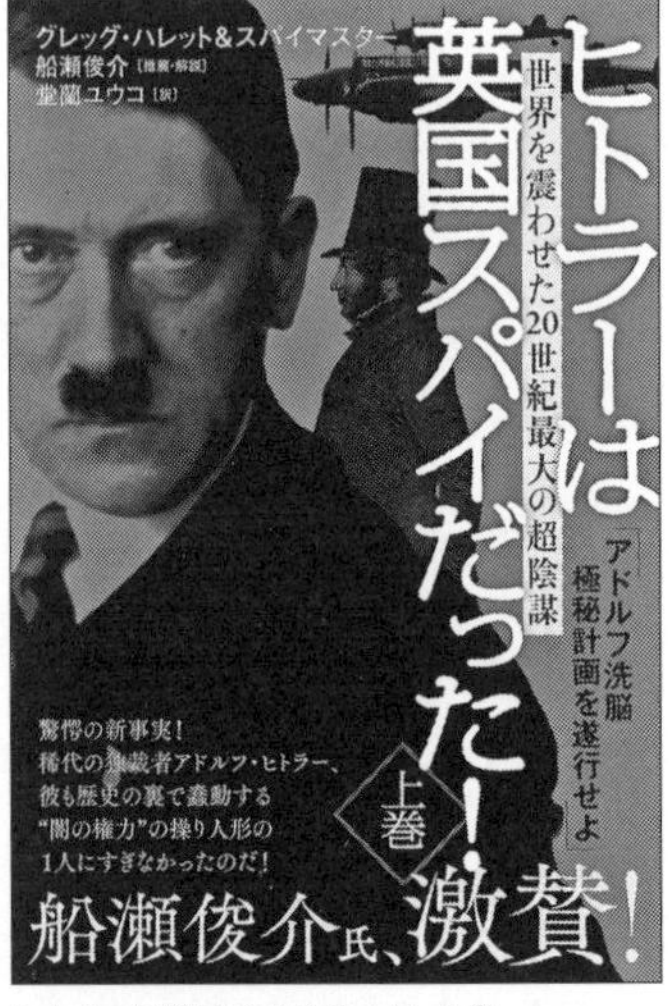

ヒトラーは英国スパイだった! 上巻
著者：グレッグ・ハレット＆スパイマスター
推薦・解説：船瀬俊介
訳者：堂蘭ユウコ
四六ソフト　本体3,900円+税

船瀬俊介氏、激賛！　驚愕の新事実！

稀代の独裁者アドルフ・ヒトラー――彼も歴史の裏で蠢動する〝闇の権力〟の操り人形の１人にすぎなかったのだ!!　近親相姦と悪魔崇拝の禁断の血統を受け継いで生まれたアドルフ・ヒトラーは、1912年からの英国での謎の数年間、MI6（英国秘密情報部）タヴィストック研究所で恐るべきスパイ洗脳訓練を受けていた！　ドイツに戻った彼は、闇の国際権力の走狗として、ヨーロッパ列強の殲滅計画を始動する……大戦を生き延びた〝極秘情報源〟スパイマスターたちの証言によって初めて明かされる欧州戦線の裏の裏――第２次世界大戦陰謀説の金字塔的名著、待望の邦訳！